MW00773025

ELLOGIOS PARA
In Sinu Jesu: Cuando el Corazón Habla al Corazón
—El Diario de un Sacerdote en Oración

"El inmensurable e incesante amor de Dios, revelado a nosotros en el glorioso y traspasado Corazón de Jesús, siempre presente en la Sagrada Eucaristía, debe ser el fundamento de la vida de todo sacerdote. *In Sinu Jesu* relata las gracias experimentadas en la vida de un sacerdote a través del poder sanador y fortalecedor de la adoración Eucarística. Al mismo tiempo, hace un llamado urgente a todos los sacerdotes—y de hecho, a todos los cristianos—para su renovación en santidad mediante la adoración del Santísimo Sacramento y la consagración al Inmaculado Corazón de María, Mediadora de Todas las Gracias. Es mi ferviente esperanza que *In Sinu Jesu* inspire a muchos sacerdotes a ser adoradores cada vez más ardientes del Rostro Eucarístico de Jesús de esta manera, ellos encontrarán la fuerza y el coraje para mostrar el Rostro de Cristo en medio de nuestra sociedad profundamente secularizada."
—SU EMINENCIA RAYMOND LEO CARDINAL BURKE, Patrón de la Soberana Orden Militar de Malta.

"Leyendo *In Sinu Jesu*, he abierto mi corazón a una conciencia más profunda de lo que ocurre cuando paso tiempo ante el Salvador oculto y revelado en el Santísimo Sacramento. Esto se puede resumir, en una palabra: Amistad. Los frutos al seguir las meditaciones de este libro son: un profundo consuelo y una gratitud renovada por Él mientras atrae a Sus amigos hacia Si mismo. Este libro llenará los corazones con ánimo y alegría."
—FR. HUGH BARBOUR, O. Praem., prior, Abadía de San Miguel de los Padres Norbertinos.

"Al leer por primera vez las palabras del *Diario de un Sacerdote en Oración*, una semilla fue plantada profundamente dentro de mí. Las palabras habladas al sacerdote en la intimidad de la capilla brindan consuelo, valor y luz—un anhelo de estar con el Señor, contemplar y adorar Su Rostro Eucarístico y ofrecer nuestras vidas y nosotros mismos en reparación por los pecados contra el amor. Me alegra que el Señor haya elegido este momento en el tiempo para compartir Su deseo de adoración Eucarística a través de la publicación en su totalidad de *In Sinu Jesu*."

—FR. DAVID ABERNETHY C.O., Congregación del Oratorio de San Felipe Neri, Pittsburgh.

"*In Sinu, Jesu* tiene el poder de inflamar el deseo de la adoración Eucarística. Es una poderosa expresión de la sed de Nuestro Señor por atraernos y poder profundizar en nosotros Su amistad, curar nuestras heridas y renovar la Iglesia. Desde hace varios años, Sus palabras inspiradoras me han acompañado en mi ministerio sacerdotal: atrayéndome, consolándome, fortaleciéndome y tocando mi corazón cuando estoy en peligro de olvidar mi 'primer amor'. "¡Es posible que este libro cause una revolución de amor y conquiste muchos corazones!"

—FR. JOACHIM SCHWARZMÜLLER, Krefeld, Alemania.

"*In Sinu Jesu* es una obra bella y poderosa saturada con el tipo de amor contagioso y la santidad que solo puede venir del reclinarse —como Su amado discípulo—sobre el pecho de Cristo, escuchando el susurro de Sus palabras que dan consuelo y ánimo al leerlas. Todas sus páginas respiran una espiritualidad Juanina que nos invitan a acoger también a la Santísima Madre en nuestros hogares y corazones, llevándonos hacia una unión más íntima y alegre con el Padre, el Hijo y el Santo Espíritu."

—KEVIN VOST, Psy. D., autor de *El Pórtico y la Cruz*.

"A veces descartamos la voz interior, pensando que porque está dentro de nosotros mismos, debe ser nuestra propia voz. Pero ¿Acaso Dios no mora en lo profundo de nosotros? ¿No puede Él hablarnos, entonces, al corazón? Este oyente que presta una especial atención a la voz de Cristo invita a los sacerdotes y a todos los fieles a volver al Sacramento del Amor. Él ha escuchado un llamado para acercarse al lugar donde Cristo mora en los tabernáculos en medio de Su pueblo, para adorar el Rostro Eucarístico de Cristo. Con la lectura del libro el poder otorgado en el sacramento de las órdenes se fortalece para un ministerio más sólido."

—DAVID W. FAGERBERG, Universidad de Notre Dame, autor de *Consagrando el Mundo*.

In Sinu Jesu

Cuando el Corazón Habla al Corazón—
El Diario de un Sacerdote en Oración

In Sinu Jesu

Cuando el Corazón Habla al Corazón—
El Diario de un Sacerdote en Oración

Por
Un monje benedictino

Introducción por
Un oblato benedictino

Angelico Press

Primera publicación
en los Estados Unidos de América
por Angelico Press
© Angelico Press 2019

NIHIL OBSTAT
Peter A. Kwasniewski, PhD
Censor Deputatus

IMPRIMÁTUR
+Reverendísimo Michael Smith, DCL
Obispo de Meath
Mullingar, 11 de octubre 2016

Dirección
para información:
169 Monitor St.
Brooklyn, NY 11222
www.angelicopress.com
angelicopress.com

ISBN 978-1-62138-465-6 (pb)
ISBN 978-1-62138-466-3 (cloth)
ISBN 978-1-62138-467-0 (ebook)

Fotografía de la cubierta de un vitral
de la Capilla de Dahlgren del Sagrado Corazón
en la Universidad de Georgetown, por el Fr. Lawrence Lew, O.P.
Diseño de portada: Michael Schrauzer

Introducción

por un oblato benedictino

ESTE LIBRO es un notable testimonio de una amistad que trasciende todas las medidas terrenales. En sus páginas, vemos al Sabueso del Cielo persiguiendo a un sacerdote con exquisita amabilidad para ganar el amor de su corazón, y con el inexorable propósito de mostrarle misericordia, compasión, traerle sanación y paz.

También demuestra rotundamente la verdad que cuando Dios elige a algunos entre muchos—cuando elige a Abraham o Moisés, a la Santísima Virgen María o a los fundadores de movimientos monásticos y congregaciones religiosas—siempre lo hace para bendecir a una multitud, moldear un pueblo o formar una nación. Él hace algo extraordinario por algunas personas, de manera que Sus palabras puedan irradiar hacia innumerables almas y para que Su gracia sea buscada con renovado afán. Él elige a esas personas, no como una excepción aislada o preferencia arbitraria, sino para que sean el centro humilde alrededor del cual se dibujará un gran círculo, un hogar ardiente donde muchos pueden reunirse, estar en un ambiente más cálido y encontrar compañerismo.

Podríamos llamarlo el principio de la encarnación: Dios no nos salva de manera unilateral ni genérica, no habla de forma vaga o aleatoria. Él viene a nosotros como hombre, como *este* hombre, con Su propia voz, articula palabras, con doctrina clara y mandamientos de la vida, a los que debemos responder con los poderes que Él colocó dentro de nosotros para dar esa respuesta. Él viene con la oferta de Su amistad y nos invita a corresponder. A pesar de nuestra pequeñez, nuestra debilidad y nuestra indignidad, Él nos busca como Suyos y nos concede Sus preciosas y grandes promesas, para que podamos escapar de la corrupción que existe en el mundo y ser partícipes de Su naturaleza divina (Véase: 2 Pe 1:4).

En el año 2007, Nuestro Señor y Nuestra Señora comenzaron a hablar al corazón de un sacerdote que necesitaba mucho Su intervención, algo que sinceramente podría decirse de todos nosotros en nuestra pobreza espiritual. Nuestro Señor le pidió al sacerdote que escribiera lo que escuchó, primero y más obviamente para su propio beneficio, pero cada vez más, para el beneficio de otros que serían conmovidos por estas palabras y encontrarían luz y fuerza.[1] Respecto a la génesis del manuscrito reproducido en estas páginas, el sacerdote compartió conmigo lo siguiente:

Aquí está el texto tal como lo he transcrito a lo largo de los años en los cuadernos que empecé a guardar en el año 2007. El vocabulario y el estilo son míos, pero la esencia de lo que escribí vino durante la oración sin ningún previo esfuerzo o reflexión de mi parte. Había un movimiento interno para escribir y yo escribía hasta que la inspiración se detuviera. Después de escribir, había una gracia de unión tranquila con Nuestro Señor o con Nuestra Señora. En algunas ocasiones, hubo "palabras" de santos o de personas santas.

Aunque a veces he tenido dudas sobre la autenticidad de lo que estaba sucediendo, mi director espiritual durante la mayor parte del período cubierto en este documento, identificó esto que me acontecía, como una *gratia gratis data*. Solo puedo decir que las palabras vinieron en forma pacífica, rápida y sin esfuerzo. Con esto, no quiero decir que vinieran de mí, sino más bien, de lo que experimenté como una presencia objetiva, pero íntima de Nuestro Señor, relacionada de inmediato con Su presencia real en el Santísimo Sacramento. Fue precisamente en Su presencia Eucarística que se desarrollaron estas conversaciones con Nuestro Señor, llevándome cada vez más a la luz de Su Rostro y al fuego de Su Corazón.

Soy consciente de lo extensas que algunas de las oraciones. Esto no refleja los patrones de discurso de Nuestro Señor, porque Él no se comunica en forma literaria. Las palabras llegan rápidamente, pero vienen como realidades que impresionan sucesivamente. No sé más cómo explicarlo.

Mi propia devoción es esencialmente litúrgica. Sin embargo, desde el diagnóstico de mi grave enfermedad, he experimentado una fuerte atracción por la adoración al Santísimo Sacramento para reparación por los sacerdotes y en particular, hacia el misterio del Rostro de Nuestro Señor oculto bajo los velos sacramentales. Esto es algo que ya está

---

[1] Si nos fijamos en el texto, encontramos que Nuestro Señor habla clara y repetidamente acerca de Su propósito al dar estas palabras. Una colección de extractos pertinentes se puede encontrar en el Apéndice II.

presente en la tradición, especialmente en el *Adoro te* de Santo Tomás.

Los textos han dado frutos en mi propia vida y en la vida de los demás, especialmente de los sacerdotes con quienes me he animado a compartirlos por recomendación de mi director espiritual. A pesar de mi reticencia y deseo de anonimato con respecto a esto. En relación con este diario, Nuestro Señor me ha dicho repetidamente que Sus palabras están destinadas a la bendición, la instrucción y el consuelo de muchos cristianos de hoy, sobre todo, de Sus amados sacerdotes.

Con un corazón agradecido y expectante, con mucho gusto entrego este diario a las manos de todos los lectores que Nuestro Señor y Nuestra Señora ya han elegido, con mi oración de que fructifique abundantemente y con mi bendición sacerdotal.

Dada la armonía del contenido de este libro con la enseñanza de las Sagradas Escrituras, la Tradición Católica y las conocidas obras de los místicos, es sumamente apropiado que *In Sinu Jesu* sea publicado en su totalidad en este momento, de conformidad con la frecuente insistencia de Nuestro Señor de que estas palabras están destinadas a alcanzar muchas almas.

Sabemos por la historia de las revelaciones privadas aprobadas que Nuestro Señor y Nuestra Señora intervienen de manera especial en tiempos de crisis eclesial, mundanalidad, tibieza, infelicidad, confusión intelectual o angustia espiritual. Nos hablan de verdades que se han oscurecido, descuidado o contradicho, nos instruyen en actitudes, virtudes y prácticas que son olvidadas, despreciadas, mal entendidas o pobremente cultivadas. Son maestros amables y guías firmes, infalibles en Su diagnóstico, inequívocos en Sus consejos. En el corazón de nuestra situación, en nuestros peregrinajes como peregrinos al Infinito y en los callejones sin salida a los que ha llegado nuestra sociedad y nuestra cultura, el Señor Jesús y Su Santísima Madre nos traen Su atención celestial, el brillo purificador de Su mirada, la profundidad inagotable de Su sabiduría y el ardor de Su caridad. No desean dejarnos huérfanos en nuestra época, por lo que nos dirigen un mensaje que, sin añadir ni quitar el contenido establecido de la revelación pública, nos trae una nueva luz y realce sobre las verdades antiguas y el camino de la santidad.

Las páginas de *In Sinu Jesu* brillan con una luminosidad intensa y un fervor reconfortante, ya que abarcan y se sumergen profundamente en tantos aspectos fundamentales de la vida espiritual: amar y ser amados por Dios; la práctica de la oración en todas sus dimensiones; el poder único de la adoración; la entrega confiada a la Divina Providencia; el homenaje al silencio; la dignidad de la oración litúrgica y los sacramentos; el misterio del Santo Sacrificio de la misa; la identidad sacerdotal y la fecundidad apostólica; el papel de la Santísima Virgen María y de los santos en nuestras vidas; el pecado, la herida, la misericordia, la sanación y la purificación; el anhelo por el Cielo, y la ansiada renovación de la Iglesia Católica en la Tierra. Se presentan tantas verdades consoladoras y desafiantes de las cuales nuestra época está en extrema necesidad, invitando a la respuesta de nuestros corazones, llamándonos a la conversión e impulsándonos a una nueva forma de vida.

Este libro ha cambiado mi vida, así como la de otros que lo han leído. Por Sus palabras, hemos llegado a un mayor conocimiento y a un amor más entrañable a Nuestro Señor Jesucristo, Su Santísima Madre y a Su "reino eterno y universal—un reino de verdad y de vida, un reino de santidad y de gracia, un reino de justicia, de amor y de paz" (Prefacio de la *Fiesta de la Realeza de Cristo*). Que esta publicación de *In Sinu Jesu* traiga tales bendiciones a todos sus lectores.

Algunas notas sobre esta edición

Las pocas notas presentes en el manuscrito original se distinguen por la adición de "—*Autor*," todas las notas restantes son editoriales. El manuscrito abunda en citas directas y alusiones a la Escritura; estas se indican dondequiera que se considere útil para el lector, particularmente como material para *lectio divina* en relación con las palabras de este documento. Existen ciertas referencias bíblicas más familiares, alusiones parciales y numerosas paráfrasis; pero es imposible indicarlas todas sin desordenar indebidamente el texto.

Las referencias a los Salmos se dan primero según la traducción de Doauy-Rheims, que sigue la numeración de la Vulgata y luego la Versión Estándar Revisada, que sigue el texto hebreo.

Muchos amigos menos conocidos de Dios, por ejemplo, la Madre Yvonne Aimée, son mencionados en estas páginas. En la primera mención de su nombre se incluye una breve biografía en las notas. Para localizarlas, consulte el índice de nombres propios en la parte de atrás y vea la primera página en la lista.

La cursiva de un párrafo indica las palabras del sacerdote, mientras que el texto plano indica las palabras del otro orador. El texto se da tal como está escrito, pero con los nombres propios de ciertas personas y lugares sustituidos por "*N*" o "——." A veces se han omitido los párrafos que se refieren en detalle a una sola persona o a un conjunto de circunstancias si se consideraban demasiado oscuros o no pertinentes para una audiencia más amplia.

El Apéndice I recoge todas las oraciones que se encuentran esparcidas a lo largo del diario y explica cómo rezar la Coronilla de Reparación u "Ofrenda de la Preciosísima Sangre por los Sacerdotes." El Apéndice II contiene extractos de *In Sinu Jesu*, sobre el propósito de Nuestro Señor al dar estas palabras.

IN SINU JESU

Cuando el Corazón habla al Corazón—
El Diario de un Sacerdote en Oración

Erat ergo recumbens unus ex discipulis ejus
in sinu Jesu, quem diligebat Jesus.

Y uno de Sus discípulos, a quien Jesús amaba
estaba recostado en el seno de Jesús.

EVANGELIO DE JUAN XIII, 23

Miércoles 3 de octubre de 2007
Beato Columba Marmion, O.S.B.[1]

La afrenta ha quebrantado Mi corazón, y estoy acongojado:
Y esperé quien se compadeciese de Mí,
y no lo hubo: Y consoladores, y ninguno hallé.[2]
SALMO 68:21[69:20]

Nuestro Señor, instituyó la Eucaristía, previó ultrajes y sufrimientos—es decir, los sufrimientos de un amor herido y despreciado. Él todavía espera por alguna pequeña compasión de parte de Sus sacerdotes. Está buscando, hoy más que nunca, sacerdotes que le consuelen, sacerdotes que le adoren y hagan reparación.

Antes de partir para el Monasterio, abrí el libro por Dom Vandeur,[3] enviado a mí por la Hermana N. y leí: "Hazme enteramente Tu sacerdote, como lo fue San Juan, Tu discípulo amado, quien permaneció al pie de Tu Cruz, el árbol de la vida."

Esta frase describe perfectamente el llamado que recibí hace treinta años, un llamado al cual no supe cómo responder o me encontré incapaz de responder completamente. Hubo demasiados obstáculos en mí, también muchas heridas infectadas, esperando todavía por la sanación que tenía que venir a través de las manos de la Santísima Virgen María y por la preciosa Sangre de Jesús.

---

[1] Dom Columba Marmion (1 de abril de 1858–30 de enero de 1923) fue un monje Benedictino irlandés y el tercer abad de la Abadía de Maredsous en Bélgica. Beatificado por el papa Juan Pablo II, el 3 de septiembre de 2000, el beato Columba escribió una serie de clásicos bien conocidos por su gran e íntimo alcance, penetrando en las ideas acerca de la vida espiritual y con una textura poética tejida de las Escrituras y de la Tradición: Cristo, *la Vida del Alma; Cristo en Sus Misterios; Cristo, el Ideal del Monje; Cristo el Ideal del Sacerdote; Unión con Dios: Cartas de Dirección Espiritual.*

[2] Ofertorio de la Misa del Sagrado Corazón de Jesús.—*Autor.*

[3] Dom Eugène Vandeur (1875–1967) entró a la comunidad benedictina de Maredsous en Bélgica; el hizo su profesión solemne en 1897 y fue ordenado como sacerdote en 1899. Sirvió como profesor en la escuela de la Abadía y predicó innumerables conferencias, particularmente sobre la misa y la liturgia, para el fin de su vida, había publicado docenas de libros y había escrito miles de cartas. Fue el responsable de numerosas iniciativas apostólicas en Francia, involucrando especialmente a los laicos, a los que ánimo a beber profundamente de las fuentes de la espiritualidad monástica, completó su curso terrenal como un "ermitaño fácilmente accesible" (Dom Marc Melot).

Quiero sacerdotes que adoren por los que no adoran, sacerdotes que hagan reparación por los que no reparan por ellos mismos o por otros. Quiero adoradores y reparadores.

Esa noche, antes de ir a la cama, me parecía comprender que el Señor desea que estos sacerdotes se pongan la estola en su tiempo de adoración: en un signo de su solidaridad con todos los sacerdotes de la Iglesia. Entonces yo pregunté al Señor: "¿Es esto algo que quisieras que empezará mañana?" Él me respondió:

No, no de inmediato, pero sucederá pronto.

Jueves 4 de octubre de 2007
San Francisco de Asís

Desde hace ya un tiempo, Nuestro Señor me ha hecho desear tener la adoración los jueves, en agradecimiento por la Santa Eucaristía y también, en agradecimiento por el misterio del sacerdocio.

Después de la misa, me confesé con el capellán del monasterio. Él me confirmó ciertas cosas que tenían que ver con las resistencias de la gracia que confesé. Él me dirigió hacia los santos, a algunas cosas que corresponden exactamente a la fuerte atracción hacia la amistad con los santos que han marcado siempre mi vida."

Durante mi acción de gracias, pensando le pregunté al Señor, si este llamado a la adoración y reparación sacerdotal era solo para mí o si debía vivirlo con otros, yo creo que le escuché decir:

No, Yo te daré hermanos e hijos.

Yo debo agregar que el libro de Dom Vandeur que me fue enviado sin haberlo solicitado—llegó precisamente en el momento cuando yo estaba preparado para empezar el retiro—describe perfectamente el llamado a la Eucaristía-sacerdotal que creo escuché venir a mí de Nuestro Señor, Sacerdote, Víctima y Altar. Yo no sé dónde ni cuándo ni cómo este llamado será realizado. Solo sé que es urgente y que el tiempo apremia. A mí me parece ver un pequeño núcleo monástico con numerosos sacerdotes-adoradores-reparadores asociados.

Sé desde hace algún tiempo que debo hacer algo para la santificación y la sanidad espiritual de los sacerdotes. Estaré en un trabajo de hospitalidad espiritual para sacerdotes, en un lugar iluminado por la adoración Eucarística y donde la belleza de la Sagrada Liturgia, incluyendo el Oficio coral, será como un bálsamo sanador sobre las heridas de los sacerdotes quienes serán bienvenidos. Yo no sé si esto será hecho en colaboración con una comunidad de monjas o no. No me atrevo a avanzar demasiado ni puedo excluirlo por completo.

El lugar tendrá que ser bello y acogedor, todo en el resplandor del Santísimo Sacramento expuesto. Me pareció entender que ahí se encontrarán sacerdotes adorando y haciendo reparación por otros sacerdotes, y entre estos estarán algunos sacerdotes penitentes y rehabilitados. Carismas y gracias serán dadas allí en abundancia. La Virgen María, mi Madre del Perpetuo Socorro, la Mediadora de Todas las Gracias, cuidará después todos los detalles, como lo hizo con la casa de San Juan cuando ella vivió con él.

Todo esto llegará a ser posible mediante mi permanencia en adoración y reparación delante del Rostro Eucarístico de Jesús en el nombre de Sus sacerdotes, para ofrecerlos a Su Corazón abierto.

5 de octubre de 2007
Primer viernes del mes
Santa Faustina y el beato Bartolo Longo

Oh Virgen María, mi Madre del Perpetuo Socorro, mis manos están en tus manos y mi corazón está en tu Corazón, y esto será para siempre.

> Mantenme en la verdad. Conságrame en la verdad.[1]
> Espera Israel al Señor; Porque en Él hay misericordia.
> Y abundante redención con Él.
> "ET COPIOSA APUD EUM REDEMPTIO"
> SALMO 129[130]:7

Él desea lograr la redención espiritual de los sacerdotes en esclavitud al mal, la iluminación espiritual de los sacerdotes que viven en la oscuridad, la sanación espiritual de los sacerdotes heridos—y todo esto mediante la adoración al Santísimo Sacramento, con la presentación de los sacerdotes al Rostro Eucarístico de Jesús y por la ofrenda de sacerdotes a Su Corazón abierto en la Eucaristía.

Yo siento que estoy totalmente en la verdad, tal vez, por primera vez en mi vida. Mi vida entera me ha preparado para esta misión, para este llamado a la adoración y a la reparación—por un sacerdote para sacerdotes. Todo el mal que experimenté, sufrí e infligí sobre otros, será redimido, no por mí, sino por Él, que está siempre trabajando en la Eucaristía para redimir a los pecadores y a los que han sido heridos por el pecado.

"ET COPIOSA APUD EUM REDEMPTIO"

"Apud" esto quiere decir, cerca de Él en la Eucaristía.

---

[1] Véase Jn 17:17.

En el marco de una vida clásica benedictina, pero que permanece cálida por el fuego del horno de la Caridad que es el Santísimo Sacramento expuesto.

Yo debo hacer uso de este pasaje en Europa para hablar con los que tienen autoridad sobre mí. Todo está listo y preparado en el paternal Corazón de Dios, en el seno del Padre, en el herido Corazón del Hijo, en la sabiduría del Espíritu Santo consagrada en María. Jesús mantenme en la verdad, conságrame en la verdad.

El diagnóstico de mis enfermedades fue un presagio de este llamado. Fue desde aquel momento que Nuestro Señor empezó a dar vuelta a mi cora-zón[1] dentro de la perspectiva de este diseño de Su bondad misericordiosa. Fue la Virgen María quien obtuvo esta gracia para mí; ella quiso que me convirtiera en su San Juan, viviendo en su intimidad y en adoración de la Santísima Eucaristía. Fue en efecto, San Juan, quien, con la Virgen María, adoró e hizo reparación por los otros Apóstoles. Juan y la Virgen María, y en medio entre ellos el Corazón abierto y el misericordioso Rostro de Cristo, de Jesús, la Hostia.

En la Eucaristía, Cristo, aunque Él está todo-glorioso, permanece eter-namente Sacerdote y Víctima. La ofrenda que Él hace de Sí mismo al Padre es incesante. La Virgen María y San Juan son llevados con Él hacia ese ofre-cimiento, yo debo seguirlos en este movimiento, mientras traigo conmigo un gran número de sacerdotes que son adoradores y reparadores.

Jesús mantenme en la verdad. Conságrame en la verdad.

El Salmo 68[69] fue mostrándome como una relectura de mi vida: mi pasado, mi presente y mi futuro.

La Virgen María cuidará después los más pequeños detalles. Ninguno escapa a su atención. Ella es una Madre.

Sábado 6 de octubre de 2007
San Bruno

Anoche le pedí a Nuestro Señor extensamente que "juanizará" mi alma.

Lunes 8 de octubre de 2007

Ante Su Rostro.

Actúa con valentía, con audacia, con confianza. Actúa como un hom-bre, un hombre de Dios, un hombre configurado para Cristo, un hom-

---

[1] La idea fue darle vuelta a mi corazón de la forma en que un granjero cultiva un campo, pero no soy capaz de expresarlo apropiadamente.—*Autor.*

bre ungido por el Espíritu Santo. Actúa también como un padre, un padre para los pobres, un padre para los pequeños, un padre para los pecadores, un padre, también, para los sacerdotes, los cuales yo te enviaré.

Actúa como un médico de almas. Te mostraré como vendar las heridas del corazón, aún las más delicadas y como cuidar a los que Yo te enviaré, para que puedas sanarlos en Mi Nombre amándolos con Mi Corazón.[1]

Yo te hablaré, hablaré a tu corazón, entonces escucharás Mi Voz para la alegría de tu corazón. Tú escucharás Mi voz, especialmente cuando vengas delante de Mi Rostro, cuando adores Mi Rostro Eucarístico y te acerques a Mi Corazón abierto. Hablaré a tu corazón, como Yo hablé al corazón de Mi amado discípulo Juan, el amigo de Mi Corazón, el sacerdote de Mi Corazón abierto.

Hiciste bien en escribir al arzobispo. Yo tocaré su corazón. Él te ayudará y no tendrás nada que temer. Será para ti un amigo, un padre. Yo hice que te encontrarás con el padre capellán ahí, quiero que lo veas como un sacerdote acorde a Mi Corazón, un sacerdote humilde y gentil, un sacerdote totalmente marcado por Mi bondad misericordiosa.

Te estoy hablando ahora porque necesitas escuchar Mi Voz. Necesitas sentir que estoy cerca. Es Mi Corazón que te habla. Mi Corazón habla a tu corazón, entonces puedes vivir de Mis palabras, las cuales son espíritu y vida.[2]

La madre Yvonne-Aimée es muy cercana a ti.[3] Fue quien obtuvo para ti grandiosas gracias de Mi Corazón. Y quien logró que volvieras a Francia de nuevo. Nunca te abandonará. Eres para ella su hijo amado.

Dom Marmion interviene a tu favor, y también una multitud de santos que tú conoces y amas.

San Pedro Julian Eymard[4] te reconoce como uno de los suyos. Se co-

---

[1] Sal 146(147):3; Mat 10:8; Mac 3:15, 6:13, 16:17–18; Luc 9:1, 10:17, 13:32.

[2] Jn 6:64.

[3] Madre Yvonne-Aimée de Jesús (Yvonne Beauvais, 16 de julio de 1901–3 de febrero de 1951) pertenecía a la orden Agustina, Canonesa, Hospitalaria de la Misericordia de Jesús, del Monasterio de Malestroit en Brittany, Francia. Su vida fue indescriptiblemente rica en amargos sufrimientos (incluyendo que había sido asaltada y maltratada por tres hombres). También en su mayoría su vida transcurrió con asombrosos carismas, particularmente en su alcance durante toda su vida a sacerdotes desanimados, desesperados o abandonados. Un influyente sacerdote y escritor, el abad Gastón Courtois, le consultó a ella y le confió a los sacerdotes que necesitaban convertirse. Dom Germain Cozien, abad de Solesmes 1921–1959, observó que la madre Yvonne-Aimée fue marcada por "el sentido de oración, de belleza litúrgica y de alabanza a Dios, en la escuela de la Iglesia."

[4] San Pedro Julian Eymard (4 de febrero de 1811–1 de agosto de 1868) fue ordenado sacerdote por la diócesis de Grenoble en 1834 y más tarde se unió a la Sociedad de María.

municará contigo y te compartirá una parte de su espíritu. Tú vives de esto y harás que otros también vivan de esto.

Dom Vandeur será para ti un intercesor y un apoyo. Tú sacarás sus escritos de la oscuridad para la gran alegría de una multitud de almas. Yo te estoy hablando ahora porque necesitas escuchar Mi Voz y sentir que estoy cerca, muy cerca de ti.[1] Soy el Amigo de tu corazón, el mayor de los amigos y te llamo Mi amigo, el amigo de Mi Corazón, como lo fue Juan.

Iniciando hoy te confiaré una gracia particular de intercesión por las almas que te enviaré. Intercederás también por todos los que haré que veas en tus oraciones. Ora, ora con confianza y audacia, y te responderé cada vez.

Miércoles 10 de octubre de 2007

Oh mi Jesús, yo me pongo en espíritu ante Tu Rostro Eucarístico para adorarte, hacer reparación, para decirte todo lo que Tu Espíritu de amor hará surgir en mi corazón. Vengo a mirarte. Vengo a escucharte. Vengo a recibir de Ti todo lo que Tu Corazón abierto desea decirme y darme hoy. Te agradezco por ser tan cercano a mí. Yo alabo Tu misericordia. Yo confieso el poder redentor de Tu Preciosa Sangre. Amén.

Oh dulce Virgen María, yo soy tu hijo. Mantén mis manos en tus manos y mi corazón en tu Corazón a través de todo este día e incluso durante la noche. Entonces así quiero vivir y morir. Amén.

Aquel que desea buscar Mi Rostro Eucarístico, aquel que desea acercarse a Mi Corazón abierto, nunca estará lejos del tabernáculo. Yo transporto su espíritu ahí donde Yo estoy. Acojo con agrado su deseo de habitar en Mi presencia. Le doy la gracia de Mi presencia en la parte más secreta de su alma. Allí él me encontrará y será capaz de adorarme.

Ayer, el Señor me dijo que iba a desatar los poderes latentes de mi sacerdocio para el bien de las almas y la gloria de Su Nombre. Él me dijo: bendice, bendice mucho, no temas dar a la gente Mí bendición e incluso ofrece Mí bendición. Por la bendición sacerdotal, los tesoros de la bondad misericordiosa encerrada en el Corazón de Jesús son esparcidos hacia las almas y sobre las personas quienes son bendecidas por las manos del sacerdote.

Conforme creció su comprensión de la devoción al culto del Santísimo Sacramento, él eventualmente dejó la Congregación de Hermanos Maristas y empezó la Congregación del Santísimo Sacramento y con Marguerite Guillot inicio los Sirvientes del Santísimo Sacramento. Sus escritos sobre la real presencia, adoración Eucarística, comunión frecuente y piedad litúrgica son muy apreciados.

[1] Deut 30:14.

La bendición de un sacerdote tiene un gran significado por medio de la cual se hace que el bien triunfe sobre el mal, el amor sobre el odio y la misericordia sobre el juicio. De forma similar, la bendición dada con los relicarios de Mis santos Me agrada mucho. Yo soy glorificado en Mis santos y Yo paso a través de ellos para distribuir las riquezas de Mi Corazón en el universo de las almas.

Oh Jesús, yo quiero ir en espíritu al tabernáculo donde Tú estás más abandonado y más olvidado en el mundo. Yo quiero ir donde nadie Te adora, donde nadie se inclina ante Ti, donde Tú tienes solamente Tus ángeles para adorarte y hacerte compañía. Y, aún así, es un corazón humano lo que Tú más deseas y, sobre todo, el corazón de un sacerdote. Yo Te daré el mío en un ofrecimiento de adoración y de reparación.

Yo quiero que hables a los fieles que la Santa Misa es un verdadero Sacrificio. Ellos han olvidado esto. Nadie piensa en decirles que la acción de la Eucaristía renueva Mi Sacrificio sobre la Cruz y que Yo estoy presente sobre el altar como sobre la Cruz, como ambos, Sacerdote y Víctima. Es todo Mi Sacrificio de amor lo que se desarrolla ante sus ojos. Deseo que les digas esto a los sacerdotes.

Yo quiero que tú seas otro Juan para Mi Corazón. Yo llenaré tu espíritu con Mis palabras de amor, para que tú puedas comunicárselas, a los que necesitan mucho escucharlas.

Yo nunca quise dejarte solo sobre la Tierra, es por esto por lo que siempre te he rodeado con Mis santos. Quise y quiero todavía, que encuentres en ellos una verdadera amistad, una amistad que es toda pureza, una amistad que no decepciona. A través de los santos y por su incesante intercesión por ti ante Mi Rostro, tú finalmente llegarás a Mí en gloria. No ceses de invocar a Mis santos y enseña a otros a buscar en ellos la ayuda que necesitan en las pruebas de la vida en la Tierra. En el Cielo, los santos se alegrarán por haberte ayudado a hacer tu camino hacia Mí en gloria.

Jueves 11 de octubre de 2007
Día del Santísimo Sacramento

Bendice, alma mía, al Señor, y bendiga todo mi ser Su Santo Nombre. (Sal 103:1).

Señor Jesús, me presento ante Tu Rostro Eucarístico hoy, colocándome en espíritu cerca del tabernáculo en el mundo, donde Tú estás más abandonado, más ignorado y más olvidado. Porque Tú me lo has pedido, yo Te ofrezco mi corazón, el corazón de un sacerdote, para acompañar a Tu

Sagrado Corazón Eucarístico y también acompañarte en Tu Sacerdocio. Yo Te adoro con un espíritu de reparación por todos los sacerdotes de la Iglesias, pero especialmente por los que nunca o casi nunca, se detienen en Tu presencia, allí para quitarse sus cargas y recibir de Ti nuevas fuerzas, nuevas luces, nuevas capacidades ya sean para amar, como para perdonar y para bendecir. Yo no quiero partir de este tabernáculo hoy. Yo quiero, en todo instante, permanecer inmerso en la adoración que esperas de Tus sacerdotes.

Yo me uno a la Santísima Virgen María, Mediadora de Todas las Gracias y primera adoradora de Tu Rostro Eucarístico. Para que por su purísimo Corazón, puedan las oraciones que surgen desde mi corazón alcanzar Tu Corazón abierto, oculto y tan frecuentemente, dejado solo en el gran Sacramento de Tu amor. Amén.

Los guardianes del santuario, es decir, los sacerdotes, deben también ser adoradores en espíritu y verdad. Quiero que ellos permanezcan en todo momento—al menos por deseo y por la atracción que coloco en ellos—en presencia de Mi Rostro Eucarístico y muy cerca de Mi Corazón. Esto es lo que pido a todos Mis sacerdotes, pero, porque no todos lo harán, Yo te lo pido a ti. En cuanto a ti: permanece, en todo momento, ante Mi Rostro Eucarístico. No abandones Mi Corazón que late con amor, que quiere solamente esparcir torrentes de Misericordia sobre los que vienen a acercarse a Mi real presencia.

Si Yo te estoy hablando en esta forma ahora, es porque tú necesitas escuchar Mi voz. Por demasiado tiempo has estado lejos de Mí sin ser capaz de escuchar todo lo que deseo decirte. Pero ahora, el momento ha llegado. Desde ahora y en adelante, te estoy hablando y te hablaré con el fin de que muchos sean atraídos de regreso a Mí, para que encuentren sanación y paz en Mí.

Y como yo le estuve diciendo, "Iesu, Iesu, Iesu, esto mihi Iesus,"[1] Él me respondió:

Nada Me agrada más que esta oración dicha con confianza y desde lo profundo del corazón.

[1] "Jesús, Jesús, Jesús, hazme a mí un Jesús [Salvador]." Conocida por ser las últimas palabras de San Ralph Sherwin (25 de octubre de 1550–1 de diciembre de 1581), ordenado en Cambrai en 1577 con el objetivo de ser un sacerdote misionero en Inglaterra; fue arrestado y encarcelado en noviembre de 1580, torturado en el potro, acusado de alta traición, y sentenciado a muerte. San Edmundo Campion, San Ralph Sherwin y San Alexander Briant fueron ejecutados en sucesión en Tyburn el 1 de diciembre de 1581. Estos tres están entre los Cuarenta Mártires de Inglaterra y Gales, canonizados en San Pedro, Roma, el 25 de octubre de 1970.

En Mí como Jesús Crucificado está todo el misterio: Mi Rostro de amor sufriente, Mi cabeza inclinada para decir "sí" al Padre, Mi Corazón abierto y traspasado, desde el cual fluye el don del Espíritu Santo en la Sangre y en el Agua. Este es el misterio de Jesús Crucificado. Contempla esto y estarás en el camino que Yo estoy abriendo ante ti.

Encontrarás Mí sufriente Rostro en la Eucaristía. Mi cabeza inclinada para decir "sí" al Padre: también la encontrarás en la Eucaristía. Y Mi Corazón traspasado y abierto desde el cual fluye el don del Espíritu Santo para la salvación de todo el mundo y el agrado de la Iglesia—es en la Eucaristía donde lo encontrarás.

En cuanto a ti, no temas. Yo estoy abriendo ante ti un camino que te dirige a la vida en abundancia y nadie será capaz de impugnarlo. Este será el signo de Mi presencia en medio de ti, porque Yo, Jesús, soy Emmanuel.

Mientras decía los misterios gozosos:

Yo recibí Mi Rostro humano de Mi Madre. Cuando contemples Mi Rostro, es su belleza la que estarás contemplando. Yo recibí Mi belleza creada de Mi Madre. Mi belleza no creada es el esplendor de la gloria de Mi Padre sobre Mi humanidad.

Noche

Hoy, yo pienso que fue durante los misterios gloriosos del Rosario, que el Señor me habló de un Pentecostés Sacerdotal, de una gracia obtenida por la intercesión de la Virgen María para todos los sacerdotes de la Iglesia. Para todos [sacerdotes] se les ofrecerán las gracias de un nuevo derramamiento del Espíritu Santo, para purificar el sacerdocio de las impurezas que lo han desfigurado y para restaurar el sacerdocio con un brillo de santidad como la Iglesia nunca ha tenido desde los tiempos de los Apóstoles.

Este Pentecostés sacerdotal está siendo preparado ya en silencio y en la adoración del Santísimo Sacramento. Los sacerdotes que aman a María y le son fieles en rezar su Rosario serán unos de los primeros en beneficiarse desde ese rezo. Su sacerdocio será maravillosamente renovado y se les dará una abundancia de carismas para vencer el mal y para sanar a los que están bajo el dominio del Maligno.

Me fue dado a entender que la intercesión del papa Juan Pablo II también desempeñará un papel para obtener a través de María esta gracia del Pentecostés Sacerdotal.

Ciertos sacerdotes rechazan esta gracia de un Pentecostés sacerdotal, por orgullo o por escasa confianza. O por una ausencia de fe en la real presen-

cia de Cristo en el Santísimo Sacramento. Este Pentecostés sacerdotal empezará desde el tabernáculo, en los tabernáculos del mundo, como desde un hogar ardiente de caridad. Los sacerdotes que hayan sido encontrados fieles en mantenerse en la compañía con Jesús la Hostia se regocijarán. Ellos comprenderán de inmediato las maravillas que Él quiere hacer en ellos y a través de ellos. El Pentecostés sacerdotal afectará primero a todos los sacerdotes que son hijos de María, que viven, como San Juan, en su intimidad, muy cerca de su Inmaculado Corazón.

Viernes 12 de octubre de 2007

Oh mi amado Jesús, cada vez que no soy capaz de orar ante el tabernáculo, cerca de Tu real presencia, desearía transportarme en espíritu al tabernáculo en el mundo donde Tú estás más abandonado, más olvidado y más ignorado. Yo quiero consolarte allí para ofrecerte las alabanzas de toda la Iglesia y decirte todo lo que el Espíritu Santo encauce y eleve en mi corazón. Yo deseo—según el deseo que Tú me has hecho conocer a mí—adorar y hacer reparación por los sacerdotes que no Te adoran y que no hacen reparación ni por ellos mismos ni tampoco por las almas que cuentan con sus oraciones sacerdotales.

Empezando el Santo Rosario, pregunté a la Santísima Virgen por quienes debía orar en el primer misterio gozoso. La respuesta fue N. La Virgen me hizo entender que tenía que orar por él, porque la oración de un sacerdote se hace sentir incluso en las profundidades del purgatorio donde las almas están esperándola, donde la esperan con paciencia y en sufrimiento.

Lo quiero cerca de Mí en Mi Luz. Yo quiero que vea el esplendor de Mi Rostro y que se regocije junto con su Madre y todos los santos. Tú, por el ofrecimiento del Santo Sacrificio por él, le ayudarás a salir del purgatorio y a venir a la luz que tanto espera y desea. No lo pospongas. Yo quiero liberarlo.

La vigilia de 13 de octubre
Aniversario del gran Milagro de Fátima

Siempre la Santísima Virgen me pide por la oración del Rosario, la oración que une a todos sus hijos a su Inmaculado y Maternal Corazón. La Santísima Virgen pide a todos los sacerdotes tomar otra vez el Rosario, que lo recen frecuentemente, con atención y amor. Es por la humilde oración del Rosario que los sacerdotes serán liberados de las tentaciones que los acosan. Es por el Rosario que ellos se podrán deshacer de las maquinaciones del

Malvado que busca dividir, destruir, y provocar la caída de los que Dios ha escogido para Sí Mismo.

En el momento correcto, el camino se abrirá ante ti y tú tendrás una gran alegría en seguirlo. Todas las cosas estarán claras, porque todo habrá sido preparado por adelantado por la previsión de Mi amor misericordioso y por Mi Santísima Madre. Ese día tú no tendrás nada que temer. Vive estos días en una oración constante y apremiante. Acércate a Mi Sagrado Corazón. Bebe de la corriente refrescante de Mi amor. Permítete estar preparado para Mi secreto, pero con una eficaz acción en ti. Grandes gracias están reservadas para ti, pero para recibirlas tú debes ser muy pequeño, como los niños que tienen confianza ilimitada en el amor de su padre. Cuando buscas razonar todo, conocer todo de antemano, controlar todo por medios humanos, tú me impides actuar como el Dios de amor que Yo soy. Tampoco pido por habilidades ni por gran preparación de tu parte, Yo pido solamente por confianza, tu confianza en Mí, en el amor de Mi Corazón abierto para cada uno de ustedes.

Tú haces bien en decir la pequeña invocación, "Oh Jesús, Rey de Amor," que inspiré a Mi servidora Ivonne-Aimée para decir en análogas circunstancias.[1] Cuando nada está claro, cuando nada es previsible, es el momento de hacer muchos actos de confianza. Tú repetirás esta oración tan frecuentemente como sea necesario y encontrarás paz y alegría en el Espíritu Santo.

El padre tomará el camino que siempre he querido para él. Fue para este trabajo que todo sirvió como una preparación, incluyendo sus propios pecados. Pero Yo, traeré de esto, grandes beneficios espirituales para las almas de Mis sacerdotes y para la gloria de Mi Corazón abierto. Ellos vendrán, vendrán hacia Mí y Yo, volveré a reformarlos a Mi ima-

---

[1] Yvonne Beauvais (ver p. 5, pie de página 3) estuvo viviendo temporalmente en el Monasterio Augustino de Malestroit cuando Nuestro Señor se le manifestó a ella el 17 de agosto de 1922 para que le rezara a Él, mañana y noche esta oración: *"O Jésus, Roi d'Amour, j'ai confiance en votre miséricordieuse bonté"* (Oh Jesús, Rey de Amor, yo pongo mi confianza en Tu bondad Misericordiosa). Por petición de Yvonne, la superiora del Monasterio de Malestroit introdujo la práctica de rezar la pequeña invocación cada mañana y noche, empezando el 28 de agosto de 1922, en la fiesta de San Agustín, el Doctor de la Caridad. Ella hizo esto sin revelar el origen de la oración y sin mencionar a Yvonne. Al inicio, la pequeña invocación se esparció de boca en boca. En 1927 se imprimieron modestos marcadores de libros con la imagen del Sagrado Corazón para promover que se rezara la oración. En 1932, el obispo de Vannes, Francia, aprobó la invocación para su diócesis. El año siguiente, el papa Pío XI dio indulgencias a la oración de las monjas de la orden Agustinas Canonesas de la Misericordia de Jesús, para sus enfermos y para los hospitalizados en sus instituciones. El papa Pío XII renovó el favor y el 6 de diciembre de 1958, el beato Juan XXIII lo extendió a la Iglesia universal.

gen y ellos llegarán a ser los sacerdotes adoradores deseados por Mi Padre.

Mi designio es uno, pero cada persona tendrá una parte en su realización. Para esto, todos ustedes deben ser humildes, pequeños y estar suspendidos en Mi palabra. No te fallaré, no te dejaré sin luz. Tú siempre tendrás ante tus ojos la herida en Mi Corazón abierto, la fuente de toda gracia y de gran misericordia.

Cuando hable, no necesitas ni pensar, tienes solamente que escribir y todo llegará a ser más claro para ti y mucho más fácil. Te mantendré en la verdad y en está verdad tú encontrarás alegría.

Sábado 13 de octubre de 2007
Noveno Aniversario del Gran Milagro de Fátima

Oh mi amado Jesús, yo sufro porque no puedo habitar cerca de Tu tabernáculo. Yo me siento privado de Tu real presencia y, sin embargo, me regocijo porque esto me muestra bien cuánto Tú me has unido al adorable Misterio de Tu Cuerpo y Sangre. Tu deseo es que debo ser un sacerdote adorador y reparador para Tu Corazón Eucarístico, un adorador de Tu Rostro que a través de la Hostia brillas para nosotros. Permite que esto sea hecho acorde con todos los deseos de Tu Corazón. Amén.

Domingo 28 de octubre de 2007

Esta mañana antes del Laudes, el Padre hablo conmigo por primera vez:

La Fe en Mi paternidad será el camino de la sanación para muchos, a quienes, como a ti, se les impidió crecer en libertad y alegría bajo la mirada de su padre. Yo quiero desterrar el miedo de tu vida. Yo quiero que te sientas amado alrededor con Mi presencia como PADRE—una presencia que te apoya, que no te impedirá llegar a ser el hombre que Yo siempre he querido que seas; una presencia que te permitirá, a su vez, llegar a ser padre, un padre a Mi imagen, un padre como fue Mi Jesús, un padre completo en medio de sus discípulos. Ellos descubrieron Mi paternidad en Su Rostro.[1] Ellos la sintieron acercándose al Corazón de Mi Jesús, vieron Mi paternidad obrando en los signos de misericordia y de poder que Jesús trabajó en Mi nombre.[2]

Debe ser así para ti. Sé la imagen de Mi paternidad. Por medio del amor paternal que colocaré en tu corazón, sé Mi instrumento para la

---

[1] Jn 12:40, 14:9.
[2] Jn 10:25, 10:37–38, 14:11.

sanación de muchos que no conocen lo que es ser amado por un padre. La paternidad de un sacerdote es una gracia que ahora Yo renovaré en la Iglesia. Es cuando un sacerdote es padre que corresponde a Mis designios de amor hacia Él. La Iglesia, la amada Esposa de Mi Unigénito Hijo, sufre porque muchos sacerdotes no saben cómo vivir la gracia de su paternidad. Las almas piden por padres y también frecuentemente son enviados lejos, abandonados para vivir como huérfanos espirituales.

Tú, sé un padre. Recibe las gracias y energías de Mi paternidad en tu alma. Entre más un sacerdote vive su Misión de paternidad, más se parecerá a Mi Hijo, que dijo, "él que Me ve a Mí, ve al Padre."[1] Yo te bendigo hijo. Yo te bendigo para que seas padre, para la alabanza de Mi gloria.[2] Y para la alegría de la Iglesia de Mi Hijo.

Lunes 29 de octubre de 2007

Oh Espíritu Santo, Alma de mi alma, yo Te adoro.
Ilumíname, guíame, fortaléceme, consuélame.
Instituye mi alma en la verdad.
Hoy, lunes, es Tu día,
Oh, Tú que procedes del Padre y del Hijo.
Yo Te consagro este día, Y todos los lunes
por el resto de mi vida, Oh divino Paráclito.
Hoy, yo deseo vivir en Tu presencia,
atento a Tus inspiraciones y en obediencia a Tu voz.
Oh, Espíritu Santo, ven hacia mi vida
a través de la Virgen María.
renueva y vigoriza mi sacerdocio.
Santifícame y santifica también a todos los sacerdotes.

Antes de las vísperas

¡Aquí estoy, Señor Jesús! Escuché Tu llamado y he venido a encontrarte en el Sacramento de Tu amor.

Tú podrías haber venido más pronto. Yo estuve esperándote. Estoy siempre esperando por ti: espero por todos Mis sacerdotes en el Sacramento de Mi amor, pero ellos hacen poco por Mí y es un hecho que Yo espero por ellos, día y noche. Si solamente ellos conocieran lo que les

[1] Jn 14:9.
[2] Efes 1:12–14.

13

espera en Mi presencia: la plenitud de la misericordia, ríos de agua viva[1] para limpiarlos, para revigorizar su sacerdocio, para santificarlos.

Este fue el secreto de Mis santos, de los santos amigos que he dado a conocer a ustedes: Dom Marmion, El Cura de Ars, San Pedro Julián Eymard, San Gaetano Catanoso,[2] Dom Vandeur, padre José María Cassant[3]—todos estos, sacerdotes acordes a Mi Corazón. Y hay muchos otros también quienes conocieron como vivir entre el altar y el tabernáculo.

Esto es lo que Yo te estoy pidiendo. Ahora eres un sacerdote adorador. No lo olvides. Este es el llamado al que te guío. Y, con la llamada, siempre doy la gracia para corresponderla. Acostúmbrate a darme lo mejor de tu tiempo. Tu primer deber ahora es quedarte ante Mí por Mis sacerdotes que pasan ante Mí sin detenerse, sin incluso inclinarse para adorarme, sin tomar tiempo para hacer la genuflexión que indica la fe de la Iglesia y el amor de cada alma creyente.

Ahí, en Mi presencia, te llenaré, no solamente a ti, también a los que te serán dados para transmitir Mis mensajes de amor y de misericordia. Quiero también que tú les hables de Mi soledad en el tabernáculo. Ciertas mentes sofisticadas se reirán de esto. Ellos olvidan que Yo estoy allí y no como algún objeto inanimado. Es Mi Corazón que espera por ti en el tabernáculo, es Mi mirada, que llena de ternura, en el tabernáculo, se fija, desde el tabernáculo, sobre los que se acercan a este. No estoy ahí por Mi propio bien. Estoy ahí para alimentarlos y para llenarlos con la alegría de Mi presencia.

Yo soy el que entiende a cada hombre solitario, especialmente la soledad de Mis sacerdotes. Quiero compartir su soledad tanto que ellos no estarán solos con ellos mismos, pero sí solos Conmigo. Allí les hablaré a sus corazones como te estoy hablando. Yo estoy ardiendo por

[1] Jn 4:10–14, 7:38; Apoc 21:6; Núm 20:6 (Vul.); Cant 4:15; Jer 17:13–14; Zac 14:8.

[2] San Gaetano Catanoso (14 de febrero de 1879–abril de 1963) fue un padre párroco italiano canonizado por el papa Benedicto XVI en 2005. Uno de ocho hijos, Gaetano fue ordenado en 1902 y sirvió como padre párroco toda su carrera, entregándose enteramente al ministerio pastoral, incluyendo extenuantes visitas a remotos lugares. Reflejando Catanoso su profunda devoción al Santo Rostro de Jesús, el estableció la Confraternidad del Santo Rostro en 1920 y fundó una orden de monjas, las Hermanas Verónicas del Santo Rostro, en 1934.

[3] Durante su noviciado con los Trapenses, Pierre-Joseph Cassant (6 de marzo de 1878 –17 de junio de 1903) recibió el nombre de María-José y fue conocido por su fuerte determinación durante toda su vida de desear ser ordenado al sacerdocio, a pesar de su sufrimiento por la tuberculosis, por la cual murió no mucho tiempo después de su ordenación el 12 de octubre de 1902, Cassant dijo: "Cuando yo no pueda por más tiempo dar Misa, Jesús puedes tomarme de este mundo." Fue un miembro de la Asociación de la Almas Víctimas dedicadas al Sagrado Corazón.

ser para cada uno de Mis sacerdotes el Amigo que ellos buscan, el Amigo con quien ellos pueden compartir todas las cosas, el Amigo a quien ellos pueden contar todas las cosas, el Amigo que llorará por sus pecados sin dejar de amarlos en ningún momento.

Es en la Eucaristía donde los espero como médico y como remedio. Si ellos están enfermos en su cuerpo o en su alma, que Me busquen y les sanaré del mal que les aflige.

Muchos sacerdotes no tienen una fe práctica y real en Mi presencia Eucarística. ¿No saben que la Eucaristía encierra dentro de sí misma los méritos de Mi Pasión? Que recobren la fe de su niñez. Que vengan a encontrarme allí donde estoy esperándolos y Yo, por Mi parte, trabajaré milagros de gracia y santidad en ellos. Lo que quiero más que todo es que Mis sacerdotes sean santos y por esto, les ofrezco mi presencia en la Eucaristía. Sí, esto es el gran secreto de la santidad sacerdotal. Tú debes contarles esto, quiero que les repitas lo que Yo te estoy diciendo, entonces esas almas podrán sentirse consoladas y estimuladas a buscar la santidad.

Mi Corazón está sediento por el amor de los santos. Los que vengan a Mí, les daré amor y santidad. Y en esto Mi Padre será glorificado.[1] Y esto sucederá a través de la íntima acción de Mi Espíritu. Donde Yo estoy presente en el Sacramento de Mi Amor, allí también está el Espíritu del Padre y del Hijo. Es por el Espíritu Santo que Mi presencia Eucarística es Mi presencia gloriosa para el Padre en el Cielo y es por el Espíritu Santo que Mi presencia Eucarística toca las almas de los que Me adoran para unirlos a Mí y para elevarlos ante el Rostro de Mi Padre.

Por ahora, esto es suficiente. Hiciste bien en consagrar este lunes y todos los lunes al Espíritu Santo. Esto no fue una cosa inútil. Acojo con satisfacción cada uno de los gestos y los ratifico en el Cielo. Tanto como tú, seas fiel a esto, verás grandes cosas.

Después, fue el silencio del amor que une. Ninguna cosa me arroja más hacia el silencio del amor que une como las palabras recibidas del Señor.

Viernes 7 de diciembre de 2007

Tú diste alegría a Mi Corazón por quedarte este tiempo en Mi presencia. La luz de Mi Rostro Eucarístico está brillando en tu alma y te he acercado a la herida de Mi Costado. Tú siempre eres bienvenido en Mi presencia. Yo anhelo recibirte y mantenerte cerca de Mí. Esta es tu vocación, sacerdote adorador.

---

[1] Jn 14:13.

Responde al llamado de Mi Corazón. Adórame por tus hermanos sacerdotes que olvidaron que los espero en el Sacramento de Mi amor. Búscame por ellos y en su nombre y Yo los bendeciré a ambos, a ti y a ellos.

Mi Corazón Eucarístico Se desborda con amor para Mis sacerdotes. Les daré a cada uno de ellos la gracia que le di a San Juan, Mi amado discípulo: que es la intimidad con Mi Corazón y con el Doloroso e Inmaculado Corazón de Mi Madre. Yo renovaría el sacerdocio de Mi Iglesia en esta forma. Haría que Mis sacerdotes resplandezcan con santidad. Impartiría a sus lenguas y a sus manos con muchas gracias que derramé sobre Mis Apóstoles en el inicio de Mi Iglesia. La reticencia no es Mía. Son ellos, Mis sacerdotes, los que huyen de Mi compañía. Se alejan de Mi Rostro Eucarístico y dejan Mi Corazón Eucarístico sin la consolación de su amistad. Busco consoladores entre Mis sacerdotes y encuentro pocos entre ellos.

Tú dime "sí" por Mí. Para ser el sacerdote adorador de Mi Rostro Eucarístico y de Mi Sagrado Corazón presente en el Sacramento de Mi amor y esperando por la compañía de incluso un sacerdote que Me ame y se ofrezca él mismo Conmigo al Padre como una víctima de reparación.

Mi Padre, también está afligido por la frialdad e indiferencia con la cual soy tratado en la Tierra, Yo que soy Su Hijo amado, Su eterno Sacerdote, Su inmaculada Víctima que incesantemente Se ofrece en el santuario del Cielo. Esto no viene de extraños, sino de los Míos, de los que escogí, por amor, para compartir Mi sacerdocio, para quedarse en Mi presencia, para nutrir Mi pueblo con los misterios de Mi Cuerpo y Mi Sangre. Todo el Cielo llora por los pecados de Mis sacerdotes. Por cada pecado hay misericordia en la Sangre y el Agua que fluye de Mi Costado herido, pero los pecados de Mis sacerdotes claman por ser reparados.

Haz la reparación por tus hermanos sacerdotes adorándome, permaneciendo ante Mi Rostro Eucarístico, ofreciéndome el amor de tu corazón purificado por Mi gran misericordia. Yo te bendigo ahora. Sé Mi sacerdote adorador.

Sábado 8 de diciembre de 2007

Así es como Me gustaría que oraras por el momento. Tómate el tiempo para venir ante Mí. Busca Mi Rostro. Cuando ores de esta forma te acercaré a Mi Corazón. Reza usando el Rosario de Mi Madre, incluso cuando sientas que tu oración es vacía o mecánica, o cuando estés acosado por distracciones. La decisión de orar agrada a Mi Sagrado Corazón y al Inmaculado Corazón de Mi Madre.

El tiempo que tú nos ofreces, cuando oras como lo hiciste esta noche, llega a ser precioso a nuestros ojos y es de inmenso beneficio para tu alma y para las almas por las que oras. Veo a todos por los que oras esta noche—a los que tú nombras y a los que tu no nombras—y bendigo a cada uno como te bendigo ahora, Mi sacerdote, Mi amigo, Mi amado hermano.

Te he escogido y Mis designios sobre tu vida serán cumplidos. El tiempo está próximo cuando tú Me alabarás y Me agradecerás por cumplir en ti las promesas que te he hecho. Confía en Mí y no permitas que nada te evite buscar Mi Rostro y Mi Corazón en oración. Yo te bendigo.

Domingo 9 de diciembre de 2007

Tu oración Me agrada. Es inspirada por el Espíritu Santo dentro de ti. El Espíritu Santo facilita la conversación Conmigo, la cual es la expresión de nuestra Amistad. Los que se acercan a Mí con confianza y sencillez, buscando Mi Rostro y anhelan la calidez del fuego que arde en Mi Corazón—ellos son guiados y movidos por el Espíritu Santo.

La amistad Conmigo no es difícil. Es un don que Yo ofrezco libremente y con alegría para todas las almas, pero, en primer lugar, a las almas de Mis sacerdotes. ¡Si los sacerdotes vivieran en Mi amistad, qué diferente sería Mi Iglesia! Ella sería un lugar cálido, de luz, de paz y de santidad. Muchos de los sufrimientos y dificultades experimentadas dentro de Mi Iglesia en las manos de sus ministros, Mis sacerdotes, no existirían si estuvieran los sacerdotes, Mis sacerdotes, viviendo diariamente en la gracia de la amistad Conmigo que les ofrezco y deseo darles.

La solución para las dificultades y las pruebas de los sacerdotes, la respuesta a los problemas que acosan tanto a muchos de ellos, causando que caigan hacia los patrones de pecado, es la amistad que Yo les ofrezco. El Espíritu Santo es derramado sobre cada sacerdote en el día de su ordenación, y en ese derramamiento se le da una maravillosa capacidad para vivir en Mi amistad y en la intimidad de Mi Santísima Madre. Muy pocos de Mis sacerdotes aceptan este don y usan esta capacidad para la santidad que Yo otorgue sobre ellos. Esta es la gracia de San Juan de la cual ya te he hablado: la amistad Conmigo, con Mi Sagrado Corazón y una intimidad pura con el Corazón de Mi Madre, la cual tuvieron tanto San Juan como San José.

El Inmaculado Corazón de Mi Madre ama a todos los sacerdotes. Ella acepta a cada uno como su propio hijo y en cada uno mira a un amigo de Mi Corazón, un amigo escogido por Mí y uno en quien Yo quiero encontrar todas las calidades de amistad que hallé en San Juan. Esta es la parte del rol de Mi Madre en la santificación de los sacerdotes. Ella guiará a cada sacerdote que se consagre a ella, como tú lo hiciste, hacia la más profunda alegría de la amistad con Mi Sagrado Corazón.

En cuanto a ti, esto ya ha empezado, aunque no puedas siempre sentir que estás viviendo en Mi amistad y en la intimidad de Mi Santísima Madre. Nuestros ojos nunca dejarán de mirarte ni siquiera por un momento y nuestros Corazones están unidos en amoroso afecto por ti, como lo estuvieron por Mi amado discípulo y amigo, San Juan. Vive en esta gracia. No rechaces lo que nosotros te daremos en abundancia. Permanece con confianza. Nosotros te bendecimos, la mano de Mi Madre en la Mía.[1] Nosotros te bendecimos y a todos por los que tú has pedido nuestra bendición.

Lunes 10 de diciembre de 2007

Yo soy tu Madre del Perpetuo Socorro y yo soy la Mediadora de Todas las Gracias para mis queridos hijos. Mis ojos de misericordia se vuelven a ti. Mi Corazón está abierto para ti. Mis manos están siempre elevadas en oración por ti o abiertas sobre ti para derramar abundantes gracias en ti y en todos por los que tu estas orando.

Me complace que quieras imitar a mi hijo San Juan en hacer tu hogar Conmigo, en abrirme cada parte de tu vida. En esta forma, me permitirás actuar sobre ti, pero también me permitirás actuar contigo y a través de ti. Mi presencia y mi acción son reveladas con ternura, dulzura y misericordia. Yo quiero que te parezcas a mí espiritualmente, igual como mi Jesús Se parece a mí físicamente. Cuando Jesús me mira, yo veo el perfecto reflejo de todas las disposiciones y virtudes de Su adorable Corazón. Yo al mirarte, quiero ver mi propio Inmaculado Corazón reflejado en ti. Quiero comunicar a ti y a todos mis hijos sacerdotes las virtudes de mi Corazón. Consagrándote a mí has hecho esto posible y ya mi transformación hacia ti, ha empezado.

Mi Hijo me ha dado dominio sobre los corazones de Sus sacerdotes. Yo transformaré, purificaré y santificaré el corazón de cada sacerdote consagrado a Mí. Lo mío es cambiar el alma de los sacerdotes, lavarlos, levantarlos hacia los lugares celestiales, para que su conversación sea con mi Hijo y a través de Él con mi Padre y con el Espíritu Santo.[2] Por esta razón yo soy correctamente llamada *Porta Caeli*, la Puerta del Cielo. Es la voluntad de mi Hijo que Sus sacerdotes vivan, mientras estén

---

[1] Yo pensé que esta es una extraña expresión hasta que miré hacia arriba, justo después de haberla escrito y vi en el ícono de Nuestra Señora del Perpetuo Socorro la mano de Jesús en la de Su Madre.—*Autor*.

[2] Efes 1:3, 1:20; Efes 2:6; Fil 3:20.

todavía en la Tierra, en los lugares celestiales. Mi Hijo Jesús los hará entrar junto con Él hacía al santuario del Cielo, más allá del velo donde, como eterno Sumo Sacerdote, Se ofrece incesantemente como una Víctima de alabanza y propiciación a Su Padre.[1]

El Espíritu Santo es la llama viva del holocausto celestial. Todo el Cielo brilla con el fuego de amor que quema en el Corazón de Su Hijo que Se presenta ante Su Padre como eterno Sumo Sacerdote. Yo soy para todos mis hijos sacerdotes la Puerta del Cielo. Si algún sacerdote quiere ascender, incluso en esta vida terrenal, hacia la gloria de la incesante liturgia celestial celebrada por mi Hijo ante el Rostro del Padre, necesita solamente acercarse a mí. Yo abriré el camino hacia los misterios del Cielo para él. Le enseñaré la reverencia, el silencio, la profunda adoración que corresponde a alguien llamado a servir en los altares de mi Hijo y en Su lugar.

Permíteme ser para ti la Puerta del Cielo. Ven a mí en cada oportunidad. Reza mi Rosario. Yo te haré compartir todo lo que tengo en mi Corazón. Yo te bendigo ahora y bendigo a aquellos por quienes has intercedido ante mí. Bendigo a mis hijos sacerdotes. Los amo con todo mi Corazón y los seguiré en sus idas y venidas. Cuando caen, yo lloro sobre ellos y todo mi deseo es levantarlos, limpiarlos, sanar sus heridas y verlos restaurados en la gracia de la amistad con mi Hijo.

Martes 11 de diciembre de 2007

Nuestra Señora:

Yo estoy contigo esta noche. Estoy presente ante ti y escucho las oraciones que tú me diriges. Abriré mis manos, llenas de gracias y bendiciones, sobre las almas que tú me has recomendado. Estoy siempre dispuesta a venir rápidamente en ayuda de mis pobres hijos. Estoy siempre lista a ayudarlos, a levantarlos cuando ellos caen, a vendar sus heridas e incluso para intervenir de tal forma que se reparen los efectos de su maldad.

No estoy distante. Escucho cada oración dirigida a mí. Mi Corazón maternal es movido a la piedad cuando mis hijos y especialmente mis hijos sacerdotes, han recurrido a mí en sus necesidades. Yo soy la Madre de la Misericordia, MATER MISERICORDIAE, honrada por la Iglesia en su canto a mí.[2] Vuelvo hacia ti mis ojos de misericordia y estoy siempre con voluntad de ayudar a los pobres pecadores. Que los pecadores

---

[1] Inter alia, Heb 6:19–20, 9:24, 12:22–24.
[2] En la antífona Mariana *Salve Regina*.

vengan a mí; nunca me volveré lejos de ellos. Que ellos apelen a mi Doloroso e Inmaculado Corazón; y nunca estarán decepcionados.

En cuanto a ti, querido hijo mío, persevera rezándome. Aférrate a mi Rosario y ten cuidado de cada táctica del Maligno para separarte de mí Rosario. Mi Rosario es tu salvavidas y tu arma en la lucha contra las fuerzas del mal. Al mismo tiempo, para ti es un remedio y un consuelo. ¿Tú no ves como el Rosario te ha estabilizado? ¿Tú no experimentas su sanación y todos sus beneficios? Reza mi Rosario y enséñales a otros a hacer lo mismo.

Yo bendeciré tus escritos y predicaciones. Te daré el don de tocar los corazones y de ganarlos para mí, especialmente para que toques los corazones de mis sacerdotes. Confía en mí para desplegar el plan de mi Hijo. Veré cada detalle. Fui yo quien obtuvo este llamado para ti. Tú eres el sacerdote adorador obtenido por mi Corazón para este trabajo tan deseado por mi Hijo. Tu parte es perseverar en la oración. Confía, también, en la guía del padre N. Yo estoy complacida que tú le hayas escrito sinceramente. Yo lo he escogido para que te ayude, a su vez, por mis dones, le ayudaré y seré para él un consuelo y una amiga.

Te agradezco por la *Ave Maris Stella* que me ofreces. Toca mi Corazón y responderé a cada una de tus peticiones a tu favor. Es por eso por lo que te inspiré a comenzar a orar. Pido poco a las pequeñas almas y doy mucho. Tal es mi camino. Tal, también, es el camino de mi Hijo. Sí, nuestros Corazones son conmovidos incluso por las más pequeñas muestras de amor y nuestra respuesta a ellas sobrepasa lo que tú puedes imaginar. Nosotros te bendecimos y a los que tú has recomendado a nuestros Corazones.

Miércoles 19 de diciembre de 2007

Nuestro Señor:

Yo permanezco como tu Amigo, el Amigo de tu corazón. Estoy siempre presente para ti y Mis ojos están sobre ti en cada momento.[1] Deseo tu compañía. Yo anhelo la atención de tu corazón, tu consuelo, tu adoración, tu reparación y tu amor.

Mañana es jueves. Haz lo que he te he pedido hacer. Vive mañana en adoración y reparación por tus hermanos sacerdotes y en agradecimiento por los dones inestimables del Sacramento de Mi amor y del sacerdocio. Búscame y permanece ante Mi Rostro Eucarístico, cerca, muy cerca de Mi Corazón abierto. Yo haré todo el resto. Adórame. Haz

---

[1] Sal 32(33):18–19.

reparación. Acércate a Mí y permanece Conmigo en el nombre de todos Mis sacerdotes que nunca se acercan y nunca se quedan en Mi presencia.

Mi Sagrado Corazón es divinamente sensible por la frialdad y la indiferencia de Mis sacerdotes. Y te pido hacer reparación a Mí por ellos. Permíteme amarte como amaría a cada uno de ellos. Permíteme sanarte, consolarte, santificarte, solo como Yo sanaría, consolaría y santificaría a cualquiera de Mis sacerdotes. Amo a Mis sacerdotes—pero pocos de ellos creen en Mi amor por ellos. Tú cree en Mi amor por ti. Yo soy tu Amigo. Yo te he escogido para ser en la vida y en la muerte el privilegiado amigo de Mi Sagrado Corazón.

Yo te bendigo y bendigo a los que confían en la misericordia de Mi Corazón abierto. La luz de Mi Rostro brilla sobre ti. Cree en Mi amor por ti. Nunca te abandonaré, nunca te decepcionaré. Mis planes son para tu felicidad, para tu santidad, para tu paz. No tengas miedo. Yo haré por ti todo lo que te he prometido y tu corazón se alegrará y tú Me alabarás y Me glorificarás por siempre.

Mi Madre, también está atenta a ti. Su manto está alrededor de ti y te protege. Su Inmaculado Corazón está conmovido por las oraciones que tú le ofreces. Ama a Mi Madre y ora a ella incesantemente. Mi Madre también te bendice y la bendición de Mi Madre otorga sobre quienes la reciben, las más dulces gracias y favores.

Jueves 3 de enero de 2008
El Santo Nombre de Jesús

Escúchame. Abre el oído de tu corazón y te hablaré como te prometí.[1] Mi Corazón tiene mucho que decirte. Te instruiré. Te enseñaré. Te mostraré el camino que debes seguir. Mi Corazón te anhela. Deseo tu compañía.

Yo anhelo la compañía de cada uno de Mis sacerdotes. Espero por ti en este el Sacramento de Mi amor. Tan pocos sacerdotes responden a Mi deseo. Cuando escojo a un hombre para ser Mi sacerdote, lo escojo al mismo tiempo para ser un amigo privilegiado de Mi Sagrado Corazón. Deseo la amistad de Mis sacerdotes y a ellos ofrezco la Mía.

Yo te he llamado para experimentar la gracia de Mi amistad, quiero que seas para Mi Corazón otro San Juan, amándome, buscándome, escuchándome, permaneciendo en Mi presencia.

---

[1] Véase San Benito, *La Santa Regla, Prólogo.*

Mi Madre, también, desea esto para ti y te he confiado en especial forma a su Doloroso e Inmaculado Corazón. Acude a Mi Madre en cada una de tus necesidades. Yo la hice Inmaculada Mediadora de Todas Mis Gracias. Todo lo que te daré, quiero que lo tengas a través de ella.

Habla frecuentemente de la mediación de Mi Inmaculada Madre. Para ti y para muchas almas, esta doctrina es el secreto de la santidad. Confía en la bondad del Corazón de Mi Madre. Debes saber que su mirada está sobre ti. Su manto te rodea como un escudo protector. Está atenta a todos los detalles de tu vida. Ninguna cosa que necesites o sufras es insignificante para ella y esto porque Yo le he dado un Corazón capaz de dar cuidados maternales a Mi Cuerpo Místico entero y a cada uno de sus miembros desde los más grandes hasta los más pequeños.

Escucha su voz como escuchas la Mía. También te hablará. También te instruirá, consolará y guiará tus pasos hacia el camino de la santidad que Yo he dispuesto para ti. Mi Madre está íntimamente presente para ti. Honra su presencia en tu vida. No abandones la oración de su Rosario; eso te une a ella. No hagas negligencias con el *Ave Maris Stella* y otros actos de amor que te ha pedido o que el Espíritu Santo te ha inspirado a ofrecerle a ella. Esos pequeños medios son de un valor inmenso, incalculable en Mis ojos y en los de ella.

Yo quiero que ames a Mi Madre como Juan la amó—en obediencia a Mi palabra desde la Cruz, "He aquí a tu Madre."[1] Todas las gracias que tú has recibido durante estos últimos años y especialmente durante los últimos meses, fueron obtenidas para ti por su intercesión y dadas por sus manos.

Tu propia Madre estaba en lo correcto cuando te dijo, sé amable con las Hermanas. Yo quiero tener para ellas una compasión tierna y paternal. Comprende sus limitaciones y sus necesidades, y sé un padre amable, siempre listo para mostrarles una atención amorosa y bondadosa. Esta amabilidad paciente es una virtud que quiero ver en todos Mis sacerdotes y porque quiero verla en ellos, se las daré. Cuando están de pie en el altar para recibir Mi Cuerpo y Mi Sangre, toda la bondad de Mi Corazón traspasado fluye hacia ellos para hacerlos sacerdotes y padres de acuerdo con Mis propios deseos.

Saca de Mi Cuerpo y Sangre dado a ti, todas las gracias que necesites. Los sacerdotes reciben poco de su diaria comunión en Mis altares porque ellos esperan tan poco. Pide y recibirás.[2] Consulta a los santos. Aprende de ellos lo que es pedir grandes cosas de Mí, pedir valiente, confiada y alegremente. Y agradéceme por los efectos de Mi Cuerpo y

[1] Jn 19:27.
[2] Mat 21:22; Mar 11:24; Jn 16:24.

Sangre en tu cuerpo y sangre, en tu alma, en tu mente, en tu corazón de corazones. La Eucaristía es transformadora para todos los que Me reciben con fe y con una devoción llena de confianza, pero es especialmente de esta forma para Mis sacerdotes. Es por el recibimiento de Mi Cuerpo y Sangre que tú crecerás en Mi amistad y en la brillante santidad sacerdotal por la cual Yo quiero ser glorificado en ti y en Mis sacerdotes.

Entonces yo recomendé a Nuestro Señor un número de almas. El respondió:

Yo bendigo a todos los que Me traes aquí, a los que expones ante la luz de Mi Rostro Eucarístico y ofreces al amor de Mi Corazón abierto. Yo estoy atento a tus oraciones por padre N., como lo está Mi Inmaculada Madre. Nosotros lo amamos y lo liberaremos. Déjale confiar en nosotros para hacer en él, lo que no puede hacer por él mismo. Mi gracia se perfecciona en la debilidad[1] y Mi Madre es la Mediadora de Mi gracia. Y te bendigo y te agradezco por buscarme aquí. Yo te llamo Mi amigo, el amigo de Mi Corazón.

Martes 8 de enero de 2008

Escúchame y te hablaré.

Mi Corazón reboza con tu amor y cuando uno ama, uno tiene mucho más que decir—y entonces hay una comunión en amor más profunda que todas las palabras, en el silencio que une las almas a Mí. Yo te daré ese silencio también.

Te he escogido para vivir en Mi Amistad. Permíteme responder, como lo vea más apropiado, a todos los deseos de tu corazón. En lo que Yo te daré, no hay amargura ni veneno, ni engaño—te daré solamente Mi luz, Mi verdad, Mi dulzura, Mi amor y una participación en todos Mis estados en todos Mis misterios. Te llevaré al más íntimo santuario de Mi Corazón donde Yo adoro a Mi Padre como Su eterno sacerdote y Me ofrezco a Él como una perpetua Víctima de amor.

Esto es lo que deseo dar a Mis sacerdotes, pero primero, deseo que ellos consientan el don de Mi amistad y vivir, como vivió Juan, en la intimidad de Mi Corazón y del Inmaculado Corazón de Mi Madre.

Renovaré la santidad del sacerdocio en Mi Iglesia. Esparciré el Espíritu Santo sobre todos los sacerdotes en la forma de un fuego purificador.[2] Los que sean bienvenidos a aquel fuego surgirán como oro del

[1] 2 Cor 12:9.
[2] Mal 3:3.

horno, brillando con santidad y con una pureza maravillosa para que todos los vean. Los que rechacen Mi fuego se consumirán por este. Ellos serán como las ramas estériles cortadas y luego dejadas de lado para ser quemadas.[1]

El fuego de Mi Corazón es la Llama Viva de Amor, es el Espíritu Santo. Cede a ese fuego y pídeme que lo encienda en ti y en las almas de todos Mis sacerdotes. La llama de amor purificadora y santificadora resplandece desde Mi Cuerpo en la Santísima Eucaristía. Los que Me adoren en Mi Sacramento de amor, serán los primeros en experimentar el Pentecostés sacerdotal por el cual Yo pretendo renovar el sacerdocio de Mi Iglesia. Los hijos del Inmaculado Corazón de Mi Madre serán preparados por ella para este trabajo Mío.

Si deseas recibir el fuego de Mi amor purificador y santificador, vive en la presencia de Mi Madre Inmaculada como lo hizo Mi amado discípulo y amigo, San Juan. Ella, que estuvo presente en el Cenáculo en Pentecostés por el cual Yo envié Mi Iglesia hacia el mundo, está también en el corazón de este Pentecostés de santidad por el cual renovaré a Mis sacerdotes y haré que el sacerdocio brille de nuevo en Mi Iglesia.

Yo bendigo a los que tú me presentas, elevándolos hacia la luz de Mi Rostro. Yo daré a cada uno según su necesidad, pero también acorde con su preparación para recibir Mis dones. Los que son pobres en espíritu están más dispuestos a recibir lo que Yo les daré.

Los que están cerca de Mi Madre Purísima y la invocan como Mediadora de Todas las Gracias, no serán decepcionados en sus esperanzas. ¡Cómo Me complace otorgar Gracias y bendiciones en abundancia a través de las manos puras de Mi Santísima Madre! Ella es la tesorera y dispensadora de todas las riquezas guardadas para las almas dentro de Mi Sagrado Corazón. Las almas que la atraen no se irán vacías. Las almas que rechacen reconocer el lugar único de ella en el gran plan de misericordia de Mi Padre para el mundo no recibirán en la misma medida como las almas que miran a Mi Madre y la llaman por su nombre con confianza. Insiste sobre esto cuando te llamen a predicar o enseñar.

Las riquezas de Mi reino son para todos los que Yo he redimido con Mi propia Sangre, pero Me complace otorgárselas a través de Mi Madre, la Reina y Mediadora que permaneció al pie de Mi Cruz, ofreciéndome y ofreciéndose ella misma Conmigo. Hoy, ella reina Conmigo en el paraíso.[2] Todo lo que gane para las almas de Mi Padre sobre el altar de la Cruz, con Mi Madre a Mi lado, ahora lo derramaré sobre las almas a través de su Corazón y a través de sus manos. Esto también es el secreto

[1] Mat 3:12; Mat 13:40–42; Luc 3:17; Jn 15:6; Heb 6:8.
[2] Sal 44:10 (45:9).

de un sacerdocio fructífero. En cada acto sacerdotal y en toda la vida, coloca tus manos en las manos de Mi Madre y tu corazón en su Corazón.

Ahora te bendigo y te dejo con el beso de Mi paz.

10 de enero de 2008
Jueves, hora de adoración y reparación

Ven a Mí y te hablaré de Corazón a corazón, como un amigo conversa con otro. Este dialogo de amor es esencial para nuestra amistad. Recuerda, te he escogido para ser Mi más querido amigo, el amigo de Mi Corazón. Quiero compartir contigo todo lo que escucho en el seno de Mi Padre.[1] Quiero comunicarte los deseos de Mi Corazón, Mis planes para la purificación y la renovación del sacerdocio y también las cosas que afligen a Mi Corazón.

Yo te pido que Me consueles permaneciendo ante Mi Rostro. Te pido que Me consueles manteniéndote cerca de Mi Corazón, traspasado por amor a ti y a todos los pecadores. Sé Mi sacerdote adorador. Consuélame y haz reparación por los que rechazan Mi amor, por los que se burlan de Mis heridas, de Mi Sangre y de Mi Sacrificio.

Pronto Yo te daré tiempo en Mi presencia Eucarística. Yo quiero que aprendas a quedarte ante Mi Rostro Eucarístico, en silencio, adorándome, escuchándome y amándome por los que no Me adoran, no Me escuchan, no expresan su amor por Mí de esta forma.

Si tan solo Mis sacerdotes gastaran tiempo delante de Mi Rostro Eucarístico, Yo los sanaría, purificaría, santificaría y convertiría en apóstoles que arden con la llama viva que consume Mi Corazón en el Santísimo Sacramento. Pero ellos permanecen lejos. Prefieren muchas otras cosas, vanas búsquedas y cosas que los dejarán vacíos, amargados y cansados. Ellos olvidan Mis palabras, "Vengan a Mí . . . y los descansaré."[2] Mis sacerdotes serán renovados en santidad y en pureza cuando ellos empiecen a buscarme en el Sacramento de Mi amor.

La gran renovación del sacerdocio en Mi Iglesia empezará cuando los sacerdotes comprendan que los quiero para vivir en la compañía de Mi Inmaculada Madre. Cuando ellos se vuelvan a ella y la reconozcan como la Mediadora de Todas las Gracias, les daré maravillosos signos de Mi favor. Los sacerdotes serán transformados. Ellos descubrirán al mismo tiempo los poderes otorgados sobre ellos en el día de su ordenación. En muchos sacerdotes Míos, la virtud plena de Mi sacerdocio es limitada y amarrada. Yo deseo liberar el poder de Mi sacerdocio, en los que Yo he

---

[1] Jn 1:18, 15:15.
[2] Mat 11:28.

llamado y escogido para representarme—ser Yo—en el altar donde Mi Sacrificio es renovado y en todos los trabajos del ministerio sagrado.

Los obispos deben empezar a ser un ejemplo de santidad para sus sacerdotes. Mira los santos obispos celebrados por Mi Iglesia en su calendario. ¡Cómo deseo hoy elevarlos a santos obispos! Los medios para la santidad para los obispos y los sacerdotes son los mismos. Que Me busquen en el Sacramento de Mi amor. Que aprendan a permanecer en adoración silenciosa ante Mi Rostro Eucarístico. Que rueguen para que sean incendiados con la llama viva de amor que consume Mi Corazón Eucarístico. Y que vuelvan a Mi Madre, la Mediadora de Todas las Gracias, confiándose ellos mismos a ella y también a los rebaños que les he confiado, para ser cuidados amorosamente. Mis obispos también deben dar el ejemplo de una devoción personal al Rosario de Mi Madre. Que ellos vean el ejemplo dado, en este sentido, por Mi servidor, el papa Juan Pablo II. El deseo de Mi Corazón es que cada obispo viva en la intimidad de Mi Purísima Madre y aprendan el significado de pertenecer enteramente a ella, *Totus tuus*.[1]

Pero en cuanto a ti, haz lo que te pido humildemente y en silencio. Obedece Mis palabras. Responde a Mis solicitudes. Revisa Mis palabras dadas a ti y te daré más luz sobre lo que ellas significan para ti y para otros, especialmente para los que tienes en tu oración. Mi Madre te dará la dirección que necesitas para ordenar tu vida sabiamente y en alegría. Ella rectificará las cosas que no son como deberían de ser y te mostrará cómo usar tu energía, tu tiempo y los talentos que Yo te he dado. Tómala como tu Madre y Maestra y no temas consultarla incluso en las pequeñas cosas. Ninguna cosa escapa a la atención amorosa de su Corazón. Confía en ella con todos los detalles de tu vida y veras que estará presente para ti como lo estuvo para San Juan y que ninguna cosa que tú vives o sufres o temes, es extraño para ella.

Continúa orando el *Ave Maris Stella* por ti y por los sacerdotes que confié a tus oraciones. Mi Madre se mostrará ella misma como una Madre para ti y para sus hijos sacerdotes que aceptan la solicitud y su ternura infalible de su Corazón.

Yo estoy complacido y tan contento, por el tiempo que tu padre Me ofrece los jueves para Mis sacerdotes. Quiero que sepas que tú eres el primero en beneficiarte de su oración humilde y llena de confianza.

---

[1] El lema papal del papa Juan Pablo II, "Totalmente tuyo," tomado de una oración de consagración a Nuestra Señora dada en *la Verdadera Devoción a María* de San Luis María de Montfort. El texto completo de la oración es: *Totus tuus ego sum, et omnia mea tua sunt. Accipio te in mea omnia. Praebe mihi cor tuum, Maria* (Yo te pertenezco completamente a ti, y todo lo que tengo es tuyo. Yo tomó todo de ti para mí. Oh María, dame tu Corazón).

Yo te he unido a una red de almas. Cada una tiene un papel que desempeñar. Cada uno tiene una misión. En el paraíso tú verás lo que he hecho y con quienes lo he hecho y tú cantarás la alabanza de Mi misericordia eterna.[1] Ahora Yo te bendigo y a los que traes ante Mí. Recibe Mis bendiciones y el beso de Mi paz.

Jueves 17 de enero de 2008
San Antonio abad

Inicié mi Hora Santa de adoración y reparación después de la Misa, y casi inmediatamente Nuestro Señor comenzó a hablar a mi corazón:

Ponme primero. Pon Mi Amistad antes que todo lo demás. No es bueno que estés solo.[2] Busca Mi Rostro en todos momentos y en todas las cosas.[3] Busca Mi Corazón abierto presente en el Santísimo Sacramento de Mi amor. Yo te he llamado a ser Mi amigo. Me he revelado a ti como un Amigo a quien tú siempre has deseado, el Amigo que nunca te engañará ni decepcionará, ni abandonará. Abre tu corazón a Mi amistad. Busca Mi Rostro. Conversa Conmigo. Escúchame. Quédate en Mi presencia. Sabes que en todo momento Mis ojos descansan sobre ti. Mi Corazón, está en todo momento listo para darte la bienvenida. Deseo tu presencia. Quiero la atención de tu corazón. Quiero tu amistad en respuesta a la amistad que Yo te he ofrecido.

Mi Corazón tiene un amor particular por ti, un amor que Mi Padre destinó solo para ti y para ningún otro en toda la eternidad. ¡Cómo aflige a Mi Corazón cuando el amor único que ofrezco a un alma es despreciado, ignorado o mirado con indiferencia! Te digo esto para que tú hagas reparación a Mi Corazón, aceptando el amor que Yo tengo para ti y viviendo en Mi Amistad. Recibe Mis dones, Mi bondad, Mi atención, Mi misericordia para el bien de los que rechazan lo que deseo darles. Haz esto especialmente por Mis sacerdotes, tus hermanos.

Yo llenaría a cada uno de Mis sacerdotes con Mi amor misericordioso, llevaría a cada uno al refugio de Mi Costado herido, daría a cada uno los deleites de Mi amistad divina, pero son tan pocos Mis sacerdotes los que aceptan lo que Yo deseo darles. Ellos huyen ante Mi Rostro. Ellos permanecen a distancia de Mi Corazón abierto. Se mantienen apartados de Mí. Sus vidas están compartimentadas. Ellos tratan Conmigo solamente cuando sus deberes los obligan a hacerlo. No hay amor

---

[1] Sal 88:2 (89:1); Sal 135(136):2–3.
[2] Gén 2:18; Ecl 4:10.
[3] 1 Crón 16:11; Sal 26(27):8; Sal 104(105):4.

gratuito, no desean estar Conmigo por Mi propio bien, simplemente porque Yo estoy ahí en el Sacramento de Mi amor, esperando por la compañía y amistad de los que he escogido, y he llamado de entre millones de almas para ser Mis sacerdotes y para ser los especiales amigos de Mi Sagrado Corazón. ¡Si los sacerdotes entendieran que ellos son llamados no solamente a ministrar a las almas en Mi nombre, sino aún más a aferrarse a Mí, a habitar en Mí, a vivir en Mí y por Mí, a vivir para Mí y no para otro!

Quiero que les hables a los sacerdotes acerca de los deseos de Mi Corazón. Te daré oportunidades para hacer esto. Dales a conocer estas cosas que Yo te he hablado. Muchos de Mis sacerdotes nunca han realmente escuchado y entendido la invitación para una amistad Conmigo en forma exclusiva y plena. Y así se sienten solos en la vida. Se sienten impulsados a buscar en otros lugares y en criaturas indignas del amor indivisible de sus corazones consagrados, la plenitud de la felicidad, esperanza y paz que solo Yo puedo darles. Muchos avanzan en amargura y decepción. Ellos buscan llenar los vacíos con actividades vanas, con lujuria, con posesiones, con alimentos y bebidas. Ellos Me tienen, muy frecuentemente, cerca en el Sacramento de Mi amor y Me dejan ahí solo, día tras día y noche tras noche.

¡Oh, cómo anhela Mi Corazón levantar una compañía de sacerdotes adoradores que harán reparación por sus hermanos sacerdotes permaneciendo ante Mi Rostro Eucarístico! Yo derramaré los tesoros de Mi Corazón Eucarístico sobre ellos. Quiero renovar el sacerdocio en Mi Iglesia, lo haré empezando con pocos sacerdotes conmovidos por Mi amistad y atraídos por el resplandor de Mi Rostro Eucarístico.

Las gracias almacenadas en Mi Corazón para los sacerdotes son inagotables, pero muy pocos se abren para recibirlas. Tú, Mi amigo, Mi sacerdote elegido, quédate en Mi presencia y abre tu alma para todo lo que Yo deseo darte. Abre el oído del corazón a todo lo que tengo que decirte. Escúchame. Escribe lo que escuchas. Pronto te dejaré compartir con otros las cosas que te hablaré en tu silencio.

Yo te amo con un ardiente amor. Nada puede separarte ahora del ardiente amor de Mi Corazón Eucarístico.[1] Te he apartado para ser el sacerdote adorador, que siempre he deseado que seas. Continúa escuchándome, continúa obedeciéndome. Tú no serás decepcionado en tu espera.[2]

Tengo muchas cosas que decirte.[3] Yo solo he empezado a decirte las

[1] Rom 8:35–39; Jer 31:3.
[2] Sal 21:6 (22:5); Rom 5:5.
[3] Jn 16:12.

cosas que están almacenadas en Mi Corazón para ti desde toda la eternidad.[1] Sí, quisiera hablar a todas las almas en esta forma, pero hay tan pocos que saben cómo permanecer en quietud ante Mi Rostro, son tan pocos los que saben cómo descansar, como San Juan, sobre Mi Corazón. Mi Corazón está lleno de palabras de luz, amor y consuelo para Mis sacerdotes. ¡Cómo deseo conversar con los sacerdotes que he elegido como los amigos de Mi Corazón! Habla a Mis sacerdotes sobre el don de la amistad divina que tengo reservado para cada uno de ellos. Este es el secreto de la santidad sacerdotal: una vida de amistad Conmigo, un "sí" renovado cada día por el don de la amistad divina que Yo ofrezco cada día a cada uno de los sacerdotes en Mi Palabra, en el Sacramento y Sacrificio de Mi Cuerpo y Sangre.

Quiero que tú empieces a leer cada jueves los capítulos 13–17 del Evangelio de San Juan. Nutre tu alma con esta lectura. Haré que brille en tu alma. Haré de esa lectura un alimento para tu espíritu. Haré con eso una medicina sanadora, el antídoto para toda tu enfermedad y las debilidades espirituales. Yo hablé aquellas palabras registradas allí para todos Mis discípulos hasta el final de los tiempos, pero las pronuncié en primer lugar para los que conocí con anticipación y elegí para ser Mis sacerdotes, sacerdotes llamados a vivir en Mi amistad y a través de Mí, en la intimidad de Mi Padre y en la luz del Espíritu Santo. Empieza hoy a leer estos capítulos y haz de eso una práctica semanalmente, una forma para santificar más los jueves, todos los jueves de tu vida, que Yo te he pedido para que Me consagres por el bien de todos Mis sacerdotes, tus hermanos. Haz esto y te iluminaré. Haz esto y te instruiré. Haz esto y te consolaré con un consuelo que ninguna criatura puede ofrecerte.

Y ama a Mi Inmaculada Madre. Continúa honrándola a ella con la oración de su Rosario y con las otras oraciones que Yo te he inspirado para que reces. Entrar en Mi amistad es disfrutar de una relación de amistad privilegiada y dulce con Mi Madre. Al convertirte en Mi amigo, llegas a ser un hijo para ella. Su Inmaculado Corazón se desborda con ternura para Mis sacerdotes. Cuando hables a los sacerdotes, nunca omitas hablar de Mi Madre, tu Madre, su Madre. Haz que ella sea conocida en sus privilegios y en sus misterios y ella derramará fuertes gracias sobre ti y sobre los que reciben tus palabras.

Aquí le pregunté a Nuestro Señor acerca de mi rutina diaria. A menudo estoy cansado y necesito descansar. Yo siempre me siento culpable acerca de no ser capaz de mantener lo que yo veía como una rutina diaria más normal de oración y actividades. Algunas veces yo no puedo decir todo el Ofi-

---

[1] Efes 3:8–12.

cio. Esto pesa sobre mí. Entonces yo pregunté a Nuestro Señor ¿Qué yo debía hacer?

Por ahora, tu rutina es lo que tú puedes hacer. Yo te ayudaré y Mi Madre te ayudará, poco a poco y suavemente, para que hagas los cambios necesarios. No cedas a los sentimientos de culpabilidad que te asaltan porque no estás viviendo el ideal que tú mismo te has colocado. Yo no te pido ser fiel a un ideal. Te pido solamente ser Mi amigo y vivir cada momento en la gracia de Mi amistad divina. Todo el resto fluye. La perfección es el fruto de la amistad Conmigo. No una condición previa. Tú y muchas almas como la tuya están confundidas al respecto. Mi amistad no se gana, no es alguna cosa que se adquiera para medir el estándar de la perfección que tú has fijado para ti mismo. Mi amistad es un don puro.[1] Es el don de Mi Sagrado Corazón y la ofrezco gratuitamente. Muy pocas almas entienden esto. Tú eres santificado viviendo en Mi amistad. Todo el resto es secundario. Ámame y cree en Mi amor incondicional por ti. Confía en Mí. Muéstrame que has confiado en Mi bondadosa misericordia, especialmente cuando experimentes debilidad, vergüenza o miedo renovaré las gracias de Mi amor en tu corazón. Te sostendré con el don de Mi infalible presencia. Yo soy el Amigo que nunca te abandonará. Que eso sea suficiente para ti.

Entonces yo ofrecí un número de almas a Su Corazón abierto.

Yo los bendigo y Mi Madre Inmaculada los bendecirá. Nosotros le daremos a cada uno acorde a sus deseos y a su disposición para recibir las gracias preparadas para ellos en nuestros Sagrados Corazones.[2]

Jueves 24 de enero de 2008
San Francisco de Sales

Las cosas sucedieron diferentes hoy. Yo empecé leyendo Juan 13, como Nuestro Señor me pidió hacer los jueves. Yo entendí esto: si Judas hubiera mirado a Jesús,[3] la gracia habría lavado y expulsado la tentación fuera de

---

[1] Mat 10:8; 2 Cor 9:15; Efes 2:8; Apoc 21:6.

[2] Aunque no es costumbre en inglés, la expresión "los Sagrados Corazones de Jesús y de María" fue popularizada por San Juan Eudes (4 de noviembre de 1601–19 de agosto de 1680) y expresa la verdad que el Corazón de Nuestra Señora, como el de su Hijo, es un templo del Espíritu Santo y son lugares consagrados apartados solo para Dios. El tradicional *Martirologio Romano* (1956 ed.) describe a San Juan Eudes el 19 de agosto como "el promotor del culto litúrgico de los Sagrados Corazones de Cristo y Su Madre."

[3] Luc 22:61–62.

su corazón. "Oh mi Jesús, escóndeme en el secreto de Tu Rostro, lejos de la conspiración de los demonios y de los hombres."

Incluso ahora Nuestro Señor lava los pies de Sus sacerdotes y los seca con una toalla. Incluso ahora, Él lavaría los pies de Sus elegidos para enseñarles la humildad de Su amor por ellos. Si quiero compañía con Él debo permitirle hacer por mí, todo lo que Su amor humilde busca hacer.

Él está siempre listo a lavar y purificar a Sus sacerdotes—pies y manos, cabeza y corazón, cuerpo y alma. Él desea que un sacerdocio limpio sirva a Su Iglesia. Él está dispuesto en cada momento a lavar la inmundicia que desfigura a tantas almas de sacerdotes. No desea hacer verter agua de un recipiente; el Agua que purificará a Sus sacerdotes fluye de Su Costado abierto y es mezclado con Su preciosa Sangre.

La purificación y limpieza, es la condición de la amistad con Él. Él limpia a cada alma que acepta el ofrecimiento de Su amistad divina y de quienes se quedan en Su amistad y permanecen en la fuente de Su pureza.

Las "manchas de los pies" son los pecados cometidos por pensamientos, palabra, acción u omisión en la vida diaria. Nuestro Señor está siempre dispuesto a lavar "las manchas de nuestros pies." Quien permanece en la amistad de Jesús, está según Su propia palabra, "limpio." Él desea; sin embargo, remover de nuestros pies cualquier huella de alguna convivencia con el mal.[1]

"Ustedes, también, deben lavarse los pies unos a otros."[2] Este es el ministerio sagrado del Sacramento de Penitencia: la restauración de la pureza de las almas contaminadas y manchadas por el pecado. Por esta razón el confesor debe ser profundamente humilde. Lo suyo es un servicio de amor humilde.

Entonces, Nuestro Señor habló a mi corazón directamente:

Hoy [mientras estuviste leyendo] Yo no te hablé directamente, pero sí a través de Mi palabra, iluminando tu corazón para que tú leas, escuchándome. Esta es la forma en que quiero que leas las Escrituras siempre. Lee lo que está escrito, pero inclina el oído de tu corazón a Mi voz, la cual habla a las almas interiormente y da luz y entendimiento a los que la buscan. Yo estoy presente para ti cuando abres las Escrituras y quiero iluminarte e instruirte. Cuando leas Mi palabra, busca Mi Corazón. Cuando leas las Escrituras, busca Mi Rostro. Tú encontrarás Mi Corazón oculto en Mi palabra como el tesoro oculto en el campo y descubrirás Mi Rostro brillando a través del texto e iluminando los ojos de tu alma.

---

[1] Jn 13:10. Las traducciones varían en su representación de *katharos holos*—ejemplo, "totalmente limpio," "completamente limpio," "limpiar todo."
[2] Jn 13:14.

Yo quiero que Mis sacerdotes se acerquen a las Escrituras en esta forma: buscándome y anhelando las gracias de Mi amistad divina, una gracia que puede ser profundizada en cada momento, y que Yo nunca Me cansaré de dar en gran medida.

Jueves 31 de enero de 2008
San Juan Bosco, sacerdote

¿Tú piensas que Yo no soy fiel a ti? ¿Piensas que Me he distanciado de alguna manera porque no has podido pasar tiempo en Mi presencia y acercarte a Mi Corazón abierto? No en absoluto. Yo estoy muy feliz de verte, de acogerte en Mi presencia, para mantenerte cerca de Mi en este Sacramento de Mi amor.

Tú y muchos de tus hermanos sacerdotes no Me conocen como Yo quiero que Me conozcan. Muchos de ellos son extraños a Mi Corazón. Ven acércate a Mí.[1] Permanece en Mi presencia. Busca Mi Rostro Eucarístico. Aprende de Mi amor por ti y empezarás a confiar en Mi amor. No soy duro. No soy un capataz. Soy tu Amigo divino. Soy tu defensor, tu consolador, tu refugio en cada prueba. Los que perseveren en la búsqueda de Mi Rostro Eucarístico, empezarán a leer allí todos los secretos de Mi Corazón, los cuales son profundidades inescrutables de Mi amor por las almas y, en primer lugar, por Mis sacerdotes.

Esta es la raíz de la maldad que devora el sacerdocio desde adentro: una escasez de experiencia en el conocimiento de Mi amistad y Mi amor. Mis sacerdotes no son simples funcionarios; ellos son Mis elegidos, los amigos a quienes Yo elegí para Mí para que vivan en comunión de mente y corazón Conmigo, así es que ellos prolongan Mi presencia en el mundo. Cada sacerdote es llamado a amar Mi Iglesia con toda la tierna pasión de un novio en el día de su boda, pero para hacer esto, él debe pasar tiempo en Mi presencia. Deseo que me experimente como el Esposo de su alma.

Yo quiero que tú llames a los sacerdotes para que experimenten Mi amistad. Muéstrales cómo permanecer ante Mi Rostro Eucarístico dándoles un ejemplo de adoración y reparación. Acércate a Mi Costado abierto en el Sacramento de Mi amor por ellos y verás que, empezarán a seguirte allí. Acércate a Mis sacerdotes, no tanto hablándoles, sino más bien, acercándote a Mí por el bien de ellos.

Yo te lo digo otra vez: Yo quiero que seas Mi sacerdote adorador, el sacerdote adorador de Mi Rostro Eucarístico y de Mi Corazón oculto en el Sacramento de Mi amor. Mi Corazón está herido incluso en Mi glo-

---

[1] Sant 4:8; Sir 51:23; Tob 13:6; Zac 1:3.

ria.[1] Es Mi Corazón herido el que encuentras cuando te acercas a Mí en la Santísima Eucaristía. Y desde Mi Corazón herido allí fluye un incesante torrente de amor misericordioso para purificar almas, para fortalecerlas, sanarlas, santificarlas y glorificarlas. El misterio de Mi Sagrado Corazón oculto en el Sacramento de Mi amor es aún tan poco conocido. Yo quiero que todos Mis sacerdotes conozcan que en el Santísimo Sacramento del Altar palpita por ellos un Corazón vivo, un Corazón ardiente con el más tierno amor.

No hay necesidad para Mis sacerdotes de ir a través de la vida, aislados, solitarios y sin amigos. Yo quiero ser la fiel compañía de sus días y de sus noches. Quiero ser su consuelo en las noches. Quiero ser su consuelo y su descanso. Quiero ser su Amigo, siempre listo a escucharlos, a darles la bienvenida, a sanarlos y a renovar su esperanza. ¡Oh, si solamente ellos Me buscaran en los tabernáculos donde los espero, en los tabernáculos donde nadie se une a Mí en Mi incesante oración al Padre!

Nunca pierdas una oportunidad de saludarme, adorarme, permanecer Conmigo, aunque sea solo por un momento, en el Sacramento de Mi amor. En la eternidad tú veras el inestimable valor de cada momento que has pasado en Mi presencia Eucarística.

Yo renuevo para ti el regalo de la protección y la intercesión de san Pedro Julián. Yo renuevo para ti el compañerismo y la intercesión del abad Marmion, del padre Vandeur y de todos los santos que, en diferentes momentos de tu viaje, he enviado a tu vida a ministrarte.

Sobre todo, Yo renuevo para ti las palabras que pronuncié a San Juan en la Cruz: "He aquí a tu Madre."[2] Vive en presencia de ella. Hónrala en toda ocasión y en todas las formas posibles. Cada vez que le muestres amor y devoción a Mi Santísima Madre, tu honrarás Mis palabras que pronuncié desde la Cruz y las pones en práctica: "He aquí a tu Madre." Ella no desea ninguna cosa más que cuidarte, como si fueras su único hijo. Su atención por ti no está dividida ni se ve perjudicada por la atención que ella da a la vasta multitud de sus hijos a través de las edades. Confía en sus cuidados por ti. Reza su Rosario. Hónrala como tú lo has estado haciendo.

La presencia de Mi Madre en la vida de un sacerdote es la gracia suprema, porque ella es, para la voluntad de Mi Padre y para la operación del Espíritu Santo, la Mediadora de Todas las Gracias. ¡Cómo Me complace cuando tú tienes que recurrir a ella por su título! Cuando tú glorificas a Mi Madre, Me glorificas. Y cuanto tú Me glorificas, glorificas a Mi Padre y al Espíritu Santo, el Abogado enviado en Mi nombre para

---

[1] Jn 20:25–28; Apoc 1:7, 5:6; 1 Cor 2:2; Gál 2:20, 3:1; Heb 10:19–20.
[2] Jn 19:27.

completar Mi trabajo y traer la perfección al reino que Yo establecí por Mi muerte y resurrección.

María, Mi Madre, es la Reina en el reino por el cual morí, resucité y ascendí a Mi Padre. Ella está Conmigo en gloria. Participa en Mi señorío soberano sobre todo el espacio, todos los tiempos y todas las criaturas visibles e invisibles. Ninguna cosa es demasiado difícil para Mi Madre, ninguna está más allá de sus posibilidades, todo lo que tengo, Yo se lo he dado a ella. Cuando ella ordena, es en el poder de Mi nombre y cuando realiza maravillas de gracia en las almas, su acción redunda en Mi gloria y en la gloria del Padre y del Espíritu Santo.

Ama a Mi Madre como tu madre y sométete a ella como tu Reina. Tienes que recurrir a ella en cada necesidad de cuerpo o alma. Ninguna cosa es demasiado pequeña para ella. Ninguna cosa es demasiado grande para ella. Sus ojos están sobre ti y en su Corazón está, en cada momento, dispuesta a ayudarte. Ella es tu Madre del Perpetuo Socorro.

Yo te agradezco por volver a Mi presencia hoy. Estos jueves de adoración y reparación que te he pedido para ofrecerme son los medios de tu propio crecimiento en santidad y es el medio de sanidad y de reconciliación para muchos sacerdotes. Permanece fiel a lo que te he pedido. Te bendigo y Mi Inmaculada Madre sonríe sobre ti, bendiciéndote en Mi nombre. Permanece confiado y agradecido. Nosotros no te abandonaremos. Bendecimos a los que tú nos presentas. Nuestros favores descansan sobre ellos. Ahora nos vamos, esté en paz. Yo te marco con el sello, el beso de Mi amistad divina.

Viernes 1 de febrero de 2008

No se equivoquen acerca de esto: la renovación de Mi sacerdocio en la Iglesia procederá de un gran retorno a la adoración de Mi real presencia en este Sacramento de Mi amor. Yo purificaré, sanaré y renovaré a los sacerdotes que me busquen en el Sacramento de Mi amor. Les mostraré Mi Rostro. Les hablaré a sus corazones y les haré conocer los secretos de amor que sostengo dentro de Mi Corazón y que he reservado para ellos en estos últimos días.

Esto es por lo que Yo te pido que seas Mi sacerdote adorador. Tú serás uno entre muchos, porque estoy reuniendo a Mis sacerdotes en Mi Corazón. Los que pertenecen a Mí conocen mi voz y vendrán a Mí y permanecerán en Mi presencia.[1]

Este es el remedio para la maldad que tiene tan desfigurado Mi santo sacerdocio en la Iglesia. Estoy llamando a Mis sacerdotes a mi presencia

---

[1] Jn 10:27.

Eucarística donde ellos pueden experimentar los dones de la amistad divina que he deseado darles desde el inicio. Levantaré un movimiento de sacerdotes que buscarán Mi Rostro Eucarístico y permanecerán cerca de Mi Corazón Eucarístico, no solo para sí mismos, sino para el bien de los sacerdotes que nunca Me adoran, que nunca persisten en Mi presencia o que huyen ante Mi Rostro. Mi Corazón está ardiendo con deseos por la santidad de Mis amigos, Mis sacerdotes. Yo santificaré a los que vengan a Mí y por su bien alcanzaré a los otros y los atraeré tierna y poderosamente a Mi Corazón. Este es un signo de Mi regreso en gloria: cuando los sacerdotes tendrán que volver a Mí al Sacramento de Mi amor, adorándome, buscando Mi Rostro, permaneciendo cerca de Mi Corazón abierto, entonces el mundo comenzará a estar listo para dar la bienvenida a Mi retorno en gloria.

En todo esto, ten una ilimitada confianza en Mi Inmaculada Madre. Sus manos están abiertas sobre la Iglesia para dispensar gracias en abundancia, primero que todo a Mis sacerdotes y entonces, a través de Mis sacerdotes a las almas en todo lugar. Llama a Mi Madre como Mediadora de Todas las Gracias, tú y todos Mis sacerdotes son llamados a compartir su mediación, a medida que participen sacramentalmente en la Mía. Mi Madre está reuniendo una compañía de sacerdotes para ser los otros San Juan. Estos vivirán en su presencia y recibirán de su Doloroso e Inmaculado Corazón una abundancia de conocimientos y de gracias para los días que están por venir.

En cuanto a ti, querido hermano, amado amigo y sacerdote de Mi Corazón, únete firmemente a Mi Madre por medio de su Rosario y ella nunca te abandonará. Llama a ella en todas tus necesidades, grandes o pequeñas, de alma o de cuerpo y entenderás que ella es en verdad tu Madre del Perpetuo Socorro.

Ámame y vuelve frecuentemente a Mí en el Sacramento de Mi amor. Recibe el beso de Mi amistad. Yo te bendigo con todo el amor de Mi Corazón traspasado.

Martes 5 de febrero de 2008
En el Santuario de Nuestra Señora de Knock, Irlanda

Nuestra Señora habló así:

Yo deseo, Mi querido hijo, que Knock llegue a ser un lugar de peregrinaje para sacerdotes.[1] Haré de Knock un lugar de sanación para mis

---

[1] Esta aparición Mariana empezó el 21 de agosto, de 1879, cuando quince personas (hombres, mujeres, y niños, con un rango de edades entre 5 a 74 años de edad) desde la villa de Knock y las áreas alrededor en el Condado de Mayo, Irlanda, vieron a Nuestra

hijos sacerdotes. Los restauraré a la pureza y a la santidad de la vida. Yo los atraeré a mi compañía. Les daré a compartir una parte de la intimidad sagrada conmigo que fue la parte asignada a San José, mi más casto esposo, y a San Juan, mi hijo adoptivo. Ahí en Knock quiero revelarme a los sacerdotes como la Virgen Esposa y Madre. Esto es un secreto que he sostenido en mi Corazón para este tiempo de prueba en la Iglesia. A cada Sacerdote que desee eso y me lo pida, le daré la gracia de vivir en mi presencia como una Virgen Esposa, esta fue la vocación dada a San José y de vivir en mi presencia como Madre fue la vocación dada a San Juan cuando, desde la Cruz, mi Hijo me confió a él y él a mí.

Yo quiero que los sacerdotes empiecen a venir a Knock, Quiero que ellos vengan con sus obispos. El deseo de mi Inmaculado y Misericordioso Corazón es que Knock llegue a ser una fuente de purificación, santidad y renovación para los sacerdotes, empezando con los de Irlanda. Yo he esperado hasta ahora para revelar este proyecto de mi Corazón. El tiempo es corto. Que los sacerdotes vengan a mí aquí en Knock. Yo espero por ellos como Virgen Esposa y como Madre. Que vengan a lavarse en la Sangre del Cordero, mi Hijo y a estar unidos a Él, Sacerdote y Víctima en el Misterio de Su Sacrificio.[1] Knock es para todo mi pueblo, pero fue desde el inicio, destinado a ser un lugar de sanación y de abundantes gracias para los sacerdotes. Quiero que esto sea conocido por los obispos y sacerdotes de mi Iglesia. Yo deseo ser la Virgen Esposa y Madre de todos los sacerdotes. En la sagrada intimidad conmigo encontrarán la santidad que mi Hijo desea darle a cada uno de ellos: una radiante santidad, una santidad que ilumine la Iglesia en estos últimos días con el brillo del Cordero.[2]

Que ellos vengan aquí y permanezcan en adoración ante mi Hijo, el Cordero que fue asesinado. Que se laven en Su preciosa Sangre para buscar la absolución de todos sus pecados. Que se confíen y consagren ellos mismos a mí como Virgen Esposa y Madre. Dios Todopoderoso hará grandes cosas en ellos y a través de ellos. Así que deseo que Knock se convierta para todos los sacerdotes en una fuente de agua viva, un lugar de sanación, consuelo y renovación.[3] Mis manos están siempre elevadas

---

Señora, San José, San Juan el Evangelista, un Cordero y una cruz en un altar en la pared del frente de la iglesia parroquial. Los testigos observaron la aparición bajo una lluvia torrencial durante dos horas, rezando el Rosario. Se indagaron los testimonios de los testigos y la aparición fue declarada digna de ser aceptada. Entre las apariciones marianas aprobadas, Knock es muy inusual por el conjunto de figuras y de signos.

[1] Apoc 7:14, 22:14.

[2] Apoc 21:23; Jn 8:12 y 9:5; 2 Cor 4:2; Is 62:1.

[3] Núm 20:6; Is 58:11; Jer 2:13; Jn 4:14; Apoc 21:6.

en súplica por mis hijos sacerdotes y mi Corazón está listo a recibirlos aquí.

Que vengan a mí y yo misma me les manifestaré a cada uno como la Mediadora de Todas las Gracias y como la ayuda que Dios les dio en su ministerio sacerdotal,[1] soy la nueva Eva dada al nuevo Adán—y dada por Él desde la Cruz a todos Sus sacerdotes, a los llamados por mi Hijo para continuar Su misión de salvación en el mundo. Yo, la Señora de Knock, soy la Virgen Esposa y Madre de todos los sacerdotes. Que ellos vengan a Mí, para que en la compañía de San José y San Juan, prueben mi dulzura.

Es por esta razón que te traje aquí. Quiero que tú seas el primero en consagrarte a Mí, como Virgen Esposa y Madre. Quiero que tomes la vida de San José y San Juan como modelo de tu propia vida. Vive en mi sagrada intimidad. Comparte todas las cosas conmigo.[2] No hay necesidad de que los sacerdotes estén solos, ni tú debes estar solo. Mi Corazón está abierto para todos mis hijos sacerdotes y a los que piden por mi compañía, yo no les negaré la gracia de una especial intimidad conmigo, una participación en la única gracia dada a San José y a San Juan en el principio. Esta es la gracia que yo di al archidiácono Cavanagh en este mismo lugar.[3] Desde su lugar conmigo en el Cielo, el intercede por los sacerdotes de Irlanda y por todos los sacerdotes. Y ahora nosotros te bendecimos, en el Nombre del Padre, del Hijo y del Espíritu Santo. Amén.

Miércoles 6 de febrero de 2008
En el Santuario de Nuestra Señora de Knock, Irlanda

Nuestra Señora:

Tú estás aquí, hijo mío, por mi obra. Soy yo quien te traje aquí, a la presencia de mi Hijo, el divino Cordero que quita los pecados del mundo,[4] con Él tú puedes ser sanado y restaurado interiormente. Mi Corazón maternal anhela llevar a todos mis hijos sacerdotes a la presen-

---

[1] Gén 2:18; Tob 8:8; Sir 15:1–6, 17:5, 36:26–27.

[2] Mat 1:20; Jn 19:27; Hech 1:14, 2:44, 4:32; 2 Cor 7:3.

[3] Bartholomew Cavanagh (1821–1897), uno de trece hijos, fue ordenado en 1846 en la Arquidiócesis de Tuam y fue nombrado padre párroco de Knock-Aghamore en 1867. Él fue padre párroco allí en el tiempo de la aparición y permaneció en este puesto hasta su muerte. Famoso por su devoción a Nuestra Señora, trabajó incansablemente para servir al número cada vez más grande de peregrinos, particularmente en el ministerio de escuchar sus confesiones.

[4] Jn 1:29; 1 Pe 1:18–19; Lev 14:13.

cia de mi Jesús, el Cordero por Cuya Sangre el mundo es salvado y purificado del pecado.[1] Mis hijos sacerdotes deben ser los primeros en experimentar el poder sanador de la Sangre del Cordero de Dios. Les pido a todos mis hijos sacerdotes que den testimonio de la preciosa Sangre de Jesús. Ellos son los ministros de Su Sangre. Su Sangre está en sus manos para purificar y restaurar a los vivos y a los muertos.[2]

Deseo que todos los sacerdotes tomen conciencia del infinito valor y el poder de una sola gota de la Sangre de mi Hijo.[3] Tú, a quien Él ha llamado a ser Su sacerdote adorador y reparador, adora Su preciosa Sangre en el Sacramento de Su amor. Su Sangre mezclada con Agua fluye incesantemente de Su Corazón Eucarístico, Su Corazón traspasado por la lanza del soldado para purificar y vivificar la Iglesia entera,[4] pero, en primer lugar, para purificar y vivificar a todos Sus sacerdotes. Cuando tu vienes a Su presencia Eucarística, sé consciente de Su preciosa Sangre que fluye desde Su Corazón abierto. Adora Su Sangre y aplícala en tus heridas y en las heridas de las almas.

La Sangre de mi Hijo trae purificación, sanación y nueva vida a donde sea que fluya. Implora el poder de la preciosa Sangre sobre ti y sobre los sacerdotes. Siempre que te pidan interceder por las almas, invoca el poder de la preciosa Sangre sobre ellos y preséntalos al Padre cubiertos con la Sangre del Cordero.

Yo estoy aquí en Knock por ti y por todos los sacerdotes. Knock es testigo del don y misterio del sacerdocio. Vengo a Knock para revelarme a mí misma en una forma especial como la Madre de los sacerdotes. Quiero que mis sacerdotes vengan aquí. Aquí los sanaré. Aquí los restauraré a la pureza y a la santidad de la vida.

Da testimonio de lo que yo he hecho por ti en Knock. Yo mediaré

---

[1] Inter alia, Rom 5:9; Heb 9:13–14; 1 Jn 1:7; Apoc 1:5, 7:14, 22:14.

[2] Nuestra Señora habla aquí de una manera que recuerda como Jesús habló a Santa Catalina de Siena, ejemplo: "Esta es la divina caridad provista en el Sacramento de la Santa Confesión, un alma al confesarse con Mis ministros, cuando pueda, recibe el Bautismo de Sangre, con contrición de corazón, ellos son los que sostienen las llaves de la Sangre, rociándola, en absolución, sobre el rostro de un alma" (*El Diálogo, Un Tratado de Oración*, cap. 5) y otra vez le menciona, "Esa grandeza es dada en general a todas las criaturas racionales, pero entre estas Yo especialmente he escogido a Mis ministros por el bien de su salvación, así que, a través de ellos, la Sangre del Cordero inmaculado y humilde, Mi único Hijo, pueda ser administrada a ustedes" (*El Diálogo*, Un Tratado de Oración, cap. 24).

[3] Véase Santo Tomás de Aquino *Adoro te devote*: "Pie pelicane, Jesu Domine, me immundum munda tuo sanguine: Cujus una stilla salvum facere totum mundum quit ab omni scelere" (Señor Jesús, misericordioso pelícano, lávame y límpiame con Tú Sangre, una gota de la cual puede liberar al mundo entero de todos sus pecados).

[4] Jn 19:34; 1 Jn 5:6.

para que retornes aquí. Por ti, mi querido hijo, esto es y será un lugar de sanación y esperanza. Aquí tu estarás rodeado por San José, mi amado y más casto esposo, por San Juan, mi hijo adoptado tan querido por mi Inmaculado y Doloroso Corazón, y por el archidiácono Cavanagh, un sacerdote devoto a mí, que intercede en el Cielo por todos los que vienen a Knock.

Aprende a confiar en mí, yo te hablo simplemente y con amor de Madre. Tú no eres engañado. Te quiero dar a conocer todo lo que mi Corazón tiene para ti y para mis hijos sacerdotes. Yo estoy cerca de traer muchos sacerdotes hacia una relación de intimidad sagrada conmigo como la que fue disfrutada por San José y San Juan. Empieza ahora a vivir en esta gracia. Recurre a mí en cada necesidad, grande o pequeña. Confía en mí para arreglar las cosas a tu favor y para la Gloria de mi Hijo divino.[1] Comparte tu vida conmigo. Confía a mí tus preocupaciones y tus miedos. Cuando tu estés en necesidad de cualquier cosa, sea en lo espiritual o temporal, ven a mí. Yo soy tu Madre del Perpetuo Socorro. Yo soy la Mediadora de Todas las Gracias. Todas las cosas buenas son mías para otorgarlas a quien yo quiera. Este es el regalo de mi Hijo para mí y es la voluntad del Padre.

Habiendo permanecido de pie con mi Hijo mientras colgaba en la Cruz, ahora permanezco con mi Hijo en la Gloria. Mía es la dispensación para todas las almas de los frutos de Su redención. Para mí, Su Corazón está siempre abierto y yo saco de la herida en Su Costado una infinidad de gracias y misericordias para las almas. El Corazón de mi Hijo es un tesoro inagotable y yo soy Su guardiana. Los que desean alguna cosa del Corazón de mi Hijo pueden venir a mí y lo obtendrán para ellos y se la daré con mis propias manos.

Conságrate a mí como yo lo pedí. Haz eso mañana, el jueves, el día de tu adoración y reparación por los sacerdotes. Yo te agradezco por escucharme esta noche y por tomar muy en serio mis palabras en tu corazón. Yo te bendigo junto con mi adorable Hijo en el Sacramento de Su amor.

Viernes 8 de febrero de 2008
En D., Irlanda

Soy Yo quien te trae aquí a este lugar hecho santo por la adoración y fe de tantas almas. Soy quien te quiere en Mi presencia para contemplar Mi Rostro Eucarístico y permanecer cerca de Mi Corazón Eucarístico. Te amo, atesoro tu respuesta a Mi don de amistad divina. Tú no necesitas temer que Me retire de ti o caiga en silencio. Yo soy quien inició

---

[1] Jn 2:1–11.

nuestras conversaciones y las quiero continuar para que tú puedas crecer en Mi amistad y llegar a ser para Mí, cada vez más como Mi amado amigo, San Juan.

En este lugar Mi Corazón Eucarístico no es abandonado ni es olvidado. Aquí estoy rodeado por amor agradecido. Aquí encuentro los adoradores que busco. Yo estoy cómodo en su presencia cerca de Mi altar y Me alegro de ver a cada uno llegar con su carga de cuidados, con agradecimientos, con dolor por los pecados o con un deseo de ofrecerme el amor que tantos Me niegan y de aceptar Mi amor que tantos rechazan, en este mundo que crece frío.

Diles a las Hermanas acerca de Mi amor por ellas. Ellas no Me abandonan en el Sacramento de Mi amor y Yo no las olvido ni las decepcionaré en su esperanza. Este es un lugar bendecido por Mi presencia en una forma muy especial. Es un faro en la oscuridad de la noche de la falta de fe donde muchos son tentados a olvidarme o a dudar de Mi amor e incluso, de Mi existencia. Aquí respondo a las oraciones y continuaré haciéndolo, esta casa se encuentra sobre un gran amor y esta enraizada en una profunda fe. Es Mi deseo que la esperanza florezca dentro de estos muros sagrados. Mi Corazón Eucarístico tiene un especial amor por esta casa y por las almas que moran dentro de ella, amándome, sirviéndome, viviendo para ser muchas llamas vivas de adoración ante Mi Rostro Eucarístico. Consuélalas con Mis palabras.

Yo deseo reavivar aquí un inmenso fuego de caridad Eucarística. Todos los que sufren del frío del mundo serán atraídos por la calidez de esta casa como a un hogar cálido. Yo deseo ser amado y adorado aquí y coloco Mi propio deseo en los corazones de Mis esposas, Mis pequeñas servidoras, para que ellas puedan participar en la realización de Mis designios. No quiero que pierdan la esperanza. Renovaré su juventud en la fuente de Mi Sacrificio y a la luz de Mi presencia permanente. Quiero que las alientes y consueles en Mi nombre. Yo las bendigo continuamente desde Mi lugar sobre el altar en medio de ellas. Donde Mi bendición prevalece y todas las cosas son posibles. Que continúen en fidelidad a la gracia de adoración dada a ellas y Yo haré el resto. Mi Corazón es conmovido a la piedad por este pequeño rebaño y Mi amor se agita para ayudarles de acuerdo con el deseo que he colocado profundo dentro de ellas.

En cuanto a ti, adórame aquí tanto como tú puedas esta semana. Yo te he traído aquí a tu escuela de adoración, llénate con aquellas gracias que Yo he tenido reservadas por tanto tiempo en Mi Corazón para ti y para ningún otro. Búscame. Quédate ante Mi Rostro. Mantente cerca de Mi Corazón herido en el Sacramento de Mi amor y haré por ti lo que nadie más puede hacer por ti. Confía en Mí.

Te bendigo con Mi más tierno amor, bendigo a cada una de las hermanas aquí. Mi Corazón está abierto a ellas y Me deleito en su presencia ante el Sacramento de Mi amor.

Esté en paz. Continúa el retiro como lo comenzaste hablando desde tu corazón. Confía en Mí para inspirarte, te ayudaré, te daré las palabras que consolarán y sostendrán estas almas tan queridas para Mí.

Sábado 9 de febrero de 2008

Aprende a escucharme y háblame de corazón a Corazón, como un hombre conversa con su amigo. Anhelo sostener una conversación contigo. Yo quiero hablarte, instruirte, guiarte, consolarte, tanto como instruí, guié y consolé a San Juan y a Mis otros discípulos.

El deseo de Mi Corazón es que todos los sacerdotes entren en el regalo de Mi amistad divina. Deseo que Mis sacerdotes, Mis elegidos vuelvan a Mí en sus dudas, sus miedos, sus perplejidades y sus debilidades. Deseo que ellos aprendan a compartir todas las cosas Conmigo. No es suficiente buscarme en ciertos momentos, ni es suficiente compartir Conmigo una parte de sus vidas o pedazos de su existencia. Vivir en Mi amistad es compartir todas las cosas Conmigo, no mantener secretos, no reservar cosas solo para sí mismo. No es bueno para un hombre estar solo.[1] Por esta razón, Me he dado a Mí mismo siempre presente y disponible en el Sacramento de Mi amor. El alma que gaste tiempo en Mi presencia, cerca de Mi Corazón abierto, aprenderá todo lo que Mi Corazón contiene y vendrá a compartir todos Mis sentimientos y deseos.

Permanece en Mi presencia siempre que puedas y por tanto tiempo como tú puedas. Estar Conmigo es el gran medio para la sanación y para la santidad. Es suficiente que permanezcas Conmigo si tú *eres* como Yo. Ven a Mí, lleno de expectativas y esperanzas y Yo haré todo el resto. Adorarme es buscar Mi Rostro y acercarse a Mi Corazón, lleno de asombro y de santo temor y, sobre todo, lleno de amor. La adoración es la confesión sin palabras de Mi divinidad. La adoración proclama que Yo soy todo y que todo lo demás es nada.[2]

Cuando San Francisco repitió durante las horas de la noche: "¡Mi Dios y Mi todo!", Él estuvo ofreciéndome la adoración en espíritu y en verdad que Mi Padre desea.[3] Su oración ascendió a través de Mí incluso

---

[1] Gén 2:18.

[2] Inter alia, 1 Cor 15:28; Efes 3:14–19, 4:6; Sal 94(95); Sal 38:6 (39:5); Is 40:17; Dan 4:32 (4:35).

[3] Jn 4:23–24.

hasta la presencia de Mi Padre. Así es como cada adoración es dirigida a Mí. Todos los que alcanzarán a Mi Padre deben pasar a través de Mí.[1] Por esta razón Mi Costado fue abierto por la lanza del soldado. Esa es la vía a Mi Padre. Si le hablas a Mi Padre, Me hablas a Mí. Si tú deseas ver a Mi Padre, fija tu mirada sobre Mi Rostro Eucarístico.[2] Si sirves a Mi Padre, Me sirves a Mí, especialmente si le sirves en los miembros más débiles y pobres de Mi Cuerpo místico. Cualquier cosa que hagas para ellos, tú lo harás para Mí[3] y lo que es hecho para Mí llega a ser una ofrenda que complace a los ojos de Mi Padre.

Es suficiente con empezar buscándome en el Sacramento de Mi amor tan frecuentemente como sea posible. Así es como siempre los verdaderos amigos inician—buscando la presencia y la compañía del ser querido. Entonces, permíteme amarte a cambio, para hablar a tu corazón, y poder tocarte por medio de las operaciones de Mi Espíritu Santo en tu alma.

La vía para la santidad es el camino de Mi amistad. Hay muchos que complican la vía para la santidad y que hacen que eso parezca prohibido e inalcanzable para otros. Es suficiente aceptar Mi don de amistad. Es esto lo que Me deja libre para actuar sobre ti, contigo y a través de ti. Permíteme amarte como un amigo. Eso es suficiente.

Yo te bendigo y bendigo a las hermanas a quienes tú estás predicando. Mi Rostro Eucarístico brilla sobre ellas. Ellas son el pequeño rebaño tan querido de Mi Corazón Eucarístico.

Domingo 10 de febrero de 2008

Siempre que se te haya confiado una necesidad o intención especial, apela a Mi Corazón Eucarístico. Me conmuevo con tanta frecuencia a la piedad como apeles a Mi Corazón Eucarístico, porque es un órgano vivo de Mi amor misericordioso y los medios por los cuales obtendrás de Mí todo lo que pidas. Mi Corazón late con amor en el Sacramento del altar y está herido, siempre abierto para recibir tus peticiones, tus favores, tus deseos. Apela entonces a Mi Corazón herido por amor y presente en este Santísimo Sacramento. Sé resuelto y confiado en lo que tú Me pidas. Mi Corazón está abierto a recibir todas tus peticiones y bendeciré abundantemente a todos por los que oras en Mi presencia Eucarística.

Hay gracias particulares reservadas para las almas que se mantengan en vigilia delante de Mi Rostro Eucarístico durante la noche. Los que

---

[1] Jn 14:6.
[2] Jn 12:45, 14:9.
[3] Mat 10:42, 25:40.

oran por la noche, imitan Mi propia vigilia en la noche de oración a Mi Padre.[1] Muchas veces quería estar en vigilia en presencia de Mi Padre, conversando con Él en el silencio de la noche, retomando en Mi oración las preocupaciones secretas de Mi Padre y tomando en Mi oración, los cuidados secretos de un mundo dormido e incluso los gemidos de la creación. Tú descubrirás que en la oración nocturna hay una claridad y una paz que Yo no doy a las almas en otros tiempos. Los que han descubierto esto vuelven a Mí por la noche y buscan permanecer cerca de Mi Corazón Eucarístico. La luz de Mi Rostro Eucarístico los ilumina en la noche, a pesar de ser oscura, brilla para ellos interiormente.[2]

Aprende a adorarme por la noche. Yo especialmente deseo que los sacerdotes vengan a Mí en la noche. Ellos no perderán nada de su reposo, porque Yo seré su descanso y los refrescaré.

El día vendrá y no está lejos, cuando tú tendrás una oportunidad para hablar a Mis elegidos, Mis amigos, sobre el valor de quedarse cerca de Mí durante las horas de la noche. Yo oré a Mi Padre de esta forma y haciendo eso, di a Mis sacerdotes y a todos Mis amigos un ejemplo a seguir. Aprovecha al máximo la oportunidad que se te ha dado. Yo te bendeciré y Mi Corazón te instruirá mientras tú te mantengas en vigilia delante de Mi Rostro.

Jueves 14 de febrero de 2008

No te abandonaré o desampararé. Yo soy fiel. Te he elegido y tú eres Mío.[3] ¿Por qué dudas de Mi amor por ti? ¿No te he dado signos de Mi favor? ¿No te he mostrado que Mi misericordia ha preparado para ti un futuro lleno de esperanza? ¿No te prometí años de felicidad, de santidad y de paz? Mi bendición está sobre ti y los designios de Mi Corazón están a punto de desarrollarse. Tú tienes solamente que confiar en Mí. Cree que te cuidaré como la niña de Mis ojos.[4] Estás seguro bajo el manto de Mi Madre. Anhelo tu cercanía a Mi Corazón herido. Confía en que te llevo a todo lo que Yo te he prometido.

Estos días en D. son parte de Mi plan para ti. Son parte de Mi preparación para ti. Estoy preparándote para el trabajo que Yo te he pedido y estoy preparando el camino para que Mis planes sean llevados a cabo. Tú tienes solamente que confiar en Mí. Obedece las indicaciones

---

[1] Mat 14:23; Mar 4:46–47; Luc 6:12, 21:37.
[2] Sal 138(139):12.
[3] Is 41:8–9, 43:1–10, 44:1–2; Jn 15:16.
[4] Deut 32:10; Sal 16:8 (17:7); Zac 2:8.

que te daré. Prueba los pensamientos que puedan llegar a ti,[1] somete ellos al padre N. Él te dirá si estas cosas vienen o no de Mi inspiración. Sé abierto y transparente.

Sobre todo, permanece cerca de Mí. Búscame en el Sacramento de Mi amor. Ven a Mí y quédate en Mi presencia. Sé Mi sacerdote adorador, Mi reparador. Sé Mi amigo, el amigo de Mi Corazón Eucarístico, como lo fue San Juan. Él te ayudará a seguirlo en el camino de un amor fuerte y tierno por Mí y por Mi Inmaculada Madre. Yo te lo he dado, entre tantos, muchos otros santos, como un amigo, un protector y un guía. Pide por su intercesión. Y estoy complacido de que tú a menudo te refieras a él en tus predicaciones y en tus escritos. Es el Apóstol de estos días. Y tiene las llaves de los secretos de Mi Sagrado Corazón y estos secretos los comparte con los que Yo le he confiado.

Los discípulos de Mi amado discípulo serán conocidos por su amor ardiente por Mí en el Sacramento del Altar, por su ternura y verdadera devoción a Mi Inmaculada Madre, por la caridad que los anima en el ministerio de las almas, y por su disposición para quedarse cerca de Mí en Mi amarga Pasión.

Tú estás entre estos discípulos de Mi amado discípulo. Sé fiel a esta gracia obtenida para ti por Mi propia Madre. Fue ella quien intervino para salvarte del mal que amenazaba en destruirte a ti y a tu sacerdocio. Fue ella quien pidió que seas incluido como uno de sus más queridos hijos: los discípulos de Juan, su primer hijo sacerdote después de Mí.

Da gracias a Mi Madre por todo lo que ella ha obtenido para ti por permanecer fiel a la oración humilde que ella tanto ama, su Rosario. El Rosario te preservará en pureza, en humildad y en todas las virtudes que complacen al Inmaculado Corazón de Mi Madre y a Mi propio Corazón.

Te pido ser agradecido y lleno de confianza. Te he dado todas las razones para que esperes que cumpliré todo lo que Yo te he prometido y haré realidad lo que te he hecho desear. Ahora descansa en Mi presencia y esté en paz. Yo te bendigo desde Mi trono sobre el altar. Yo te traigo a Mi Corazón abierto.

Jueves 21 de febrero de 2008
En Connecticut

Estuve esperando para que vinieras y no Me fallaste. Vienes a buscar Mi Rostro Eucarístico y te acercas a Mi Corazón Eucarístico, justo como te he pedido que lo hagas con frecuencia. Tendrás recompensa de tu obediencia a los deseos de Mi Corazón. Estoy cerca de abrirte las delicias de

[1] 1 Tes 5:19–22.

una amistad íntima Conmigo. Confíame todas las cosas y te haré compartir la experiencia de Mi amado discípulo Juan. Él es tu modelo en su amistad Conmigo y en su relación con Mi Bendita Madre. Juan te guiará dentro de los misterios de Mi Corazón Eucarístico. Él te enseñará cómo vivir con Mi Madre, cómo compartir con ella cada momento de tus días, tus alegrías, tus dolores, tus decepciones y tus miedos.

El corazón doloroso e inmaculado de Mi madre es para ser tu refugio y tu lugar de consuelo. Ve a Mi Madre en todas tus necesidades. Ella es tu Madre del Perpetuo Socorro, es tu ayuda infalible. Mi Madre está al servicio de todos Mis sacerdotes. Es tu Madre, pero es también la sierva humilde del Señor. En cada sacerdote Mío Me reconoce y se coloca enteramente a sí misma a Mi servicio en Mis sacerdotes. Por todo eso, permanece como la Reina Inmaculada del Cielo y de la Tierra. Todas las riquezas de Mi Sagrado Corazón son de ella para que las regale como lo considere apropiado. Ella administra el tesoro de Mi reino y todo lo que es Mío es suyo para otorgarlo libre y generosamente acorde a los deseos de su maternal y misericordioso Corazón.

Sí todos Mis sacerdotes conocieran esto—no solamente con sus mentes, pero sí en su diaria experiencia—serían transformados. Mi Madre Purísima es la fiel e indispensable colaboradora del sacerdote que Me representa y continúa haciendo Mi trabajo en la Iglesia. Mi Madre está atenta al ministerio de los sacerdotes y a sus necesidades espirituales, como estuvo atenta a Mi ministerio y a todas Mis necesidades durante Mi vida en la Tierra.[1]

Los sacerdotes que no colaboran con Mi Madre Inmaculada serán sofocados en el ejercicio de su sacerdocio. Yo escogí tener a Mi Madre a Mi lado en la hora de Mi Supremo Sacrificio. Yo le di a ella a Mi amado discípulo Juan, así es como todos Mis sacerdotes comprenderían que el lugar de Mi Madre está al lado de cada sacerdote Mío, especialmente cuando él está de pie en el altar para ofrecer Mi Sacrificio al Padre y para hablar y actuar en Mi nombre.

Nunca falles en reconocer la presencia mística de Mi Madre en la Misa. Está allí a tu lado. Se regocija en tu distribución de los frutos de Mi redención y participa en eso. Las manos de cada sacerdote son, en alguna forma, sostenidas en las manos de Mi Madre. Actúa con el sacerdote. Su participación en el Santo Sacrificio renovado sobre el altar es silenciosa, pero eficaz. Su presencia en el altar, aunque invisible, es real. Mi Iglesia ha reconocido durante mucho tiempo la presencia de Mi Madre en cada ofrecimiento de Mi Santo Sacrificio, pero es ahora más

---

[1] Para indicaciones, ver Mat 12:46–50; Mar 3:31–35; Luc 2:7, 2:41–52, 8:19–21; Jn 2:1–12, 19:25–27; Hech 1:14.

necesario que nunca que los sacerdotes profundicen en sus conciencias acerca de este regalo tan precioso. Ella es Corredentora.[1] Así como Mi Sacrificio es renovado místicamente en cada Misa su ofrecimiento, su participación, en Mi ofrecimiento es también renovado. El sacerdote que conoce eso y permite que penetre en su corazón será agraciado con un fervor santo en cada Misa que él celebre.

Yo lamentó el descuido con el cual algunos sacerdotes se acercan a Mis Santos Misterios. El remedio por esta escasez de reverencia, atención y devoción es recurrir filialmente a Mi Madre. Lo de ella es preparar el corazón del sacerdote para ofrecer el Santo Sacrificio dignamente. Mi Madre está llena de atenciones para todos sus hijos sacerdotes. Ella quiere verlos ir al altar vestidos de humildad, pureza, inocencia de corazón y una adoración profunda. Ella acompaña a cada sacerdote en las acciones sagradas de su ministerio. Y sostiene a cada uno por medio de su intercesión toda poderosa.

Mi Madre es la guardiana de todos los sacerdotes y es Mi deseo que ella sea reconocida como tal. El sacerdote que conoce esto tendrá un refugio en la tentación, estará seguro bajo la protección de su manto. Si falla en debilidad o negligencia, ella estará ahí para levantarlo y dirigir sus pasos dentro del camino de penitencia y santidad.

Vive estas cosas y entenderás por qué Yo insisto en ellas. Ahora esté en paz. Te bendigo y Mi Madre Inmaculada te bendice y a todos por los que tú deseas orar.

En la misma semana, una noche justo antes de ir a la cama:

---

[1] La dignidad de Nuestra Señora como Corredentora es bien explicada en la Constitución Dogmática sobre la Iglesia *Lumen Gentium* del Concilio Vaticano Segundo (21 de noviembre de 1964): "Abrazando la voluntad salvífica de Dios con un Corazón lleno y no obstaculizado por el pecado, se dedicó ella misma totalmente como una sierva del Señor a la persona y trabajo de su Hijo, bajo Él y con Él, por la gracia de Dios todopoderoso, sirviendo al misterio de la redención. Con razón los Santos Padres la ven como usada por Dios no solamente en una forma pasiva, también cooperando libremente en el trabajo de la salvación humana a través de la fe y de la obediencia. . . . La Santísima Virgen avanzo en su peregrinaje de fe, y fielmente perseveró en la unión con su Hijo hasta en la Cruz, allí ella estuvo cerca de Él, siguiendo el plan divino, afligiéndose excesivamente con su único Hijo, uniéndose ella misma con un Corazón materno con el Sacrificio de Él, y consintiendo amorosamente la inmolación de Cristo como Victima a quien ella había engendrado. . . . Ella concibió, dio a luz, alimento a Cristo, lo presento al Padre en el templo, y se unió con Él con su compasión mientras moría en la Cruz. En esta singular forma ella cooperó con su obediencia, fe, esperanza, y caridad ardiente en la obra del Salvador devolviendo la vida sobrenatural a las almas. Por eso es nuestra Madre en el orden de la gracia" (§§ 56, 58, 61).

Yo no estoy lejos de ti. Te tengo cerca de Mi Corazón herido y te guardo en cada momento, caminando y durmiendo, debajo de Mi mirada de misericordia y amor. No dudes de Mi amor por ti. Te he elegido a ti para ser Mi amigo. Quiero que tú confíes en Mi don de amistad divina. No lo retiro cuando lo he dado. Por el contrario, Mi amor crece en el alma de quien acepta Mi amistad y es un amor fructífero. Te he llamado a la santidad. Cree en Mi amor por ti. Busca Mi Rostro en el Sacramento de Mi amor. Sé el sacerdote adorador que te he llamado a ser. Yo te bendigo y Mi Madre te bendice también. Confía en nuestros cuidados por ti.

Jueves 6 de marzo de 2008
Hora de adoración y reparación

Antes de que empezara orando en el Oficio de Laudes, Nuestro Señor dijo que Él me hablaría a través del salmo del oficio. Este fue el texto:

> *Para nosotros Tus oportunas misericordias, para nosotros la felicidad y el estar contentos permanentemente, felicidad que expiará el tiempo cuando se nos afligió, por los largos años de mala fortuna. ¡Permite que estos ojos vean Tu propósito cumplirse, para que nuestros propios hijos revelen Tu gloria, ¡El favor del Señor nuestro Dios nos sonríe! Prospera nuestras obras, Señor, prospera mucho nuestras obras.*
> SALMO 89[90]:14–17

¿No te dije que Yo te hablaría a través del salmo del Oficio? Y así lo hice. Estas palabras confirman Mi promesa a ti, Mi promesa de un nuevo comienzo de años de santidad, bendición y paz. Aférrate a estas palabras y mantenlas en tu corazón. Mi plan se está desarrollando ante tus ojos. Confía en Mí en todas las cosas. Permíteme hacer por ti lo que no puedes hacer o no sabes cómo hacer. Cuando un alma se abandona a Mí, en obediencia y en confianza, soy libre de llevar en ella y alrededor de ella todo lo que deseo hacer para satisfacer los deseos de Mi Corazón y para la gloria de Mi Padre. Sé esa alma que es abandonada a Mí en obediencia y confianza, tú no quedarás decepcionado en tu esperanza.

> *Yo te agradezco, Señor, quien estuvo una vez tan enojado conmigo, ahora la ira ha pasado y Tú me has traído consuelo. Dios está aquí para liberarme: Yo avanzaré con confianza y no tendré miedo: el Señor es la fuente de mi fuerza, la torre de mi defensa, el Señor se ha hecho mi protector. Entonces, regocijándome, beberé profundamente de la fuente de salvación, cantando cuando ese día llegue.*
> ISAÍAS 12:1–3

Ahí, te hablo otra vez. Aférrate a Mis palabras y guárdalas en tu corazón. Ellas te traerán consuelo y esperanza en el día del cansancio y la duda.

Después de rezar el Salmo 148, Nuestro Señor dijo:

Escucha ahora Mi palabra.

Y yo leí 2 Tesalonicenses 2:13–17.

Nosotros debemos siempre dar gracias en Su nombre, hermanos a quienes el Señor ha favorecido. Dios los ha escogido desde el principio para la salvación, mediante la santificación del espíritu y la fe en la verdad; Él los ha llamado a través de nuestro evangelio, para alcanzar la gloria de Nuestro Señor Jesucristo. Permanezcan firmes, hermanos, manteniendo la doctrina que ustedes han aprendido, por nuestra palabra o en los escritos. Así Nuestro Señor Jesucristo y Dios, nuestro Padre, nos han mostrado tanto amor, dándonos consuelo y esperanza a través de Su gracia, confortando nuestros corazones y confirmándonos en todo hábito recto de acción y de palabra.

7 de marzo de 2008
Primer viernes

Yo te agradezco por quedarte en Mi presencia esta tarde, por mantenerte en Mi Compañía en Mi amarga Pasión. Te Miro desde el Sacramento de Mi amor como miré a Juan, Mi amado discípulo. Aprende a quedarte tú en Mi compañía. Es suficiente para Mí que tú Me busques y permanezcas en silencio en Mi presencia y contento de estar Conmigo. No necesito de tus pensamientos, no necesito de tus palabras. Es suficiente para Mí que Me ofrezcas una adoración con el corazón lleno de amor y agradecimiento por Mi permanente presencia en el Santísimo Sacramento.

Me complace que en el comienzo de la adoración hayas renovado tu ofrenda por los sacerdotes con un espíritu de acción de gracias y reparación. Yo estoy complacido que apeles a Mi Corazón Eucarístico para obtener la gracia que buscas para el padre N. Yo ofrezco audiencia voluntariamente a todos los que vengan a Mi presencia Eucarística y como el más amable de los reyes, doy grandes favores a quienes lo pidan de Mí. Cuando apelas a Mi Corazón Eucarístico, no puedo rechazar lo que tú Me pides. A veces Mi Corazón dará un regalo mejor que aquel que deseas, porque tú pides con la miopía y limitación de tu naturaleza mortal y Yo doy acorde con la sabiduría y la infinita benevolencia de Mi Corazón. Bendigo a los que Me presentas. Que la luz de Mi Rostro

Eucarístico brille sobre ellos y te bendigo desde las profundidades de Mi Corazón traspasado.

Jueves 13 de marzo de 2008

Mientras ustedes vivan en Mí y Mis palabras vivan en ustedes, pueden hacer cualquier petición que quieran y la tendrán concedida.
JUAN 15:7

Yo te he estado hablando las semanas pasadas por medio de circunstancias y eventos. Continúa escuchándome en los encuentros y eventos de la vida diaria. Estoy haciendo que Mi plan de amor sea conocido por ti y continuaré dándotelo a conocer, no solamente hablándote a tu corazón de esta forma como un amigo habla a otro, sino también guiándote por el curso de los acontecimientos y revelándote las maravillas de Mi Providencia para los que Yo he elegido y apartado para los designios de Mi Corazón.

No dudes de Mi amistad. Yo comprendo que, por el momento, tú no seas capaz de pasar en Mi presencia Eucarística todo el tiempo que desearías ofrecerme, pero el día está viniendo y viene pronto, cuando nosotros viviremos bajo el mismo techo, cuando vivirás en el resplandor de Mi Rostro Eucarístico y atraerás otras almas, especialmente las de Mis Sacerdotes.

Tu parte es ser Mi sacerdote adorador y reparador, buscar Mi Rostro Eucarístico y quedarte cerca, muy cerca de Mi Corazón abierto en el Sacramento de Mi Amor. Haz estas cosas y todo lo demás te será dado en gran medida, apretada y rebosante.[1] Confía en Mí para dirigir el trabajo que deseo ver en Mi Iglesia. Entrégate en adoración, en reparación, en amor por los sacerdotes y Yo derramaré el ardiente amor de Mi propio Corazón Eucarístico dentro del corazón sacerdotal. Ese fuego purificará tu corazón; sanará las viejas heridas del pecado que por largo tiempo te infectaron y te santificará para el bien de tus hermanos sacerdotes y por el bien de los heridos o escandalizados por tus pecados. Hay más que Yo te diré, pero por ahora, esto es suficiente. Preséntame a los que tú quieres que bendiga. Yo bendigo a cada uno y brillará sobre ellos el resplandor de Mi Rostro Eucarístico. Mi Madre también te bendice y a los que tú presentas a Mi Corazón.

Noche de Jueves Santo
20 de marzo de 2008

Mirando en el altar de reposo.

---

[1] Luc 6:38.

Estoy cerca de ti ahora y tú estás cerca de Mí en el Sacramento de Mi amor. Acepto tu presencia aquí esta noche como una ofrenda de amistad y reparación para el bien de todos Mis sacerdotes, tus hermanos. Esta noche los buscó. Y espero que cada uno Me busque. Porque continúo anhelando que Mis elegidos, incluso los que les he permitido que en sus corazones crezca la dureza contra Mí, se conviertan esta noche y encuentren su camino a Mi tabernáculo donde Yo espero por ellos.

Hay gracias destinadas para Mis sacerdotes en esta, la noche de Mi agonía y de Mi traición que no han sido dadas en ningún otro tiempo. Yo estoy atado esta noche. Ya he sido tomado y Mis captores Me han llevado como un cordero al matadero.[1] Yo estoy en silencio, pero Mi Corazón mira y espera por Mis sacerdotes. Si ellos vinieran a Mí. Yo iría a deshacer los lazos que los mantienen en esclavitud. Les daría luz en la oscuridad espiritual que los oprime. Les hablaría palabras de consuelo y compasión.[2]

Al estar tú Conmigo esta noche, Me permites tocar las almas de muchos sacerdotes que han permanecido lejos de Mí. Tú estás aquí solamente porque Mi gracia ha trabajado dentro de ti, cambiando tu corazón y atrayéndote a la gracia de Mi permanente amistad.[3] Lo que Yo he hecho en Mi infinita misericordia por ti, Yo lo haría por todos Mis sacerdotes.

Estoy cerca de renovar el sacerdocio de Mi Iglesia en santidad y de limpiar a Mis sacerdotes de las impurezas que los han contaminado. Pronto, muy pronto, derramaré las gracias de la sanación espiritual sobre todos Mis sacerdotes. Separaré a los que aceptarán el regalo de Mi divina amistad de los que endurecerán sus corazones en Mi contra. A los primeros le daré una santidad radiante como la de Juan y Mis Apóstoles en el principio. A los otros se las quitaré incluso a los que creen que la tienen.[4] Debe ser así. Yo quiero los sacerdotes de Mi Iglesia limpios de corazón y fieles en responder al inmenso amor con el cual Yo he amado a cada uno y los he elegido para Mí mismo con el fin de lograr la realización de los designios de Mi Corazón. Los que no viven en Mi amistad, Me traicionan y Me impiden Mi trabajo. Ellos desvirtúan la belleza y la santidad que vería brillar en Mi Iglesia.[5] Yo lloro por su dureza de

---

[1] Is 53:7; Hech 8:32.

[2] Sal 84:9 (85:8); Os 2:14; 2 Cor 1:3–4.

[3] Jn 6:44, 15:16; Mat 9:9; Luc 22:61; 1 Cor 15:10; Gál 1:15–16.

[4] Mat 13:12, 25:29; Mar 4:25; Luc 8:18.

[5] 1 Cró 16:29; 2 Cró 20:21; Sal 28(29):2; Sal 95(96):9. En la Versión de la Biblia de King James, cada uno de estos versos usa la expresión "belleza de Santidad."

corazón y Mi Inmaculada Madre, su triste Madre, llora Conmigo por ellos.

La renovación de Mi sacerdocio en la Iglesia empezará desde el fuego del amor que arde en el Sacramento de Mi Cuerpo y Sangre. Yo llamo a todos los sacerdotes que buscan Mi Rostro Eucarístico para que permanezcan en Mi presencia. Yo quiero que todos Mis sacerdotes descubran Mi Corazón abierto. Mi Corazón vive latiendo con amor por ellos y derramando una corriente purificadora de Sangre y de Agua para su santidad y para la vida del mundo. Convoco a todos Mis sacerdotes a Mi presencia Eucarística. Ellos deben aprender que Mi compañía está llena de alegría.[1] Es necesario que descubran en el Sacramento de Mi amor la dulzura y la fuerza de Mi Divina amistad.

Muchos, muchos, Me han abandonado en el Sacramento de Mi amor, pero Yo no abandonaré a uno solo de Mis sacerdotes que venga a Mí en el Sacramento de Mi amor. Allí los espero. Allí les ofrezco Mi divino abrazo. Allí los atraeré a Mi Costado abierto a través de Mi herida en Mi Costado, dentro de Mi santuario de Mi Sagrado Corazón.

Adórame por el bien de tus hermanos sacerdotes que no Me adoran. Permíteme darte lo que Yo le daría a cada uno de ellos. Acepta Mi amor. Recibe Mi amistad. Haz de Mi presencia Eucarística el centro de tu vida y el corazón de tu vida, donde vuelves a buscar calidez, sanación, consuelo y luz. Busca Mi Rostro Eucarístico e invita a otros a hacer lo mismo.

En la luz de Mi Rostro Eucarístico, grandes cosas toman lugar en las almas. Tú solamente tienes que presentarte ante Mí y la luz de Mi Rostro velada en el Sacramento de Mi amor, comenzará a trabajar en tu alma. Este es un secreto que tendrás para compartir con las almas, inicia con los sacerdotes que te enviaré.

Ahora, recibe Mi bendición y presenta a la luz de Mi Rostro Eucarístico a los que desearías que Yo toque, sane, consuele y santifique.

Jueves 27 de marzo de 2008

El primero de cuatro días de adoración desde el fin de la Misa hasta las 3:00 p.m., usando una custodia bendecida por el papa Juan Pablo II.

Cada sacerdote Mío está de paso en este mundo hacia el Padre.[2] Dales a conocer esto y que esto dirija el curso de sus vidas.

Los que son de Mi propiedad, que dejé en este mundo, a quienes amo, y les doy la máxima prueba de Mi amor, son Mis sacerdotes. Es en sus

---

[1] Sal 15(16):11.
[2] Jn 13:1, 16:28.

manos que confío los misterios de Mi Cuerpo y Mi Sangre para la vida del mundo. Nunca dudes de Mi amor por ti y por Mis sacerdotes. Tú tienes la prueba, el testimonio de Mi amor por ti en tus manos cada día: Mi mismo ser dado a ti y entregado por tus manos a Mi Esposa, la Iglesia. ¿Tú que Me tienes en tus manos, cómo puedes dudar de Mi amor por ti?

Permíteme lavarte y hacerlo frecuentemente, de tal forma que tú puedas vivir en Mi compañía y crecer en el don de Mi amistad divina. Ven a Mí para que pueda lavarte en la Sangre y en el Agua que fluyen de Mi Corazón abierto. Ven al torrente inagotable que brota de Mi Costado. Ven y otras almas te seguirán.

Yo espero para purificar a Mis sacerdotes, sanar sus heridas y lavar cada rastro de impureza de sus almas. El que permanece en el torrente que fluye de Mi Corazón, será puro como Yo soy puro, porque tal es el poder de Mi preciosa Sangre. Mi preciosa Sangre es ofrecida a Mi Padre y dada a las almas para su restauración y para su vida en el misterio de la Eucaristía. Es aplicada eficazmente a las almas en todos los Sacramentos, pero más en la adoración Eucarística donde el alma permanece sumergida en Mi Sangre. Los efectos de esto, aunque ordinariamente invisibles, son duraderos y son profundos. Busca permanecer inmerso en el torrente inagotable de Mi Sangre cuando te aproximas a Mi Corazón abierto en el Sacramento de Mi amor.

Conozco quiénes son los hombres que Yo he elegido.[1] ¿Tú piensas que hay cosas ocultas para Mis ojos? ¿Tú piensas que hay cosas que no veo? Yo conozco a Mis sacerdotes. Los conozco de arriba abajo. Tan profunda es Mi búsqueda como Mis conocimientos de ellos, así también es Mi amor misericordioso. Veo todas las cosas y ninguna cosa de lo que Yo veo escapa al alcance de Mi misericordia, excepto lo que deliberadamente se retira e intencionadamente se oculta de Mí. Incluso eso lo veo y al verlo, Me aflijo, porque el deseo de Mi Corazón es extender Mi misericordia a todas las debilidades, quitar toda la vergüenza, lavar y limpiar cada alma contaminada por el pecado. Sométete a Mi gracia que todo lo ve y presenta a Mi misericordia todo lo que Yo veo en ti.

Créeme cuando te digo esto: el hombre que da la bienvenida al que envío, Mi sacerdote, Me da la bienvenida a Mí y el hombre que Me acoge a Mí, recibe al que Me envío.[2] Que eso sea tu regla: siempre preséntate como Mi sacerdote. Siempre y en todo lugar sé Mi sacerdote. Lleva Mi presencia y la de Mi Padre y nuestra bendición, que es la unción del

[1] Jn 13:18.
[2] Mat 10:40; Jn 13:20.

Espíritu Santo, la dulce fragancia de nuestra caridad donde sea que vayas. El sacerdote es el Sacramento de Mi presencia. Yo no quiero que este Sacramento Mío esté oculto. Muestra tu sacerdocio. Que tu primera y única identificación sea Conmigo y te bendeciré en todas tus idas y venidas. El mundo necesita ahora más que nunca la visible presencia de Mis sacerdotes. El mundo debe saber que Yo no he abandonado a Mi pequeño rebaño ni he abandonado a los que confían en Mi amor.

Sé Mi sacerdote en todas las circunstancias y llenarás tu corazón con desbordante dulzura de Mi propio Sagrado Corazón. Es la fragancia de Mi dulzura la que atraerá a las almas a Mí, a través de ti, que eres el vaso que la contiene, el vaso por medio del cual Yo deseo esparcirla en todo lugar.[1] Mis sacerdotes hacen bien al honrar la pobreza y la disciplina del vestido eclesiástico. Es una protección para ellos y un signo de esperanza dada al mundo. Suficiente vanidad. Suficiente extravagancia. En cambio, sean en vez de eso espejos puros de Mi Santísimo Rostro en el mundo.

Viernes 28 de marzo de 2008

Confía en la guía de uno de quienes Yo he enviado a ser tu amigo, el Espíritu Santo, tu Abogado. Aprende a escuchar Su liderazgo suave. Entre más tú le sigas, más comprenderás dónde y cómo te está dirigiendo. Este es el secreto de la santidad: ser guiado por el Espíritu Santo en todas las cosas. Busca su dirección activamente. Invócalo, porque está, en todo momento, a tu disposición. Él vive Conmigo y con Mi Padre en el santuario de tu alma. Es tu Abogado con Mi Padre. Además, Él es tu defensor contra el mundo, la carne, y el Malvado, el Acusador.

Es el Espíritu Santo que une tu alma a la Mía, tu corazón a Mi Corazón con tal sabiduría que cuando tú oras, es Mi propia oración la que asciende al Padre como una fragancia de incienso. El Espíritu Santo viene a la ayuda de tu debilidad, porque es cierto, tú no sabes cómo orar como debes hacerlo.[2] La obra no vista del Espíritu Santo es traer almas de acuerdo con Mi intercesión sacerdotal ante el Padre en el santuario del Cielo y en el Santísimo Sacramento del Altar.

Cuando vienes a la adoración, pon a un lado toda la ansiedad y cuidado de los tuyos y deja que el Espíritu Santo suavemente te una a la oración que se da desde Mi Corazón Eucarístico al Padre. Cada

[1] 2 Cor 2:14–16, 4:7; Efes 5:1–2; 2 Tim 2:20–21; Sir 24:20–23, 39:18–21.
[2] Rom 8:26–27.

necesidad tuya es contenida en la oración que Yo ofrezco a Mi Padre. Esté en paz. Tú tal vez quieras orar por esas cosas o por aquellas y esa oración es buena y complace a Mi Padre, pero hay otro camino, una vía más alta y es rendirte a la oración a Mi Corazón Sagrado presente en la Santísima Eucaristía y en la gloria del Cielo. Yo envío al Espíritu Santo sobre ti y sobre todos Mis sacerdotes para que puedan entrar en Mi intercesión sacerdotal sin abandonar la otra forma de intercesión, la cual, como dije, también complace a Mi Padre cuando se hace como un niño y llena de confianza en Su Providencia amorosa.

La intercesión no es incompatible con la adoración. El alma que Me adore en el Sacramento de Mi amor estará unida a Mí en Mi eterna intercesión ante el Rostro de Mi Padre. Mi intercesión es eterna, incluso en la gloria eterna porque escogí mantener las heridas en Mis manos, en Mis pies y en Mi Costado. Ellas constituyen una súplica ininterrumpida por el bien de todos: para quienes están en la gloria donde irán de luz en luz y de dulzura en dulzura; para los que permanecen en la Tierra donde podrán encontrar en Mis heridas sanación, pureza y santidad; y para las almas en el purgatorio que, por los méritos de Mis heridas santas, ellas podrán ser restauradas y liberadas.

Yo quiero imprimir las marcas de Mis heridas profundas en el alma de cada sacerdote. Mis heridas se reproducen en las almas de Mis sacerdotes, autenticando su intercesión en el altar. Este es el estigma espiritual y la perfección de la santidad sacerdotal. El indeleble carácter de Mi sacerdocio en tu alma rendida te hace capaz de esta perfecta identificación Conmigo, con Mi sacerdocio y victimismo crucificado y con Mi glorioso sacerdocio en el Cielo donde Yo permanezco por toda la eternidad como una ofrenda a Mi Padre.

Tú no has empezado aún a aferrarte al potencial de la santidad sacerdotal. Esto es lo que he querido enseñarte por largo tiempo, pero el tiempo es ahora. Acepta lo que te mostraré y permíteme configurarte enteramente para Mí Mismo. Solamente en este camino llegarás a ser capaz de hacer el trabajo para el cual Yo te he destinado.

Ahora, quédate en silencio. Adórame. Confía en Mí. Yo solamente he empezado a mostrarte el camino de la santidad que estoy abriendo ante ti. Y dame las gracias por haberte salvado, a través de una intervención particular de Mi Santísima Madre, del destino que el Maligno estuvo preparando para ti por tanto tiempo.

Sábado 29 de marzo de 2008

Tú puedes ver, que estoy también dirigiendo tu oración hacia Mí por los movimientos del Espíritu Santo en tu alma. Así orarás como Yo quisiera que ores. Tú Me pedirás las cosas que Yo deseo darte.[1] Confía en el Espíritu Santo para animar y formar tu oración cuando vengas a Mi presencia Eucarística. Incluso cuando Me oras, estoy instruyéndote y enseñándote los secretos de Mi amor misericordioso.

Los deseos de Mi Sagrado Corazón son inmensos y anhelo compartirlos, sobre todo, con Mis sacerdotes. Te he elegido para que seas el amigo íntimo de Mi Corazón. Tu modelo es San Juan y él es tu intercesor fiel. Ven a Mí al Sacramento de Mi amor y permíteme hablarte libremente. Yo quiero darte los pensamientos de Mi Corazón a ti y a todos Mis sacerdotes. Comprende esto, que tú eres Mi otro Yo. Todo lo que Me toca, todo lo que está relacionado Conmigo, todo lo que Me ofende, también te pertenece.

Aquí es donde empieza la reparación: en la identificación de tu alma con todos Mis intereses, con todos Mis dolores, con todo lo que Me ofende y en la unión de tu alma con Mi ardiente fervor por la gloria de Mi Padre y por la santidad de todo Mi pueblo. Permíteme compartir contigo las cosas que anhelo dentro de Mi Corazón Eucarístico. Quiero unir tu corazón sacerdotal al Mío y ya lo he empezado a hacer.

Obedéceme. Permanece fiel a lo que pido de ti y todo el resto se desarrollará *milagrosamente*—maravillosamente—porque todo, es la obra de Mi amor misericordioso.

30 de marzo de 2008
Domingo de la Divina Misericordia

No los dejaré sin amigos, vendré a ustedes. Es solamente un poco más de tiempo y el mundo no Me verá más, pero ustedes Me verán, porque Yo vivo, ustedes también tendrán vida. Cuando eso venga, ustedes aprenderán por ustedes mismos que Yo estoy en Mi Padre, y ustedes están en Mí y Yo en ustedes.
JUAN 14:18–20

Sí, ahí Yo estuve hablando de la Eucaristía, el regalo de Mi presencia permanente a Mi Esposa, la Iglesia y esto hasta el final de los tiempos. Ningún alma que pertenezca a Mí es dejada sin amigos en este mundo, mientras la Iglesia continúe haciendo lo que Yo ordené la noche antes de Mi sufrimiento, en memoria Mía. La Santísima Eucaristía no es solamente Mi Sacrificio ofrecido al Padre; sin embargo, en una manera incruenta, no es solamente el sustento de las almas, para alimentarlas

---

[1] Véase Oración Colecta, Noveno Domingo después de Pentecostés: "Deja que Tus oídos misericordiosos, oh Señor, estén abiertos a las oraciones de Tu pueblo suplicante para que les concedas sus peticiones, haz que Te pidan cosas que Te agraden."

con Mi Cuerpo y Sangre; es también el Sacramento de Mi amistad divina, la promesa de Mi ardiente deseo de quedarme cerca de todos los que Me buscan, de todos los que pasan tiempo en Mi compañía.

Es por esto por lo que Me duele tanto que las Iglesias estén cerradas y que Me dejen por días sin fin, solo en el tabernáculo. Yo atraería almas a Mi Corazón abierto, tendría para ellas la experiencia de quedarse cerca del resplandor de Mi Rostro Eucarístico, Me daría a Mí mismo en una amistad íntima a las almas atraídas a Mí en el Sacramento de Mi amor. Pero ustedes sacerdotes, pastores de almas, han olvidado eso, mantener abiertas sus iglesias es integral para su sagrado ministerio. Yo pastorearé las almas a Mi presencia Eucarística, pero ustedes, por continuar cerrando Mis iglesias a las almas, frustran y contradicen los deseos de Mi Corazón Eucarístico. Hay dolor en el Cielo por esto. No es difícil mantener Mis iglesias abiertas y proveer para las necesidades espirituales de los que ansiosamente deseen entrar a buscar Mi amistad. Los obstáculos no son los que ustedes piensan, el obstáculo es la escasez de fe, una pérdida de creencias en Mi real presencia. Mis sacerdotes tendrán responsabilidades por la frialdad y el aislamiento que ha venido alrededor Mío en el Sacramento de Mi amor. ¡Cuánto deseo ver Mis iglesias abiertas! ¡Abran las puertas de Mis casas consagradas y confíen en Mí para llenarlas con adoradores en espíritu y en verdad!

Vengan a Mí en el Sacramento de Mi amor y los llenaré con la dulzura de Mi amistad. Sé que no hay compañía sobre la Tierra que pueda ser comparada Conmigo. Por esto también instituí el Sacramento y Sacrificio de Mi Cuerpo y Sangre, así que las almas pueden encontrar Mi presencia en Mis iglesias y pueden permanecer en Mi presencia, aprender de Mí todo lo que Yo he escuchado de Mi Padre. Por esta razón los llamo a ustedes amigos. Ustedes son Mis amigos porque desde el tabernáculo donde estoy presente y desde la custodia que Me expone a sus miradas, compartiré con ustedes los secretos de Mi Corazón.[1]

Yo soy su Sacerdote, Soy su Víctima, el Cordero ofrecido en Sacrificio por los pecados del mundo. Soy su alimento y su bebida en este Sacramento de Mi amor, pero soy también su compañero. La Eucaristía es el Sacramento de Mi divina amistad. Deseo que Mis sacerdotes sean los primeros que experimenten esto por ellos mismos. Quiero que vengan a Mí y se mantengan mirando delante de Mi Rostro Eucarístico, cerca de Mi Corazón abierto; entonces comprenderán la grave ofensa que es cerrar Mis iglesias, colocando una distancia entre Mi pueblo y Yo, que es en cuyo seno he elegido vivir. Yo quiero que la visita al Santísimo Sacramento llegue a ser otra vez parte de la vida católica ordinaria, que

[1] Jn 15:15.

56

vuelva a ser un instinto del corazón creyente, una expresión de gratitud y reparación para Mí que estoy abandonado y despreciado en muchos lugares. Deseo que Mis sacerdotes den el ejemplo y los fieles los seguirán. ¿La oveja no seguirá al pastor? ¿Dónde están los verdes pastos profetizados por el rey salmista? ¿Dónde, sino están en Mi presencia Eucarística?[1]

Yo quiero que Mis sacerdotes aprendan a descansar en Mi presencia. Allí prometí refrescarlos en una forma que ningún entretenimiento, ninguna diversión y ningún otro medio puede hacer. Que ellos vengan a Mí cuando estén cansados y solos. Seré su descanso y su más querido compañero. De esta forma dejarán Mi presencia Eucarística restaurados y con su alegría renovada. Esto es una promesa.

Quiero que Mis sacerdotes activamente alienten almas para buscarme en el Sacramento de Mi amor y pasen tiempo cerca de Mi Corazón Eucarístico. Ninguna cosa traerá esto más efectivamente que el ejemplo de Mis sacerdotes. Hay sacerdotes que van dentro de Mi iglesia solamente cuando ellos tienen una función para ejercer ahí. Los corazones de ellos ya han crecido fríos y Yo estoy dolido por su indiferencia hacia Mi presencia permanente, frecuentemente muy cerca de ellos. Deseo que los sacerdotes empiecen a frecuentar sus iglesias, no solamente en las horas del servicio divino, sino en otros tiempos durante el día e incluso durante las horas de la noche. Así empezarán a permitirme restaurarlos a una santidad brillante. Que empiecen, uno o dos, aquí y allá. El gran fuego empezará con estas pocas chispas y se dispersará hasta que la Iglesia entera sea incendiada con la Santidad Eucarística de Mis amigos, Mis sacerdotes.

Si hay tan pocos sacerdotes en ciertos lugares, es sobre todo porque los que están allí Me han abandonado en el Sacramento de Mi amor y no anhelan más vivir en Mi amistad. Que cada sacerdote se presente como un amigo de Jesús y su ministerio pronto tomará la eficacia y la fecundidad que caracterizan a San Juan, San Pablo, y a Mis primeros Apóstoles. Llegarán a ser Mis amigos que hablan con autoridad que solamente la experiencia les puede conferir.

A ti te digo que Yo estoy complacido con estos días marcados por la adoración. Estoy tocando almas y derramando bendiciones aquí. Recompensaré a todos los que han venido, buscando permanecer en Mi presencia y ofreciéndome la adoración que Yo deseo. Y tú, tu lugar es para adorarme. Tu lugar es y será el de San Juan, Mi amado discípulo y el querido hijo adoptivo de Mi Inmaculada Madre. Confía en Mi amor por ti. Quédate cerca de Mí. Obedece lo que te pido. Y haré maravillas

[1] Sal 22(23):2.

de misericordia en tu alma y en las almas de los que serán tocados por tu sacerdocio.

Jueves 3 de abril de 2008
En la Capilla del obispo N.

Esta noche te he hablado en otra forma. Te he comunicado a tu corazón algunas cosas acerca de Mi Padre de las que anhelo en Mi Corazón Eucarístico, con el fin de que, en Mí, Conmigo y a través de Mí, puedas amarme a Mí y glorificarlo a Él; y hagas reparación por Mis sacerdotes. Porque son grandes Mis deseos por su pureza, su santidad y su fecundidad y quiero que estos lleguen a ser los mismos deseos de sus propios corazones y la carga de peticiones que ellos eleven incesantemente en la oración.

No temas. Yo te ayudaré en cada paso del camino. Este trabajo es Mío. Pídeme por Mi guía y luz en todas las cosas, incluso en los detalles que hay que hacer. Yo dirigiré e inspiraré el trabajo desde el comienzo hasta el final. Es un trabajo nacido del amor de Mi Corazón Traspasado, por Mis sacerdotes y por ti. Mi Madre considera este trabajo como suyo propio y ella lo cuidará y también a los que laboran para que se haga realidad con toda la solicitud de su Corazón misericordioso. Confía en la intercesión y protección de Mi Madre. Ella es tu Perpetuo Socorro y la Mediadora de las Gracias que Yo he destinado para los que participarán en este trabajo Mío.

Jueves 10 de abril de 2008

Yo le dije a Nuestro Señor que yo me sentía cansado. Yo dije: "Oh, Mi amado Jesús, la eficacia y fecundidad de este tiempo de adoración no viene de mí, pero sí de Ti. Es toda Tu obra. Yo me coloco ante Ti como un vaso para ser llenado." Entonces yo le pido a Nuestra Santísima Madre, Mediadora de Todas las Gracias, que abra sus manos sobre mí y me otorgue lo que ella sabe que es lo mejor para mí y para los sacerdotes que yo represento en la presencia de su Hijo.

Mi querido y amado sacerdote de Mi Corazón, sabes que Yo estoy aquí para ti en el Sacramento de Mi amor, independientemente de lo que sientes que podría ser. Es suficiente para ti venir hacia mi presencia. ¿No dije, "Vengan a Mí, todos ustedes los que están agobiados y fuertemente cargados y Yo los aliviaré"?[1]

---

[1] Mat 11:18.

Yo te dije, "Ven" y tú Me obedeciste viniendo a Mí y permaneciendo en el resplandor de Mi Rostro Eucarístico. Para ti no hay nada más beneficioso. Tú necesitas pasar tiempo cerca de Mi Corazón Eucarístico. En Mi presencia Yo comunico a tu alma todo lo que quiero que tengas y todo lo que quiero que sepas. Puede que tú no te des cuenta de esto cómo está sucediendo, pero más tarde tu experimentarás el fruto y la eficacia de este tiempo que pasas en Mi presencia.

Cuando Yo elijo un alma para una obra Mía, empiezo siempre atrayéndola muy cerca de Mí con lo principal, Mi más dulce amor.[1] Yo te he dado el don de Mi amistad divina, justo como se la di a Juan y a otros de los Apóstoles en vista de un gran trabajo que Yo les confié, la fundación y el crecimiento de Mi Cuerpo místico, la Iglesia en la Tierra. Cada trabajo Mío empieza de esta manera.

Hay quienes piensan que pueden tener éxito planeando, calculando y haciendo uso de los medios humanos como el mundo hace uso de ellos, esto no lo puedo usar para la construcción de Mi Iglesia. Quiero a los pequeños y a los pobres, los que no tienen nada aparte de una inmensa confianza en Mi amor misericordioso; quiero que ellos vengan a Mí y que se ofrezcan ellos mismos a Mi Corazón Eucarístico para Mis propios designios y propósitos.

Te estoy preparando ahora para un trabajo que será el manifiesto de todo lo que haré. Confía en Mi amor por ti y por todos Mis sacerdotes. Busca Mi presencia Eucarística en cada oportunidad y permanece delante de Mí, así podre llenarte y hacerte apto para que seas Mi instrumento y la representación de Mi Corazón traspasado.

Estoy complacido que hayas venido a Mí esta tarde. Yo te bendigo y bendigo a todos por quienes tú has prometido orar. Mi Inmaculada Madre abre sus manos sobre ti. Una lluvia de bendiciones cae de sus manos puras dentro de tu alma. Ahora, dame las gracias.

Jueves 17 de abril de 2008

No es suficiente que vengas ante Mí como este jueves únicamente. El deseo de Mi Corazón es verte en Mi presencia diariamente y pronto Yo haré que esto suceda, porque esto pertenece al desarrollo de Mi plan para ti y a la misión que Yo te he dado en Mi misericordia.

Haré de ti lo que te prometí, el sacerdote de Mi Rostro Eucarístico. Seré el Sol radiante de tu vida. La luz de Mi Rostro iluminará tus días e incluso tus noches. Te atraeré a la presencia Eucarística por el bien de

[1] Os 11:4.

Mis sacerdotes que huyen de estar delante de Mi Rostro, por los sacerdotes que rechazan el don de Mi divina amistad y nunca permanecen en Mi presencia Eucarística. Te llenaré de abundantes gracias. Yo te daré las gracias que ellos rechazan. Yo te usaré como Mi instrumento y canal para redistribuir entre Mis sacerdotes los dones más escogidos de Mi Corazón Eucarístico. No temas. Sé fiel a lo que te pido. Busca Mi Rostro Eucarístico y quédate cerca de Mi Corazón Eucarístico.

Jueves 24 de abril de 2008

Nunca pienso que tus imperfecciones y fallas son, de cualquier manera, un impedimento para el trabajo de Mi amor misericordioso en tu alma. Tú tienes solamente que dármelas con confianza y serán consumidas en la llama del amor de Mi Corazón por ti. Cuando te pido ciertas cosas, no es para cargarte, es para ofrecerte una manera segura de obtener el apoyo de Mi gracia. Esto es por lo que te pido leer cada jueves los capítulos 13 hasta el 17 del Evangelio de San Juan. Este contacto con Mi palabra es un contacto real con Mi Corazón. Hay muchas cosas que te doy en esta forma, tú no estás consciente de ellas ahora, pero en el tiempo apropiado experimentarás las gracias que, por obediencia a esta solicitud Mía, habrás almacenado.

Yo soy simple y tierno contigo. Soy el amigo de tu corazón, el más fiel y el más compasivo de los amigos. Nunca dudes que Mi amistad por ti, es infalible y quiero que descanses seguro en Mi amor por ti. Te daré la experiencia de Mi amistad divina cada vez que vengas a Mi presencia Eucarística. Busca Mi Rostro Eucarístico y enseña a otros, especialmente a Mis sacerdotes, a hacer lo mismo. Quien busca Mi Rostro Eucarístico descubrirá también los secretos de Mi Corazón Eucarístico, que es el tabernáculo de Mi amistad para ustedes.

Cuando instituí el Sacramento de Mi Cuerpo y Sangre, lo hice no solo para unir más íntimamente a todos los miembros de Mi Cuerpo ya que Yo soy su Cabeza y no solo para alimentarlos y darles de beber para la vida eterna; también lo hice para permanecer presente, cerca y siempre disponible para los que buscarían Mi amistad divina al adorarme donde realmente estoy presente en el Sacramento de Mi amor. Yo instituí el Sacramento de Mi Cuerpo y Mi Sangre, pensando primero en todos Mis sacerdotes. Yo los vi a cada uno de ellos a través de las edades hasta el final de los tiempos. Yo vi a los que se acercarían a Mí en el Sacramento de Mi amor y Me alegré por ellos. Vi también a los que quedarían lejos de Mí en el Sacramento de Mi amor y Me afligí por ellos.

Mis sacerdotes son los hombres que elegí para vivir en la intimidad de Mi presencia Eucarística. Fue, primero que todo, por ellos que escondí

Mi Rostro y Mi Corazón en el Sacramento de Mi amor. Quiero que todos los sacerdotes experimenten el misterio de la Santísima Eucaristía como el Sacramento por excelencia de Mi amistad divina. El sacerdote que se acerca a Mí y se queda cerca de Mí en el Sacramento de Mi amor no está perdiendo su tiempo; él está en la fuente de todo bien, y bendeciré su sacerdocio con una fecundidad apostólica maravillosa. Esto fue el secreto de muchos de Mis santos. Te los he dado a conocer como intercesores y protectores y te los he dado a ti, y a los que te enviaré.

Sobre todo allí está Mi Santa Madre, Mi toda bella e Inmaculada Madre María. Ella está donde Yo estoy. Ella está cercana al sacerdote que está cercano a Mí en el Sacramento de Mi amor. Ninguna cosa da tanta alegría a su Corazón Inmaculado como ver uno de sus hijos sacerdotes en adoración ante Mi Rostro Eucarístico. Ella abre sus manos sobre ellos —como ella lo está haciendo sobre ti en este momento—y causa una lluvia de gracias para que caigan dentro de sus almas. Ama a Mi Madre cada vez más. Nunca te acercarás al amor de Mi propio Corazón por ella, por ti mismo, pero Yo, por Mi don gratuito, puedo y te uniré al amor de Mi Sagrado Corazón por ella. Así que tú vendrás a experimentar la inefable unión de nuestros dos Corazones en tu propio corazón.

Sé fiel a su Rosario. Es el escudo y la espada del combate espiritual y además asegura tu victoria sobre los poderes de la oscuridad. ¿Por qué? Porque es una humilde oración, una oración que une el alma de quien lo reza a la Victoria de Mi Madre sobre la serpiente antigua.[1]

Y sí, reza el *Ave Maris Stella* por todos tus hermanos sacerdotes, diariamente si puedes. Mi Madre ama ese himno y responde tan frecuente como ella lo escucha, con una abundancia de gracias derramadas sobre los que se lo ofrecen.

Yo bendigo a los que tú Me presentas. No temas. Yo preparo el camino delante de ti. Glorifícame, pero confiando en Mi amor misericordioso y manteniéndote seguro en el regalo de Mi amistad divina.

1 de mayo de 2008
Jueves de Ascensión

Permíteme hablar a tu corazón. ¿Tú piensas que no tengo nada más que decirte? Yo tengo mucho que decirte. Quiero derramar los secretos de Mi Corazón dentro de tu propio corazón. ¿No es esto lo que sucede entre dos amigos? Confía en Mi amistad divina. Te amo y nada sobre la Tierra puede separarte de Mi amor.[2] No te amo porque tú hayas hecho

---

[1] Gén 3:15; Apoc 12:9, 20:2.
[2] Rom 8:35–39.

alguna cosa para merecer Mi amor.[1] Te amo porque Yo soy amor y porque lo Mío es un amor misericordioso, un amor que atrae a los más necesitados de redención.

Lo que Me atrajo a ti fue una profunda miseria, tu quebrantamiento, tu absoluta necesidad de Mi redención y de la gracia santificadora.[2] Y fui atraído porque llevas en tu alma el indeleble signo de Mi propio sacerdocio. También fui atraído para salvar Mi sacerdocio en ti del deshonor. Quiero que vivas en la plenitud de las gracias impartidas a ti en el día que llegaste a ser Mi sacerdote.

Tuya será una santidad sacerdotal, una santidad víctima, una santidad digna del altar y de Mi propio Sacrificio que se renueva sobre él sacramentalmente. Cuando Yo elijo a un hombre para recibir la impronta de Mi propio sacerdocio en su alma, nuestros destinos están vinculados para siempre. Él está unido a Mí y Yo a él y este vínculo dura toda la eternidad. Es por eso por lo que estoy llegando ahora a ti y a todos Mis sacerdotes. Yo quiero que Mi Padre y Yo seamos glorificados por ellos.

Prepárate intensamente para el derramamiento de Mi Espíritu Santo en Pentecostés. Retírate al cenáculo con Mi Madre. Reza su Rosario incesantemente durante estos días. Vive en su compañía. Escoge el silencio. Búscame en el Sacramento de Mi amor. Evita todo lo que te distraiga de desear los dones del Espíritu Santo. Yo quiero que tú recibas el fuego del Espíritu Santo con un corazón purificado por la oración y por la confesión. Yo te prometo un nuevo derramamiento del Espíritu Santo y de Sus siete dones. Estos dones los necesitarás en los días que te esperan. Los necesitarás para el trabajo que te he pedido que emprendas; el trabajo de adoración y reparación por todos Mis sacerdotes.

Invoca al Espíritu Santo con un gran deseo. Mantén tu corazón limpio. Ora siempre. Mi Madre está contigo. La oración de su Inmaculado Corazón sostendrá tu oración durante esos días y es a través de ella que el Espíritu Santo descenderá sobre ti con una plenitud que no habías conocido antes. Invoca al Espíritu Santo, usando el dulce nombre de Mi propia Madre. No hay una manera más efectiva para atraer hacia tu alma las gracias del Espíritu Santo.

Yo te bendigo con toda la ternura de Mi divino Corazón y Mi Madre abre sus manos sobre ti y sobre los que tú nos has presentado.

Jueves 8 de mayo de 2008

Recibe Mis enseñanzas y practícalas. Yo he empezado a formarte para el

---

[1] Rom 5:8–9; 1 Jn 4:10, 4:19; 2 Tim 1:8–9; Tit 3:4–7.
[2] Sal 11:6 (12:5), 69:6 (70:5), 71(72):12–13, 112(113):5–9; Is 41:17.

trabajo para el cual te he escogido y te he apartado. Tú entrarás en los secretos de Mi Corazón Eucarístico y ayudarás a tus hermanos sacerdotes para que ellos se descubran a sí mismos a través de permanecer en la adoración delante de Mi Rostro Eucarístico. Yo tengo mucho que decirte y al mismo tiempo, todo lo que tú necesitas saber para este trabajo ya se te ha dado en el Evangelio de San Juan, el amigo de Mi Corazón.

Sí, Yo te he llamado para llegar a ser otro Juan. Quiero que mires a Mi Rostro con toda la ternura y adoración que el Espíritu Santo le dio a San Juan durante los años que pasó en Mi compañía. Incluso después de Mi Ascensión Él discernió Mi presencia permanente en el Sacramento de Mi amor y aprendió a contemplar ahí la gloria de Mi Rostro Eucarístico.

Juan fue el amigo de Mi Corazón. Cuando Él vio Mi Corazón traspasado en el Calvario, su propio Corazón fue traspasado también. Esto creó entre él y Mi Santísima Madre, el más profundo de los vínculos. Esto fue lo que selló el pacto de amor filial y maternal que establecí entre ellos para virtud de Mis palabras desde la Cruz. Y fue lo que después hizo de sus vidas juntos el nacimiento de Mi Iglesia en Pentecostés, como un modelo de perfecta unidad y de ardiente caridad. Juan y Mi Madre María juntos agraciaron a la Iglesia para que viviera en fidelidad a las palabras que hablé desde la Cruz y para permanecer en el misterio de Mi Corazón traspasado. Sus propios corazones—el Inmaculado Corazón de la Madre y el puro corazón del hijo—son un solo canal de misericordia y de luz de las almas. Yo quiero ser lo mismo para ti y para todos Mis sacerdotes en su relación con Mi Santísima Madre. Permite que tu corazón sea traspasado como lo fue el de ella en el Calvario. Así tu corazón estará unido al Mío a través del suyo.

El corazón de Juan fue místicamente traspasado cuando él vio Mi Sangre y Agua brotar de Mi Costado. Tu corazón será traspasado en el misterio de Mi Santa Eucaristía, no solamente cuando estás en el altar para ofrecerme a Mi Padre, pero también cuando tú te quedas en Mi presencia, buscando Mi Rostro Eucarístico ansioso por recibir Mis instrucciones y permitiéndome transformarte en el sacerdote que desde el principio quise que fueras.

El traspaso de tu propio corazón no será de un solo golpe. Será un trabajo de Mi gracia y una íntima, incluso oculta, acción del Espíritu Santo. Tú conocerás que tu propio corazón ha sido traspasado cuando comiences a experimentar una unión continua y dulce con el Corazón de Mi Madre y con Mi propio Sagrado Corazón. Esto lo haré para ti, pero deseo trabajar la misma gracia en las almas de todos Mis sacerdotes. Incluso en los que se inician quiero que Mi amistad con Juan sea un modelo para ellos como lo fue para los otros Apóstoles. No rechazaré darles la amistad íntima de Mi Corazón a los sacerdotes que elegí para

Mí. Este es el secreto de la santidad sacerdotal: la unión con Mi Corazón Eucarístico a través del Corazón traspasado de Mi Madre y la tuya, la Santísima y Bendita Virgen María.

Todo esto quiero que lo compartas con el padre N. eso lo consolará y le renovará en su alma el deseo por la santidad que hace mucho tiempo planté profundo dentro de él. Yo bendigo a los que traes delante de Mí hoy y Mi Madre, la Reina del Santo Rosario y la Mediadora de Todas las Gracias, abre sus manos sobre cada uno.

Cuando yo pregunté a Nuestro Señor acerca de mi vida diaria y mi incapacidad para alcanzar el equilibrio que quiero con respecto a dormir, comer y otras cosas, Él respondió:

Yo no estoy disgustado con lo que tú estás haciendo por el momento. Ofréceme todas las cosas a Mí.

Jueves 15 de mayo de 2008

Mi amado amigo, sacerdote de Mi Corazón, quiero que tu revises las palabras que te he hablado. Te pido mantenerlas frescas en tu mente y almacenarlas en tu corazón, para los días que vienen y vienen pronto, cuando te pediré compartir con tus hermanos las cosas que haré que conozcas.

Confía en Mí para hablar a tu corazón. Conoce que Mi deseo y Mi deleite es conversar contigo como un hombre conversa con su más querido amigo. Hay mucho más que quiero decirte. Sé fiel en buscar Mi Rostro Eucarístico; permíteme atraerte más profundamente hacia Mi Corazón abierto.

Espero por ti en el Sacramento de Mi amor. Yo quiero que vengas delante de Mí tan frecuente como puedas. Haz esto en reparación por los sacerdotes que huyen de Mi Rostro. Hay muchos que no tienen tiempo para Mí y todavía les he dado sus vidas y les daré su eternidad.

Mis sacerdotes son para formar una compañía de amigos alrededor Mío con su fidelidad, con su adoración y con su amor agradecido. Mi Corazón se aflige por los que viven como sí Yo no fuera el Centro y el Rey del sacerdocio, de sus afectos y de sus vidas.

Te daré los dones para ministrar a Mis sacerdotes. Incluso los endurecidos por el pecado serán tocados por tus palabras y sus corazones serán suavizados por tu adoración delante de Mi Rostro. Recibo el tiempo que tú Me das como si fuera ofrecido por ellos a Mí y a cambio Yo los atraeré a Mí.

Confía en Mí, porque haré todo lo que te he prometido. Pronto tú y

Yo viviremos bajo un mismo techo y tú te deleitarás día y noche, estarás permaneciendo en adoración ante Mi Rostro Eucarístico. Te he preparado para esto. A este trabajo y a esta forma de vida te he llamado. Revisa lo que te he estado hablando y tú comprenderás el plan de Mi amor misericordioso para ti y para Mis sacerdotes.

Jueves 22 de mayo de 2008
En Connecticut

Quiero que tú vengas aquí a consolarme y a vivir en una llama de amor para Mí. Estuve esperando por ti aquí. Mi Corazón estuvo anhelando tu presencia. Yo estoy aquí, en silencio y todavía, espero por al menos un alma que reconozca Mi real presencia y Me ofrezca la consolación de una visita, de una expresión de adoración y de amor. ¿Quién conoce acerca de la amistad que ofrezco a todos desde los tabernáculos donde habito escondido y por la mayor parte, olvidado? Mi amor Eucarístico es desconocido porque muy pocos de Mis sacerdotes lo han experimentado por ellos mismos y porque muy pocos de ellos se atreven a darlo a conocer.

Este es el inmenso dolor de Mi Corazón: que está Sacramentado, el cual instituí para quedarme entre los Míos hasta el final de los tiempos, los que ahora se encuentran con indiferencia, con frialdad y con cruel insensibilidad, incluso en una parte de Mis amigos elegidos, Mis ungidos, Mis sacerdotes. Muchos reciben Mi Cuerpo y Mi Sangre; pero pocos disciernen el misterio de Mi amor ardiente oculto bajo los velos sacramentales. La Santa Comunión ha llegado a ser, en muchos lugares, un acto de rutina, una mera costumbre.[1] Es por eso por lo que pido la adoración de Mi Rostro Eucarístico para reparación a Mi Corazón Eucarístico. Adoración, pero especialmente la adoración hecha por Mis sacerdotes—y para sacerdotes por sacerdotes—es la que acelerará el cambio que deseo y que traeré en Mi Iglesia.

Por esto te elegí para ser Mi sacerdote adorador. Busca Mi Rostro Eucarístico, acércate a Mi Corazón Eucarístico. Cuando te recibo en Mi presencia, acojo también a los sacerdotes, tus hermanos, los que representas y en tu nombre vienen ante Mí. Yo haré que una fuente de agua viva brote de sus almas para su bien,[2] así los renovaré, purificaré, y san-

---

[1] Véase 1 Cor 11:27–30; Santo Pío X, *Sacra Tridentina* (1905), §2: "Una intención correcta consiste en esto: que el que se acerca a la Mesa Santa debe hacerlo, no como rutina, gloria vana o respeto humano, sino porque desea agradar a Dios, estar más cercanamente unido con Él para la caridad y para tener él recurso de este divino remedio para su debilidades y defectos."

[2] Jn 4:10–14, 7:38; Apoc 21:6; Núm 20:6 (Vul.); Cant 4:15; Jer 17:13–14; Zac 14:8.

tificaré, para poder colocar Mi Corazón sobre ellos. La luz de Mi Rostro Eucarístico los alcanzará. La intercesión de Mi Santísima Madre vendrá a consolarlos y darles esperanza. Confía en los designios de Mi amor misericordioso para ti y esté en paz.

Jueves 29 de mayo de 2008
Vigilia de la Solemnidad del Sagrado Corazón de Jesús

Sí, Mi amado amigo, sacerdote de Mi Sagrado Corazón, intento hablarte para tu propio bien y para el bien de los sacerdotes que te enviaré. El tiempo se acerca. Estoy por comenzar este trabajo de Mi amor por los sacerdotes y te he escogido a ti, a pesar de tu debilidad y tu pecado, para dar testimonio de Mi misericordia, para adorar Mi Rostro Eucarístico y para dar a conocer a tus hermanos sacerdotes Mi propio deseo ardiente de que ellos sean santos.

Nunca ha habido en toda la historia un solo sacerdote a quien no haya destinado para una gran santidad. Mi Corazón ha sufrido mucho porque muchos de Mis elegidos han rechazado Mis dones y prefieren su propio camino al Mío, yendo hacia la oscuridad que hay afuera donde está la noche.[1]

Mi Corazón Se quema por ver a todos Mis sacerdotes ardiendo con la Santa Eucaristía. El altar es la Fuente de la santidad sacerdotal. El beso dado en el altar es el inicio y el fin de la Santa Misa esto significa que el sacerdote reconoce eso. Por besar el altar, él se hace vulnerable a Mi amor traspasado. Por besar el altar se abre sin reservas a todo lo que le daré y a todo lo que tengo en los designios de Mi Corazón para su vida. El beso en el altar significa total abandono a la santidad sacerdotal que Yo deseo y para el cumplimiento de Mis deseos en el alma de Mi sacerdote.

La santidad a la cual Yo llamo a Mis sacerdotes, la santidad a la cual estoy llamándote, consiste en una total configuración para Mí tal como Yo estoy delante de Mi Padre en el Santuario celestial, más allá del velo. La función de cada sacerdote Mío es estar Conmigo, ambos, sacerdote y Víctima en la presencia de Mi Padre. Cada sacerdote es llamado a estar delante del altar con las manos y pies traspasados, con su costado herido y con su cabeza coronada como Mi cabeza fue coronada en Mi Pasión. Tú necesitas no temer a esta configuración que es la Mía, te traerá paz al corazón, alegría en la presencia de Mi Padre y la intimidad única Conmigo que tengo reservada para Mis sacerdotes, desde la noche antes de Mi sufrimiento, ellos son Mis elegidos, los amigos de Mi Corazón.

[1] Mat 8:12, 22:1–14, 25:30; Prov 14:12; Jn 13:30.

Dime "sí." Dime que tú quieres lo que Yo quiero para ti, solamente. Dime que deseas lo que Yo deseo para tu vida y ninguna otra cosa más. Esto Me dará libertad para santificarte enteramente—cuerpo, mente y espíritu.[1] Esto Me permitirá moldearte y herirte en una representación de Mí mismo delante de Mi Padre y en medio de la Iglesia. Sí, es hiriéndote a ti que te haré otro Yo. Es hiriéndote con un amor que es indescriptible en términos terrenales que Yo sanaré todas las heridas de tus pecados y te haré brillar como el Sol en Mi reino.[2] Esto no debería sorprenderte. Deseo que todos los que Me pertenecen brillen con luz no creada.[3] Esto mostrará Mi santidad. Esto mostrará a los ojos de todos, de ángeles y de hombres, que no hay santidad en las almas que no sea Mi santidad comunicada a ellos.[4]

Yo he escogido comunicar Mi luz a tu alma para hacerla pasar a través del Corazón y las manos puras y sin pecado de Mi Inmaculada Madre. Cuanto más te acerques a ella, cuanto más confiado e infantil te encuentres bajo su mirada de amor maternal, más cambiarás de un grado de gloria a otro.[5] Este es el trabajo de Mi Madre en las almas de los sacerdotes y el trabajo del Espíritu Santo que toca las almas por medio de sus manos.

No quiero que tú dudes de que soy Yo el que está hablando a tu corazón. ¿No te he dado suficientes signos de Mi favor? Y habrán más porque sé de tus necesidades y tus miedos y porque tengo un amor ardiente por ti y una gran ternura que Me mueve a actuar contigo en todas las cosas como el mayor de los amigos actuaría con el amigo en quien ha colocado su corazón. Yo he colocado Mi Corazón en ti. Esto lo hice hace muchos años y he sido fiel a ti, incluso cuando tú estuviste extremadamente infiel Conmigo. Pero ahora todo es parte del pasado y está olvidado. Yo he pasado la página y te he dado la gracia de un nuevo comienzo.[6]

Respóndeme con la confianza de un niño. Acepta el don de Mi amistad divina. Nada puede interponerse entre nosotros. Tú estás seguro bajo la protección del manto de Mi Inmaculada Madre. Yo te he dado Mis santos para que estén en guardia cerca de ti, para confortarte, consolarte y asistirte. Tú no tienes nada que temer. Solamente cree en Mi amor por ti, amado de Mi Corazón, Mi sacerdote, Mi amigo, Mi precioso.

Entonces yo presenté algunas almas a Nuestro Señor, algunas por el nombre, otras indistintamente.

---

[1] 1 Tes 5:23.
[2] Job 5:18; Mat 13:43.
[3] Mat 17:2; Mar 9:2; Luc 9:29; Hech 9:3.
[4] Jn 1:16; 2 Pe 1:2–4; Efes 3:19, 4:13, 4:24; Col 1:12; Heb 3:14.
[5] 2 Cor 3:18.
[6] Is 1:18, 38:17, 43:25, 44:22; Cant 2:11; Efes 2:1–10.

Yo las bendigo a todas ellas como te bendigo a ti y Mi Madre se une Conmigo en esta bendición para ti con toda la ternura de su Inmaculado Corazón.

Antes de partir, casi como una idea tardía, Nuestro Señor dijo:

No hay ninguna cosa en tu vida que escape a Mi atención.

Viernes 30 de mayo de 2008
Solemnidad del Sagrado Corazón de Jesús

En respuesta a lo que Nuestro Señor me pidió:

Oh, mi amado Jesús, vengo ante Tu Rostro Eucarístico y me acerco a Tu Corazón abierto en este el Sacramento de Tu Amor, para responder hoy a lo que Tú has pedido de mí. Con confianza en Tu bondad infinita y sin temer nada aparte del pecado y del peligro de la separación Tuya de mí, digo "sí" a todo lo que Tu Sagrado Corazón desea de mí. Quiero para mí solamente lo que Tú quieras para mí. Deseo lo que Tú quieras para mi vida y ninguna cosa más.

Haciendo uso de la libre voluntad que Tú me has dado, yo Te la doy a Ti, mi Dios Soberano y todopoderoso, la libertad para santificarme en cuerpo, mente y espíritu. Te permito, en esta fiesta de Tu Sagrado Corazón, modelarme y herirme dentro como una viviente representación de Ti mismo ante Tu Padre y en medio de Tu Iglesia. Hiéreme, para que pueda ser otro Tú mismo en el altar de Tu Sacrificio. Hiéreme con ese amor que es indescriptible en términos terrenales para sanar todas las heridas de mis pecados. Penetra mi alma con Tu luz divina. No permitas que ningún vestigio de oscuridad permanezca en mí.

Renuevo mi total consagración al Corazón de Tu Inmaculada Madre, puro y sin pecado, y espero de sus maternales manos todo lo que Tú quieras otorgarme. Te agradezco por el trabajo incomparable de Tu Madre en mi alma y en las almas de todos Tus sacerdotes. A través de ella, yo soy enteramente Tuyo.

Cumple todos los designios de Tu Sagrado Corazón sobre mi vida. La Gloria sea para Tu Corazón Eucarístico desde mi propio corazón y desde el corazón de cada sacerdote Tuyo. Amén.

Miércoles 11 de junio de 2008

Después de la Santa Misa.

Tú no necesitas temer. ¿No he sido fiel a Mis promesas? ¿No estoy haciendo para ti y a través de ti todo lo que dije que haría? Confía en Mí.

Búscame en el Sacramento de Mi amor tan frecuente como tú puedas. Yo te he escogido para ser, sobre todo y antes que todo, Mi sacerdote adorador. Tu lugar es cerca de Mi Corazón abierto. Tu lugar está ante Mi Rostro Eucarístico. Este es el año durante el cual empezaré a consumar todo lo que he preparado para ti desde el tiempo en que coloqué Mi Corazón sobre ti y te elegí para ser Mi sacerdote adorador, el amigo de Mi Sagrado Corazón, otro San Juan para Mí y para Mi Madre toda pura.

Te enseñaré como quedarte en Mi presencia: en silencio, en adoración, con confianza y haciendo reparación, primero que todo, por tus hermanos sacerdotes—y ellos son tantos—los que nunca persisten en Mi presencia. Te contaré otra vez que cuando instituí este Sacramento y Sacrificio de Mi Cuerpo y Sangre, tuve en mente, no solamente la renovación de Mi único Sacrificio a través de las edades y de las almas de todos a quienes nutriría con Mi Cuerpo y Sangre, pero también la necesidad de Mis sacerdotes de estar cerca de Mí y así pudieran encontrarme al alcance de sus manos y descubrieran en este Sacramento, el don de Mi amistad divina para ellos.

Te digo esto porque muchos sacerdotes han olvidado o no saben que los espero en el Sacramento de Mi amor. Los sacerdotes no son simples funcionarios para dispensar los Sacramentos; ellos son los amigos que elegí para ser la consolación de Mi Corazón Eucarístico a través de todas las edades.

Cada sacerdote es llamado a ser sacerdote adorador. Cada sacerdote es invitado a experimentar las horas más fructíferas de su ministerio en el resplandor de Mi Rostro Eucarístico. Por cada sacerdote, Mi Corazón permanece abierto, como un refugio listo para darle la bienvenida, en el Sacramento de Mi amor. Esto es parte del mensaje que te doy para Mis sacerdotes. Es el tiempo para que Mis sacerdotes retornen al Sacramento de Mi amistad divina para ellos y a través de ellos, para todos los creyentes. El Pentecostés sacerdotal del cual ya te he hablado empezará cuando los sacerdotes retornen a Mi presencia Eucarística, cuando ellos regresen al cenáculo donde los bendeciré con una intimidad santa, con Mi Sagrado Corazón y con una casta y fructífera unión entre ellos.

Esta es Mi palabra para ti hoy. Esté en paz. Confía en Mi amor por ti. Ve ahora a tu padre con el Sacramento de Mi Cuerpo y Sangre. Yo Me alegraré de ir contigo. Estoy siempre contigo.[1] Mi amor está alrededor tuyo en cada momento. Te bendigo y Mi más dulce Madre te bendice y abre sus manos maternales sobre ti y sobre tu padre y madre, con gracias que fluyen sobre ti, sobre ellos y para todos sus hijos.

---

[1] Mat 28:20.

IN SINU JESU

Jueves 12 de junio de 2008
En Connecticut

Es suficiente para Mí que estés aquí. Yo no te pido nada más. Es tu adoración y tu presencia amorosa lo que Mi Corazón quiere de ti. En esta forma tú Me consolarás y harás reparación por tanta frialdad, ingratitud e indiferencia. Yo estoy aquí para ti. Quédate aquí para Mí. Busca Mi Rostro Eucarístico. Conoce que Mi Corazón Eucarístico está abierto a recibirte, confortarte, fortalecerte y purificarte en la Sangre y en el Agua que siempre fluyen de Mi Costado traspasado.

Anhelo la adoración de Mis sacerdotes. Yo veo otros adoradores ante Mi Rostro y Me alegro en su presencia y los bendigo con toda la ternura de Mi Corazón Eucarístico. Pero busco a Mis sacerdotes. ¿Dónde están ellos? ¿Por qué no son los primeros que Me buscan en el Sacramento de Mi amor y son los últimos en dejarme en el cierre del día? Incluso en la noche espero por ellos. En las horas de la noche es posible tener una intimidad Conmigo que una persona no puede experimentar en otro tiempo. Yo espero por Mis sacerdotes. Espero por los amigos elegidos por Mi Sagrado Corazón y ungidos para continuar Mi sacerdocio Víctima en el mundo. Quiero que Mis sacerdotes vengan a Mí y Yo los atraeré, uno por uno, hacia el esplendor de Mi Rostro Eucarístico. Allí los restauraré, sanaré, los descansaré y les daré el más escogido de los regalos de Mi Corazón.

Tu parte es comenzar humildemente, silenciosamente, pero con una gran fidelidad. Yo te llamo para que vayas delante de tus hermanos, Mis sacerdotes y para abrir para ellos, un camino en el desierto que conduzca directamente al templo donde los espero, lleno de compasión y amor.[1] Tú, has tu parte y te prometo que haré la mía.

Confía todas las cosas, grandes y pequeñas a Mi Inmaculada Madre. Ella proveerá para ti como proveía para Juan, Mi amado discípulo, sacando de su Corazón las gracias reservadas allí para ti y para sus hijos sacerdotes. Vive tu consagración a Mi Madre en los prácticos detalles de tu vida. Permítele formarte e instruirte. Tú empezarás a experimentar la paz y la alegría del Espíritu Santo en una forma que tú nunca has conocido antes. Donde Mi Madre es bienvenida y se le permite hacer su trabajo, el Espíritu Santo es derramado con la más grande abundancia, gracias y carismas. Las cuáles fluyen del Espíritu Santo para la reconstrucción de la Iglesia.

Esto es suficiente por hoy. Agradéceme por Mi presencia aquí. Haz lo

[1] Éxod 23:20–26; Sal 77(78):52–54.

70

que te he pedido hacer. Sé fiel en todas las pequeñas cosas. Yo te bendeciré. Yo bendigo a tu padre, tu madre, tu hermano y a todos los que deseas colocar ante Mi Rostro Eucarístico. Mi Madre será tu Perpetuo Socorro. Yo he hecho de ella la Mediadora de Todas Mis Gracias. Ella es toda poderosa sobre Mi Corazón.[1] Ella también te bendice.

Jueves 17 de junio de 2008

Confía en Mí en todos los eventos de tu vida. Yo no te abandonaré. Tú eres Mío y no te abandonaré. Las decisiones de los hombres, todas están en Mis manos. Ninguna cosa te acontece que Yo no la permita. Yo te daré Mi gracia para aceptar las cambiantes circunstancias de tu vida. Soy Yo quien estoy detrás de todo lo que te sucede. Ninguna cosa escapa a Mi sabiduría; nada escapa a Mi amor, ni a Mi omnipotencia. Confía en Mí y esté en paz. Yo te bendigo con todo el amor de Mi Sagrado Corazón. No temas. Dime una otra y otra vez que confías en Mi amor misericordioso por ti.

Jueves 19 de junio de 2008

No me fue posible ir hoy ante el Santísimo Sacramento para Mi Hora Santa de adoración y reparación, entonces hice esto en casa.

Haría que te arrodilles ante tus hermanos sacerdotes para lavarles sus pies. Yo te haría ministrarles en sus debilidades, en sus quebrantamientos y en la vergüenza que también frecuentemente pesa sobre sus hombros, causándoles que se inclinen hacia las cosas terrenales. Haría que les hablaras palabras de consuelo. Aliéntalos, bendícelos, asístelos con los dones que he colocado en ti para el bien de ellos. No permitas que ningún sacerdote te deje sin recibir una palabra de consolación y una bendición. A través de ti les daré un nuevo corazón y un nuevo espíritu; es decir, Yo infundiré en ellos un deseo de santidad, un amor nuevo y fresco para Mí y para Mi Iglesia. Nada de esto será hecho por ti, Yo actuaré a través de ti.

Humíllate en Mi presencia. Dame tus pecados. Dime que tú confías en Mi amor misericordioso y Yo te haré el instrumento de Mi amor para

---

[1] Esta es *omnipotentia supplex,* la "omnipotencia de la intercesión," de la Madre de Dios hablada por muchas teologías Marianas (San Luis María de Montfort la mencionó, junto con otros, San Bernardo, Santa Bernardina y San Buenaventura: ver *Tratado de la Verdadera Devoción a la Santísima Virgen,* pt. 1, cap. 1, §2, n. 27). El papa Juan Pablo II usó esta frase en su audiencia general del 2 de mayo de 1979.

ellos. No desprecies a ninguno de ellos.[1] Mira en cada sacerdote Mis propios rasgos trazados en sus almas por el Espíritu Santo en el día de su ordenación. Expresa reverencia por tus hermanos sacerdotes. Evita la familiaridad que impediría Mi habilidad de trabajar a través de ti. Cuando un sacerdote está demasiado familiarizado en ministrar las almas, toma el lugar que Me pertenece a Mí y a ningún otro. Se hace a sí mismo el punto de atracción y roba Mi gloria para su propia satisfacción.

No lo hagas por comodidad personal o por la satisfacción de tus propias necesidades cuando sirves a Mis sacerdotes. Busca solamente Mi Rostro, Mi amor y Mi Corazón herido. Te daré una profunda reverencia por tus hermanos sacerdotes. Esto, tocará su vulnerabilidad en tal forma que les dará un sentido de su propia dignidad supernatural.

Consagra a cada sacerdote que viene a ti a Mi Inmaculada Madre. Permítele a ella usarte como ella trabajó en San Juan para desarrollar su ministerio a los demás Apóstoles y a la Iglesia primitiva. Continúa orando a Mi Madre por tus hermanos sacerdotes. Cuando cantas diariamente el *Ave Maris Stella* le agrada a Mi Madre y obtienes muchas gracias para los sacerdotes. Es ella la que te inspira a tomar esta oración cada día.

Yo acepto este tiempo de ti como si estuvieras en Mi presencia Eucarística. Mañana ven a Mí en el tabernáculo. Te esperan bendiciones en Mi presencia Sacramental. Yo te bendigo y te traigo a Mi Corazón herido. Sé el sacerdote de Mi Rostro Eucarístico y de Mi Corazón abierto, el cual está listo para recibir a todos los sacerdotes como en un refugio, un lugar de sanación, de descanso y misericordia sin límites.

Yo tuve algunas preguntas en mi corazón acerca de las amistades. Nuestro Señor respondió a ellas, diciendo:

Te daré los amigos, padres y hermanos que Yo he escogido para ti. Estos serán los amigos santificados en Mi Corazón. Los otros serán para ti como hijos. Tu amor por ellos será como el de un padre. Soy Yo quien infundiré esta paternidad espiritual dentro de ti y nunca te faltará.

Jueves 26 de junio de 2008

Yo le dije: "Oh mi amado y siempre misericordioso Jesús, yo Te adoro a Ti y Te ofrezco todo el amor y deseo de mi corazón. El deseo que Te ofrezco es el

---

[1] Mat 18:10; Sir 3:15, 8:6–9.

que Tú me has dado: el deseo por la santidad, que es, para la unión Contigo."

No es esto lo que Tú me has enseñado a orar, diciendo,

> *Oh, mi amado Jesús, úneme a Ti:*
> *mi corazón a Tu Corazón,*
> *mi alma a Tu Alma,*
> *todo lo que soy a todo lo Tú eres.*

Yo encuentro maravillo y asombroso que Tú—Dios de Dios, Luz de Luz, Dios verdadero de Dios verdadero—me llames a tal unión Contigo. Tú me has ofrecido el sublime don de Tu amistad divina, pero esta unión a la cual Tú me llamaste es alguna cosa más todavía. Es "todo lo que Tú eres en todo lo que yo soy." Es, lo que yo pienso como una clase de encarnación.[1] Es la comunicación de Tu divina filiación y de Tu sacerdocio entero para mí y para todas las partes de mi ser. Es la comunicación de todos los sentimientos de Tu Corazón Eucarístico a mi propio corazón.

La ordenación sacerdotal dispuso mi corazón para esta comunicación. El corazón de cada sacerdote está sacramentalmente dispuesto a recibir la inefable comunicación de todos los sentimientos de Tu Corazón Eucarístico. Algunos sacerdotes se ofrecen por si mismos a Ti para esto, pero no un gran número.

Es en la adoración de Tu Rostro Eucarístico que, poco a poco, los sentimientos, deseos y sufrimientos de Tu Corazón Eucarístico pasan dentro del corazón de Tu sacerdote adorador. Permíteme ser ese sacerdote adorador de Tu Rostro Eucarístico. Comunícame a mí todo lo que Tú tienes en Tu Corazón Eucarístico: Tu filial amor y adoración sacerdotal al Padre y Tu misericordioso amor por los pecadores, junto con Tu amor esponsal por la Iglesia.

Mi amado Jesús, yo Te pido darme la forma de vida que Tú más deseas para mí. Sí, Tú ya me has dado eso en muchas formas. Ayúdame a formularla clara y simplemente por el bien de los que luego quieran comprenderla.

En obediencia a Ti, yo confío todos los detalles materiales a Tu Inmaculada Madre, mi propia Madre del Perpetuo Socorro. Yo sé que ella es toda

---

[1] Como la beata Elizabeth de la Trinidad (18 de julio de 1880–9 de noviembre de 1906) escribió en su oración "Ô mon Dieu, Trinité que j'adore" (Oh mi Dios Trinidad que yo adoro) del 21 de noviembre de 1904: "O Feu consumant, Esprit d'amour, 'survenez en moi' afin qu'il se fasse en mon âme comme une incarnation du Verbe: que je Lui sois une humanité de surcroît en laquelle Il renouvelle tout son Mystère" (Oh Fuego Consumidor, Espíritu de amor, 'ven sobre mí' y crea en mi alma una clase de encarnación de la Palabra, que yo, pueda ser para Él otra humanidad en la cual Él pueda renovar Su misterio entero).

poderosa sobre los tesoros de Tu Sagrado Corazón. Sé que ella es la MINIS-
TRA GRATIARUM nombrada por el Padre. Sé también que ella es la agente
humana necesaria de los trabajos del Espíritu Santo en el mundo, en la
Iglesia y en las almas.[1] *Confió en ella absolutamente y en todas las cosas. Y*
Te pido me des una confianza sin límites como la de un niño para poder
confiar en la bondad de su Corazón misericordioso.

Nuestro Señor me dijo:

Continúa confiando en Mí en todas las cosas. No te abandonaré. Yo estoy
dirigiendo cada giro de los eventos y todas las circunstancias que marcan
este momento en tu vida: el comienzo de mi trabajo para la santificación
de Mis amados sacerdotes y para la revelación de Mi Rostro Eucarístico
y de Mi Corazón abierto oculto en el Sacramento de Mi amor.

Desde el principio—desde aquella noche en el Cenáculo cuando
entregué los misterios de Mi Cuerpo y Sangre, Mi Rostro y Mi Corazón
han estado presentes en la Santísima Eucaristía. Pero esto es una revelación verdadera en el sentido de que ahora deseo retirar el velo y para
hacer esto te usaré a ti. No hay ninguna cosa nueva en lo que Yo te estoy
diciendo, pero hay mucho que ha sido olvidado, desechado o incluso
rechazado por la dureza del corazón. Yo te usaré para quitar el velo
sobre lo que es, donde quiera que Yo esté sacramentalmente presente:
Mi Rostro brillando con el esplendor de Mi divinidad y Mi Corazón
traspasado, está eternamente abierto, siendo una fuente de misericordia
curativa y de inagotable vida para las almas.

Por ahora, esto es todo lo que Yo te diré. Mi Corazón habla a tu corazón. Es Mi alegría hablarte en esta forma. Confía en Mí en todas las
cosas. Esté en paz. Permíteme ahora bendecirte desde el tabernáculo
delante de ti, en el cual estoy escondido, pero vivo y estoy lleno de misericordia por todos los que aquí se acercan a Mí.

Jueves 3 de julio de 2008

Mi amado Jesús, Te agradezco por haberme llamado a vivir en adoración.
Te agradezco que me quieras, indigno soy, para quedarme ante Tu Rostro
Eucarístico y acercarme a Tu Corazón en el Sacramento de Tu amor.

Te ofrezco reparación, primero por todos mis propios pecados, demasia-
dos para ser contados y por todas aquellas ofensas por las cuales Yo he

---

[1] 'Necesario' no en la naturaleza de las cosas, pero por los designios y decretos de
Dios y porque es más apropiado así—una verdad que nosotros conocemos al reflexionar
sobre la escogencia de Dios de María como la inmaculada Theotokos, la nueva Eva y la
Madre del amado discípulo.

entristecido Tu muy amoroso Corazón y ofendí a las almas queridas por Ti y compradas con Tu más preciosa Sangre.

Tú me llamaste también a hacer reparación por todos los pecados de mis hermanos sacerdotes, pobres pecadores como yo, frecuentemente atrapados en las trampas del Maligno e insensibles a los deleites y a la paz que Tú más deseas darles en Tu presencia.

Te agradezco que me hayas escogido para hacer reparación por la frialdad, indiferencia, irreverencia y el aislamiento que recibes en el Sacramento de Tu amor.

A Tu presencia, permíteme ofrecer mi presencia,
a Tu Corazón traspasado, permíteme ofrecer mi corazón,
a Tu amistad divina, permíteme ofrecer todos los anhelos de mi alma
por Tu compañía, la cual supera todo amor terrenal
y satisface las más profundas necesidades.

Yo oro por el cenáculo que es Tu propio trabajo. En obediencia a Ti, yo lo confío a Tu Santísima Madre, confió que ella atenderá cada detalle, porque esa será su casa, el lugar elegido por su Doloroso e Inmaculado Corazón para dar la bienvenida a sus hijos sacerdotes, para sanarlos, para santificarlos, para remodelarlos a la imagen de tu amado discípulo, su hijo adoptivo, San Juan.

Yo renuncio a cada impulso mío por controlar el curso de los eventos y me coloco para efectuar este trabajo, en la herida de Tu Sagrado Costado, para ser purificado, ahí en el torrente de Sangre y Agua que fluye en cada momento desde el Corazón Eucarístico. Te pido me purifiques de los deseos de agradar, de ganar la aprobación, de solicitar afecto y de manipular las emociones de otros de tal manera que alimenten mi amor propio y anestesien mis inseguridades. Renuncio a cada deseo de buscar satisfacción personal en las relaciones que necesariamente estarán aparte de esta mi nueva vida. Te pido que me liberes de la posesividad, vanidad, miedo, lujuria y timidez.

Te ruego me mantengas puro, transparente, humilde y libre, con el fin de poder cumplir con integridad, desapego y alegría la paternidad espiritual a la cual Tú me has llamado. Pido además por la gracia para relacionarme con todos los que vendrán a mí como un hijo a un padre, como un hermano a un hermano. Te ruego que purifiques y fortalezcas cada unión de amistad en el fuego de Tu Corazón Eucarístico.

Rindo a Ti mi humanidad con sus heridas, sus quebrantos y sus cicatrices. Te doy mi pasado en su totalidad. Te ruego por la gracia de caminar en la novedad de la vida que sé que deseas para mí.

Y que todo esto pueda suceder de la manera más eficaz y fecunda.

Yo me abandono en las manos purísimas de Tu Madre, mi Madre, con todo lo que soy, todo lo que he sido y todo lo que Tú en la misericordia *infinita de Tu Corazón Eucarístico quisieras que sea para Ti; para Tu Cuerpo místico, Tu Esposa, la Iglesia; y para la gloria de Tu Padre. ¡Oh mi amado Jesús! Amén.*

Mira, tú oras de acuerdo con la inspiración que Yo te di a través de Mi Espíritu Santo. No hay mejor forma para orar. Quien escucha a Mi Corazón Eucarístico, orará correctamente. Su petición será escuchada por Mi Padre. Soy Yo el que te dice cómo orar.[1] Haré que conozcas aquellas cosas por las cuales quiero que Me pidas. Y te concederé las gracias que he causado que desees y por las cuales te he inspirado a orar. Esto es lo que Mi Apóstol quiso decir cuando escribió que "el Espíritu Santo viene a la ayuda de nuestras debilidades, por nosotros que no sabemos cómo orar como nosotros debemos."[2] El Espíritu Santo conoce todo lo que está en el Corazón de Mi Padre y conoce todos los deseos de Mi propio Sagrado Corazón para ti.[3]

Cuando tú oras, no hay necesidad de que te preocupes acerca de lo que dirás o por las cosas que debes pedir.[4] Es suficiente venir con humildad a Mi presencia y orar como Mi Espíritu Santo inspira orar. Cada oración siempre será fructífera. Cada oración siempre será eficaz porque ella no brota de ti, sino de Mí, no de lo que tú puedas desear, sino de lo que Yo deseo darte.

Todo esto lo expliqué a Mis Apóstoles en la noche antes de sufrir. Quise que ellos empezaran a orar con confianza, con audacia, con la seguridad de que les concedería las cosas por las cuales los incité a pedir. Así Mi Esposa, la Iglesia, ora en su Sagrada Liturgia. Tú haces bien amando la liturgia de Mi Iglesia. Es el trabajo del Espíritu Santo que hace uso de Sus instrumentos humanos para crear una oración agradable a Mi Padre y digna de Mi sacerdocio eterno. Entra humilde y de todo corazón a la liturgia de Mi Iglesia y enséñales a otros a hacer lo mismo.

Yo te he dado un don especial que permitirá que tú instruyas a otros en la oración de Mi Esposa, la Iglesia. Tú ayudarás a tus hermanos, sacerdotes y diáconos por igual, para que entren Conmigo dentro del santuario oculto más allá del velo donde permanezco de pie como eterno Sacerdote ante la gloria de Mi Padre, con Mi Rostro transfigurado y todo glorioso con el brillo del Espíritu Santo.[5] Enseña a las almas a entrar

[1] Luc 11:1–4.
[2] Rom 8:26.
[3] 1 Cor 2:9–16.
[4] Mat 6:7–8, 10:19; Mar 13:11; Luc 12:11; Rom 8:26.
[5] Heb 6:19–20, 9:24, 10:19–21; Fil 2:11; 1 Pe 4:14, 5:10; Jn 1:14, 17:24; 2 Cor 4:6; 2 Pe 1:17; Mat 17:2; Mar 9:1.

Conmigo dentro de la incesante liturgia del Cielo y dentro de la escondida liturgia de cada tabernáculo donde estoy presente y activo como eterna Víctima y Sumo Sacerdote.

Cuando vengas a adorarme, permíteme unirte a Mi sacerdocio Víctima. Permíteme orar en ti. Presenta tu corazón a Mí como un incensario hecho para el dulce incienso de Mi oración al Padre.

Estoy trabajando y continuaré trabajando en este cenáculo que es todo Mi trabajo y todo Mi deseo. Resiste la tentación por controlar las personas y cosas. Continuamente coloca todas las cosas y cada persona envuelta en este trabajo en las manos de Mi Inmaculada Madre. Sé libre y esté en paz. Este es Mi trabajo y Yo lo haré. Te bendigo desde Mi tabernáculo y Mi Inmaculada Madre te bendice y cubre con el manto de su protección. Ahora, dame las gracias.

Jueves 10 de julio de 2008

Escúchame.

Esta será tu vida: una vigilia de adoración ante Mi Rostro Eucarístico. No dejes que algo te distraiga, esto es lo único necesario. Mide el valor de todas las otras cosas frente a esta única cosa para lo cual Yo te he llamado y apartado.[1] No te pido que te comprometas en multitudes de trabajos, te pido que te comprometas en un incesante intercambio de amor con Mi Corazón abierto presente y esperando por ti en cada momento en el Sacramento de Mi amor. Te pedirán [otras personas] que aceptes otros trabajos y gastes tu tiempo en otras cosas, pero esta no es la manera que he escogido para ti. Te quiero solo para Mí.

Viéndote ante Mi Rostro Eucarístico, veré en ti a todos tus hermanos sacerdotes y diáconos, los que tu representas ante Mí. Te hablaré de Corazón a corazón justo como estoy haciéndolo ahora y te daré las palabras que quiero les des a ellos cuando te lo pidan.[2] Te he colocado aparte como un recipiente para ser llenado con las insondables gracias de Mi Amistad divina.[3] Mantente quieto y abierto en Mi presencia.[4] Recibe todo aquello que quiero verter dentro de ti y permite que Mis gracias rebosen en ti para que puedan alcanzar a las almas de los que representas ante Mi Rostro Eucarístico.

Cuando vienes ante Mí, prepárate para escuchar Mi voz. Permite que Mis palabras tomen efecto en ti, Mis palabras te santificarán, como las

---

[1] Luc 10:42; Mat 13:46; 1 Cró 23:13; Hech 13:2; Gál 1:15.
[2] Mar 13:11; Núm 22:38; Jdt 9:18; 2 Cor 2:17.
[3] Hech 9:15; 2 Tim 2:21.
[4] Sal 80:11 (81:10); Sal 36(37):7; Sal 45:11 (46:10).

recibas y te unirán a Mí. Deja a un lado todo lo demás en el tiempo de tu adoración. Háblame como Yo te hablo y acepta Mis palabras con gratitud y humildad.

Te estoy hablando de esta manera porque has caído tan bajo. El pecado te ha humillado y ahora Mis gracias descienden para elevarte, a la unión Conmigo. Tú experimentarás la atracción de Mi Corazón Eucarístico de Corazón a corazón. No te resistas a Mí. Permíteme atraerte a través de la herida de Mi Costado a la comunión de amor con Mi Corazón. Quiero que tú estés Conmigo donde Yo estoy, oculto en el santuario, más allá del velo de Mi carne donde adoro a Mi Padre en la dulzura del Espíritu Santo y estoy delante de ÉL como Su eterno Sacerdote. Mi deseo es invitar a todos Mis sacerdotes a este ejercicio eterno de Mi sacerdocio aquí en el Sacramento de Mi presencia real, como en el santuario del Cielo donde estoy viviendo y haciendo intercesión por ustedes.

Yo te marqué con Mis propias heridas. Mis heridas, ahora gloriosas, son la autenticación de tu sacerdocio. Cada sacerdote Mío es llamado a cargar en su propia persona la imprenta mística de Mis heridas, para ellos es la gloria de Mi eterno sacerdocio.

No dudes de Mis palabras. Yo estoy contigo y Mi trabajo está cerca de desarrollarse en una forma maravillosa. Dame cada preocupación y cuidado. Confía cada cuidado envuelto en la construcción de Mi cenáculo a las manos de Mi Purísima Madre. Yo he encargado a ella todos los detalles de este trabajo. Yo quiero que estés libre, libre de preocupaciones y ansiedades, libre para responder a Mi amor por ti con amor alegre y sereno.

Habrá obstáculos, pero los verás derretirse como el hielo en la luz del sol de Mi amor misericordioso. No persistas sobre los obstáculos y dificultades, en su lugar ríndelos a Mí tal como ellos aparecen. Entre más tiempo los sostengas, buscando resolverlos tú mismo, más complicados y difíciles de resolver llegarán a ser. Desarrolla el hábito de darme cada obstáculo en tu camino. Soy todo amor, toda misericordia y todopoderoso y este es Mi propio trabajo. Tú estás para ser Mi instrumento. Te pido solamente tomar tu lugar fiel y pacíficamente ante Mi Rostro Eucarístico. Yo haré todo el resto. Cree en Mis promesas y avanza lleno de acción de gracias y esperanzas.

Te enseñaré todo lo que necesitas saber conforme vayas avanzando. No te daré Mis palabras antes de tiempo, pero te las daré conforme las necesites, en el momento elegido por Mi Providencia amorosa. Renuncia al deseo de controlar y arreglar las cosas por adelantado al tiempo que tengo decretado. Cada cosa tiene su propio momento y cada momento solo y no otro, trae las gracias suficientes para fortalecer la necesidad de tu debilidad y para desarrollar la tarea en mano. Yo estoy procediendo de esta manera contigo porque quiero que confíes completamente en Mí, confía en Mí en todas las cosas pequeñas.

Cuando sientas ansiedad o miedo, vuelve a Mi Inmaculada Madre, la Mediadora de Todas las Gracias y tu Madre del Perpetuo Socorro. Es suficiente llamarla por su suave nombre. Ella comprenderá y hará lo que sea necesario para que Mi trabajo salga adelante.

Otra vez te doy a San Benito para ser un padre y un maestro para ti. Está intercediendo por ti incluso ahora. El enlace que te une a él es uno que Yo cree y te conducirá a la eternidad. Llevaré la luz a tu comprensión y, cuando el tiempo venga, descubrirás nuevas luces en la *Regla* de San Benito, y estas las compartirás con los que te enviaré. Por ahora, confía en la intercesión de San Benito. Quien es un poderoso aliado contra las trampas del Maligno. Haces bien en llevar su medalla, porque aleja al Maligno y te protege de sus ataques.

Entra a esta fiesta de San Benito con humildad y con gratitud. No te abandonaré. Estoy haciendo todo lo que te prometí. Confía en mi amor misericordioso. Acude con frecuencia a Mi Santísima Madre. Ven ante Mi Rostro en el Sacramento de Mi amor; este será tu lugar de descanso, y Mi Corazón Eucarístico será el lugar de anclaje de tu alma.[1]

Yo te bendigo ahora con una poderosa bendición que renovará en tu alma la gracia de tu sacerdocio. Mi Madre te bendice y mantiene debajo de la protección de su manto.

Jueves 17 de julio de 2008

Tú haces bien al darme todas las cosas. Una vez que Me has dado una cosa, déjala Conmigo y quiero que sepas que dispondré de eso para la más grande gloria de Mi Padre y para la salvación de tu alma y de las almas de muchos otros. Quiero que vivas en una libertad interior nacida de la confianza en Mi misericordia amorosa. Nunca te abandonaré. He colocado Mi Corazón en el tuyo. Ámame y muestra tu amor por Mí, dándome todas las cosas. Ninguna cosa es demasiado pequeña para Mí ni demasiado grande.

Vive en la gracia de Mi amistad divina. Consúltame cuando tú quieras acerca de cualquier cosa, en todo. Yo tomaré un interés vivo en todo lo que toques. Tú eres la niña de Mis ojos.[2] Mía es tu protección, te escudaré de todo daño, te protegeré de todos los peligros de cuerpo y alma, día y noche.

---

[1] 2 Cró 6:41; Sal 131(132):8; Heb 6:19.
[2] Deut 32:10; Sal 16:8 (17:7); Zac 2:8.

Todos estos asuntos que Me has dado se resolverán en su debido tiempo, y estarás lleno de acción de gracias y con alegría. Será evidente para ti y para muchos otros que he intervenido y actuado para protegerte y prosperar el trabajo de Mi propio Corazón Eucarístico.

El indulto que llegó ayer en la fiesta de Mi Inmaculada Madre, la Reina del Carmelo, fue un signo de que ella te ha acogido como su hijo sacerdote y ha protegido este trabajo de adoración en su propio Corazón. Ella es quien intervino para salvarte de una vida de pecado e infelicidad, intervendrá una y otra vez para santificarte y para hacer realidad lo que Yo pretendo hacer.

Tú hiciste bien en decirle a N. que se consagrará a Mi Inmaculada Madre. Él necesita hacer esto para escapar del dolor y el cansancio que le aquejan. Dile que se confíe sin miedo al Corazón de Mi Inmaculada Madre. Ella intervendrá en su vida y él recobrará su alegría y el fervor de su primer amor a través de ella.

Yo te bendigo ahora y a los que tú has colocado ante Mi Rostro Eucarístico. Mi Madre también extiende sus manos, recibe las gracias que caen desde ellas en abundancia. No permitas que una de ellas se pierda. Ella ha escogido esas gracias para ti, su amado hijo sacerdote. Ella te hará otro Juan para su Doloroso e Inmaculado Corazón. Abre tu alma a los dones y gracias que quiere prodigar para ti. Y agradéceme y alábame, Yo te amo con un amor eterno.

Más temprano en el día, yo escuché a Nuestro Señor decirme:

Dame sacerdotes adoradores.

A las 10 en punto de la noche, después de celebrar una Votiva Misa de Cristo, el Sumo Sacerdote Eterno:

Yo te estoy hablando. Toma nota de lo que tengo que decirte. Los jueves en las noches quiero Mi cenáculo abierto para todos Mis sacerdotes y diáconos. Empieza con las Vísperas. Entonces, ofrece tiempo para las confesiones. Confiesen sus pecados el uno al otro. Sean el uno al otro los ministros de Mi perdón y los canales de Mi misericordia. La Santa Misa seguirá, en el fin de la Misa deseo que expongas Mi Cuerpo, así, todos pueden permanecer en adoración ante Mi Rostro Eucarístico. Lee unos pocos versos de Mi discurso final en el cenáculo. Después de una hora de adoración, compartan una simple comida juntos.

Yo bendeciré estas reuniones de los jueves en la noche que compartirán. Yo estaré siempre en medio de ustedes para instruir, sanar, consolar y restaurar. Esto será parte integral para el trabajo que te estoy pidiendo. Empieza con un pequeño grupo. Que las invitaciones salgan avanzando de boca en boca. Yo haré todo el resto.

Mi Madre estará presente. Ella está siempre atenta a las necesidades de sus hijos sacerdotes. Todos los recursos de su Inmaculado Corazón son tuyos, llámala con confianza. Confía todas las cosas a su cuidado. Ella es la Madre y la Reina de Mi cenáculo.

Esta será una escuela de oración para Mis sacerdotes. Yo te daré la gracia de tocar corazones. Tu parte es permanecer simple, puro, humilde, confiable, misericordioso y amable. Y ora mucho. Quédate ante Mi Rostro Eucarístico y allí te enseñaré los secretos de Mi Corazón sacerdotal, secretos ambos dolorosos y gloriosos.

¡Dame sacerdotes adoradores! Sí, fui Yo quien te dijo eso. Tú empezarás a darme sacerdotes adoradores en estas noches de los jueves en el cenáculo. Tú verás que Yo lo haré. Y cantarás himnos de acción de gracias y alabanzas a Mi Corazón más amoroso.

Jueves 24 de julio de 2008
San Charbel Makhlouf

No cedas a los sentimientos de desaliento. Ellos te causan centrarte aún más en ti y en tus limitaciones. Más bien, mírame. Busca Mi Rostro y confía en el fiel amor de Mi Corazón por ti. Yo te elegí para este trabajo, conociendo completamente bien tu historia y tu incapacidad para perseverar en la búsqueda de un ideal. Nada de esto Me importa. Lo que Te pido es que confíes en Mi amor misericordioso. Tú encontrarás la fuente de Mi amor misericordioso en Mi Corazón Eucarístico. Quiero que vivas una vida plenamente Eucarística, así que haré para ti todo lo que deseo ver en ti. De esta manera te libraré de la parálisis de tus insuficiencias y te haré un signo de Mi gracia triunfante.

Continúa diciéndome que confías en Mi amor misericordioso por ti. Permite que la pequeña invocación[1] habite en tu corazón como un suave murmullo de día y de noche. Mi Corazón Se conmueve por cada expresión de confianza en Mi amor misericordioso.

Tan pronto como todas las cosas te causen ansiedad o miedo, dámelas a Mí. Presenta todas tus preocupaciones a Mi Inmaculada Madre. Ella es tu Madre y no hay nada que ella no haga por ti, te llevaré a la santidad y a glorificarme en el Sacramento de Mi amor. Continúa pidiendo por ayuda de los santos los cuales Yo te he dado como amigos y compañeros

---

[1] Es decir, la invocación de la Madre Yvonne-Aimée de Jésus: "Oh Jesús, Rey de Amor, yo pongo mi confianza en Tu bondad misericordiosa."

en la jornada. No temas acerca del mañana. Confía en Mí en todas las cosas grandes y pequeñas.

Celebra Mi Santo Sacrificio esta noche con un corazón tranquilo, te he hecho Mi sacerdote para toda la eternidad. Con cada Santa Misa, entras más profundamente en Mis designios para ti. Ahora agradéceme, adórame y espera por Mi bendición y la de Mi Madre Purísima.

Jueves 31 de julio de 2008
San Ignacio de Loyola

Yo quiero que vayas a la confesión semanalmente. Esto es necesario para la salud de tu alma e incluso de tu cuerpo. Experimentarás los beneficios de Mi perdón misericordioso y el poder salvador de Mi preciosa Sangre. Prepara tu confesión bien. Escucha la voz del Espíritu Santo y arrepiéntete de los pecados que Él te mostrará. El trabajo al cual te he llamado requiere una gran delicadeza de conciencia y una pureza intransigente de corazón.

Muchos de Mis sacerdotes han caído en la indiferencia y dureza de corazón porque ellos fallan en aprovechar este Sacramento de Mi misericordia. ¡Si solo ellos vinieran frecuentemente a Mí con sus pecados, Yo sería capaz de trabajar milagros de sanación y de santidad en sus almas!

Mis sacerdotes deben ser los primeros en buscarme en el Sacramento de la Reconciliación. Deseo que sean los primeros en correr hacia Mí, tan pronto como experimenten punzadas de una inquieta conciencia y el lamento de sus debilidades pecaminosas. El servicio más grande que Mis sacerdotes pueden ofrecerse uno al otro es la preparación para escuchar las confesiones de uno hacia el otro y pronunciar sobre el otro las palabras sanadoras de la absolución. En esta forma, llevarán el ejemplo que les di cuando hice la Última Cena. Yo lavé los pies de Mis discípulos.[1] La confesión frecuente, es la confesión semanal, más que nunca, *necesaria* en Mis sacerdotes.

Jueves 7 de agosto de 2008

Tú, Mi sacerdote adorador, vivirás en silencio y humildad, atento al sonido de Mi voz y obediente a todo lo que te diga. Sométete al discernimiento de los que Yo he colocado sobre ti y en todas las cosas prefiere la mente y los sentimientos de la Iglesia a tus propios pensamientos y atracciones.

---

[1] Jn 13:1–15.

El trabajo para el cual te he apartado, en Mi infinita misericordia y amor por los hombres que Yo he elegido, requiere de ti humildad de corazón que nace del autoconocimiento, confianza sin límites en Mi divina misericordia, confianza en Mi amistad divina y al servir a tus hermanos, debes tener, una transparente pureza de intención, serenidad y benignidad. Estas virtudes te las daré a través de tu consagración al Inmaculado Corazón de Mi Madre, la Bendita y siempre Virgen María.

Tú ordenarás tus días alrededor de las tres horas que te pido que consagres para hacer vigilia delante de Mi Rostro Eucarístico. Me ofrecerás la ronda diaria de alabanzas que San Benito llamada la obra de Dios.[1] Y harás del Santo Sacrificio de la Misa el sol de tu existencia, para que te ilumine cada día con su esplendor e impregne tu vida con la calidez del Espíritu Santo.

Te dirigirás a Mi Inmaculada Madre, la Abogada de los sacerdotes y la Mediadora de Todas las Gracias, para ofrecerle cada día el humilde homenaje de su Rosario y cantarle el *Ave Maris Stella* por todo el clérigo de Mi Iglesia.

Cada semana tú revivirás Mi misterio pascual pasando Conmigo al Padre.

Las noches de los jueves tú ofrecerás el Santo Sacrificio y vigilia en adoración ante Mi Rostro Eucarístico. Cada jueves meditarás Mi discurso final en los Evangelios de Juan, capítulos del 13 hasta el 17. Así tu conmemorarás los dones y misterios del cenáculo: el Sacramento de Mi Cuerpo y Sangre y el de las Órdenes Sagradas. Tú compartirás, cuando sea posible, los jueves en el cenáculo con tus hermanos en el sacerdocio.

Los viernes, tú Me ofrecerás un acto adecuado de penitencia en reparación por tus pecados y por los pecados de todos Mis sacerdotes. Yo te buscaré desde Mi Cruz. Yo quiero encontrarte allí en el Calvario con Mi dolorosa Madre y con Juan, Mi amado discípulo. Cada viernes toma dentro de tu corazón, como si fuera la primera vez, las palabras que Yo pronuncié desde la Cruz. Contempla Mi Costado traspasado por la lanza del soldado; entra al santuario de Mi Corazón abierto y adora Mi preciosa Sangre. Recibe el derramamiento de Mi Espíritu Santo y

---

[1] La frase del *opus Dei*, referida al "trabajo" comunal de ofrecer el sacrificio de la alabanza a Dios en la Sagrada Liturgia, aparece varias veces en *La Santa Regla*: Ver capítulos 7 (duodécimo grado de humildad), 19, 22, 43 (donde San Benito famosamente escribió: "Que nada se ponga delante de la obra de Dios"), 44, 47, 50, 52, 58, 67. Por supuesto, otros capítulos profundizan dentro de aspectos del Divino Oficio, el cual, junto con la Misa, forman la sustancia del *opus Dei*.

retírate dentro del silencio y meditación, como lo hizo Juan con María, Mi Madre, cuando todo fue cumplido.

El sábado es el día que, por un especial título, pertenece a Mi Madre en su soledad y esperanza. Tú vivirás todos los sábados en su compañía, celebrando cuando sea posible su Misa y el Oficio Divino en su honor[1] y ofreciéndole una muestra especial de afecto filial.

El domingo es el día de Mi santa y gloriosa resurrección. Yo abriré tus ojos a la visión de Mi Padre y te atraeré Conmigo dentro de Su abrazo. Los domingos ten en cuenta las labores de tus hermanos en el sagrado ministerio. Búscales un refrescamiento espiritual y energía en Mi presencia Eucarística. El domingo en la noche hasta el lunes, tú harás bien en recordar el derramamiento del Espíritu Santo, porque es el tercer don y misterio del cenáculo.[2]

El tiempo que queda después de la oración, te dedicarás al trabajo de servir a tus hermanos, a descansar y a las necesidades ordinarias de la vida, confiando en Mí siempre para proveerte con todo lo que es necesario. Así tú evitarás el reproche dirigido a Marta cuando Yo le dije, "Tú estás ocupada con muchas cosas, pero una sola cosa es necesaria."[3]

Tú te levantarás y retirarás en un tiempo fijo, cuando se te autorice a hacerlo, puedes venir delante de Mi Rostro Eucarístico para adorarme en las horas de la noche.

Será suficiente en el comienzo seguir estas pequeñas reglas que Yo te he dado. Encontrarás todo el resto en la *Regla* de San Benito, tu padre y en los escritos de los santos a quienes te he confiado junto con este trabajo Mío. Yo te mantendré según Mi promesa y vivirás, y no te decepcionarás en tu esperanza.[4]

Entonces más tarde:

Yo te he consagrado como sacerdote adorador de Mi Rostro Eucarístico.

Domingo 24 de agosto de 2008

Tengo mucho que decirte. ¿Por qué dudas? ¿Por qué no coges tu lapicero

---

[1] Una antigua costumbre se refleja tanto en el *Misal Romano* como en el *Antiphonale Monasticum* utilizado por los benedictinos.

[2] Los primeros dos regalos mencionados arriba son: "el Sacramento de Mi Cuerpo y Sangre, y de las Órdenes Sagradas."

[3] Luc 10:41–42.

[4] Véase Sal 118(119):116, el cual es el verso que dijo un monje cuando ejercía su profesión: "Me mantendré de acuerdo a Tu palabra y yo viviré y no me dejaré confundir en mi expectativa."

y escribes las palabras de Mi Corazón al tuyo? Te soy fiel. No te abandonaré, no, ni Me retractaré de ninguna de las cosas que te he prometido.[1] Mira, el tiempo de su cumplimiento ya ha comenzado, justo como Yo dije que lo haría. Pronto, muy pronto, nosotros viviremos juntos bajo un mismo techo y Mi Rostro Eucarístico será la alegría y la luz de tu existencia.

Te he dado a este obispo. Él entiende Mi llamado para ti, él permitirá que los deseos de Mi Corazón Eucarístico sean realizados y acelerará su realización. Muéstrale, respeto y gratitud. Yo lo escogí para ti y este es el lugar que te he preparado.

Mi Santísima Madre te acompaña, ella te proveerá para todas las necesidades. Ella es, en verdad, tu propia Madre del Perpetuo Socorro. Es tu Abogada y la Abogada de cada sacerdote sin importar las circunstancias de su vida.

Sé fiel a todo lo que te pido. Confía en Mí para hacer por ti y en ti aquellas cosas que, por ti mismo, no puedes hacer.[2] Te daré fuerza y energía, no solamente para tu alma, sino también para tu cuerpo. Así, serás capaz de corresponder activamente a Mis designios sobre tu vida.

Ahora te bendigo. Hago que la luz de Mi Rostro Eucarístico brille sobre ti. Mi Inmaculada Madre también abre sus manos sobre ti. Una lluvia de gracias cae desde ellas dentro de tu alma y sobre los que tú recomiendas a su Corazón misericordioso.

Lunes 25 de agosto de 2008

Que sea su primer cuidado encontrar el reino de Dios.
MATEO 6:33

El reino de Dios está presente en toda su plenitud, aunque de manera oculta, en el Santísimo Sacramento del Altar. El que busca Mi presencia Eucarística, está buscando el reino de Dios. El que se acerca a Mí en el Sacramento de Mi amor, encontrará el Reino y ahí hallará todo lo que desee de acuerdo con Mi Espíritu.

Ven primero a Mí en el Sacramento de Mi amor. Permite que esto llegue a ser un instinto supernatural de tu alma, siempre ven a Mí, siempre a buscar Mi Rostro Eucarístico.

Tú hiciste bien al venir a Mi presencia esta noche. Esta será la primera de muchas noches que pasemos juntos. Empezarás a probar la dulzura de Mi compañía y tú te abrirás cada vez más al don de Mi amistad divina.

---

[1] Deut 34:12; Heb 13:5.
[2] Efes 3:20; Jer 1:6–7; Jn 3:27, 15:5.

La adoración debería llegar a ser una necesidad de tu alma, justo como un alimento, una bebida y el descanso son necesarios para tu cuerpo. Ven a Mí frecuentemente y quédate en la luz de Mi Rostro Eucarístico, que pueda santificarte y hacer en ti todo lo que deseo encontrar en ti. Ven a Mí por el bien de tus hermanos sacerdotes que huyen de Mi presencia tan pronto como ellos han llevado a cabo sus deberes sacramentales. Quiero que todos Mis sacerdotes descubran la suavidad de permanecer delante de Mi Rostro Eucarístico. Quiero atraerlos a Mi Corazón abierto.

Permite que este trabajo Mío inicie contigo. La próxima generación de sacerdotes será enteramente Eucarística. Habrá entre ellos muchos adoradores de Mi Rostro Eucarístico, muchos consoladores de Mi Corazón Eucarístico. Ellos habrán sido educados en intimidad Conmigo por Mi Virgen Madre y Juan, Mi discípulo virgen.

Yo también deseo un sacerdocio transformado por los misterios de Mi Cuerpo y Sangre, un sacerdocio purificado en Mi preciosa Sangre y santificado en la luz de Mi Rostro Eucarístico. Ofréceme tu adoración con frecuencia, de esta forma, este deseo Mío encontrará una respuesta en los corazones de Mis sacerdotes.

Jueves 17 de octubre de 2008
Santa Margarita María Alacoque

Permíteme hablar palabras de paz a tu alma. Confía en Mí en todas las cosas. Confía que no te abandonaré ni te quitaré Mi amistad. Mi deseo es sostener una conversación contigo, hablarte como frecuentemente he dicho, de Corazón a corazón, como un hombre conversa con su mejor amigo. ¿Por qué dudas? Cree en Mi amistad por ti. Es Mi regalo para ti, y no retiraré lo que te he dado, el amor de Mi Corazón.

Este es el problema subyacente de muchas almas, especialmente de tantos de Mis sacerdotes. Ellos dejan que la duda se arraigue. La duda es el extremo estrecho de la cuña que les separa de Mí. Yo no me refiero a la duda de Mis enseñanzas o a las de Mi Iglesia, es otra duda, una que es más fundamental: la duda de Mi amor personal para el alma sobre quien he colocado Mi Corazón. Muchos comienzan a pensar, "Él no puede posiblemente amarme en esta forma o tomar un real interés en Mí"—y entonces empiezan a retirarse de Mi amistad, a huir de Mi presencia y a saludarme solamente desde una distancia como uno haría con un conocido que está de paso.

Tú nunca deberías permitir que esto suceda. Conoce que Mi Corazón está colocado sobre ti con un amor tierno y duradero, que te miro en todo momento con toda la delicadeza de Mi amistad divina y con una misericordia inagotable.[1] Responde a Mi amor por ti, viniendo a Mí tan frecuente como puedas, pero quédate en Mi presencia, para buscar Mi Rostro, para descansar sobre Mi Corazón Eucarístico. Por esto Me he hecho tan cercano en el Sacramento de Mi amor, el Sacramento de Mi amistad divina para ti y para todos Mis sacerdotes.

Mi Inmaculada Madre siente lo mismo hacia ti. Ella también sigue tu día a día. Todas las cosas que tú haces y dices interesan a su Corazón maternal. Ella también está lista para conversar contigo. Solamente tienes que acercarte a ella como un hijo confiado, acercándose a la más amorosa de las Madres.

El diálogo Conmigo, con Mi Santísima Madre y con Mis santos pertenece, incluso en este mundo pasajero, a aquellos cuyos corazones ya están allí donde se encuentran las verdaderas alegrías.[2] Por ahora, estas alegrías son tuyas en Mi presencia Eucarística. El Sacramento de Mi amor es tu Cielo sobre la Tierra. Llega a ser el adorador que quiero que seas y verás el Cielo abierto dentro de tu alma, allí te alegrarás conversando Conmigo, con Mi Madre y con Mis santos y ángeles. Este es el remedio para cada soledad y el secreto de una alegría celestial mientras todavía estas sobre esta Tierra.

Domingo 19 de octubre de 2008
San Pablo de la Cruz

Hiciste una cosa correcta viniendo a Mí con tus sentimientos de soledad. Yo estoy aquí para ti y tú, estás aquí para Mí, solamente para Mí y no para otros. ¿Tú piensas que no honraré el sacrificio que tú haces en venir a vivir cerca, Conmigo y estar aquí para Mí durante el día o la noche?

Comprende solo un poco el dolor de Mi Corazón Eucarístico que está completamente abandonado en incontables tabernáculos en todo el mundo. ¿Por qué multiplico Mi gloriosa presencia en tan real y milagrosa manera, sino para estar cerca de las almas a quienes amo con una pasión ardiente y con una ternura consumada? Yo soy abandonado, Me han dejado solo. Frecuentemente soy olvidado de una semana a la siguiente o peor aún, soy tratado como una cosa, como una mercancía mantenida en reserva en caso de necesidad. Esta no fue Mi intención al instituir este Sacramento de Mi amor redentor.

---

[1] Jer 31:3; Is 54:8.

[2] Véase la Colecta por el Cuarto Domingo después de Pascua: "Oh Dios, que haces que las mentes de los fieles sean de una voluntad, concede a Tu pueblo que ame lo que ordenas y desee lo que prometes, para que entre las cosas cambiantes de este mundo se puedan arreglar nuestros corazones, donde se encuentran las verdaderas alegrías."

Mi intención fue triple.[1] Fue primero perpetuar Mi único Sacrificio a través de todas las edades e incluso hasta el fin de la era. Segundo fue nutrir almas con Mi Cuerpo y Mi Sangre para su sanación, su santificación, su unión Conmigo y con los miembros de Mi Cuerpo místico, para Mi retorno en Gloria cuando todo será uno en Mí y Yo estaré en ellos y el Sacrificio de nuestra alabanza al Padre en el Espíritu Santo será interminable. Pero tuve una tercera razón, esta fue ofrecer a las almas— y especialmente a Mis sacerdotes—la compañía, luz y la calidez de MI REAL PRESENCIA. Fue para estar presente de tal manera que tomaran Mis delicias mientras estoy en conversación con los hijos de los hombres. Fue para extender las gracias de Mi Encarnación y la vida terrenal a *todos* Mis discípulos, a Mis amigos elegidos, hasta el fin de los tiempos.

Mucho de lo que sostuve en Mi Corazón cuando instituí este Sacramento ahora ha sido olvidado, oscurecido o deliberadamente contradicho. Esto es lo que causa el dolor de Mi Corazón Eucarístico. Por eso recurrí a ti y te pedí darme tu vida, el resto de tu vida, en adoración y reparación. Yo quiero la libre respuesta de tu amorosa adoración a Mi amor Eucarístico.

¿Por qué piensas que te he hablado tan frecuente de Mi Rostro Eucarístico? Es porque "rostro" significa "presencia." La devoción a Mi Rostro Eucarístico es el remedio a la pérdida de la fe en Mi real presencia que ha sido barrida a través de Mi Iglesia en cada nivel, extinguiéndose el fuego de la caridad Eucarística y causando aún que Mis elegidos, Mis sacerdotes, crezcan fríos y distantes de Mí.[2]

Esta es Mi palabra para ti esta noche y por eso te traje a este lugar. Cualquier soledad que puedas sentir es una invitación a buscarme en el Sacramento de Mi amistad divina y a consolar Mi Corazón Eucarístico.

Sábado 25 de octubre de 2008

Dame a N. y Yo tomaré cuidado de él, justo como he tomado cuidado de ti y en Mi amor misericordioso proveeré todas sus necesidades. Él también ha sido preparado por medio de sufrimientos para esta vida de adoración y reparación y ahora lo iniciaré en una nueva vida como Mi querido amigo de Mi Sagrado Corazón y el amado hijo de Mi Inmaculada Madre. Así que tú, sé un padre para él. Empieza a vivir la pater-

---

[1] Concerniente a esta triple intención, Véase Mat 26:26–28, 28:20; Mar 14:22–24; Luc 22:19–20, 24:35; Jn 6:51–58; Hech 2:42; 1 Cor 10:16–21, 11:23–26; Efes 1:3–23, 5: 2; Heb 9:26, 10:12, 13:15; Prov 8:30–36.

[2] Mat 24:7.

nidad fuerte y tierna que es Mi regalo para ti y es parte de lo que está por venir.

Habrá dificultades, pero no tienes nada que temer. Esto es el trabajo de Mi Corazón Eucarístico, es el trabajo por medio del cual Yo santificaré y sanaré a Mis sacerdotes para atraerlos a la luz de Mi Rostro Eucarístico.

Si tuvieras una confianza más grande en Mí, Yo te enseñaría más y te hablaría como lo prometí, Corazón a corazón, revelándote los misterios que he reservado para Mis amigos, los que caminan en el camino trazado para ellos por Juan, Mi amado discípulo. Aprende a esperar más de Mí y Yo te daré más. No coloques límites sobre Mi amor misericordioso y descubrirás que no tiene límites.

Confía en Mí en todas las cosas, incluso en las más insignificantes. Yo soy como una Madre para las almas que creen en Mi amor misericordioso, cualquier cosa que las toque, Me toca a Mí.[1] Si solamente Mis sacerdotes conocieran esto por experiencia personal; ante esa experiencia se sentirán obligados a predicarla y entonces muchas almas descubrirán a través de ellos cuán profunda y vasta es la ternura de Mi Sagrado Corazón para los que confían en Mi amor misericordioso.

Tú no puedes ver desde donde estás ahora en esta vida, el poder y el valor de los sufrimientos cuando son unidos a los Míos propios. Cualquier cosa dada a Mí, cualquier cosa colocada en Mis manos sacerdotales, la elevaré y ofreceré al Padre, cubierto con Mi preciosa Sangre. Es esto lo que hace tus sufrimientos, e incluso los más pequeños, preciosos para Mí y preciosos en la vista de Mi Padre.

Después yo escribí una descripción de la vida que iba a llevar:

Sigue adelante y conoce que Yo estoy contigo.

Cuando yo pregunté a Nuestro Señor que me mostrará cómo ordenar mejor mi vida, tanto como para poder tener suficiente tiempo delante de Su Rostro Eucarístico, Él me respondió:

¿Dónde está tu tiempo perdido? ¿Qué cosas estás poniendo antes de venir a Mí en el Sacramento de Mi amor? ¿Estás confiando en Mi gracia para hacer posible lo que, de ti y por ti mismo, tú no puedes hacer? Prepara cada día con más cuidado y verás que fluirá con más paz y encontrarás bastante tiempo para quedarte delante de Mi Rostro Eucarístico.

---

[1] Sal 26(27):10; 130(131):2; Is 46:3–4, 49:14–15, 66:13; Mat 23:37.

Lo que Yo te he pedido no es difícil ni está más allá de tus fuerzas. Te traerá felicidad y consolará Mi Corazón afligido, Mi Corazón Eucarístico que está tan afligido por la negligencia y frialdad de las almas y por la pérdida de fe que afecta incluso a Mis sacerdotes.

La fe en este misterio de la Santísima Eucaristía crece *en proporción* al tiempo que una persona Me da en adoración. No es suficiente que Mis sacerdotes deban celebrar la Santa Misa diariamente, incluso correcta y devotamente, si ellos no se acercan a Mí y permanecen Conmigo, que espero por ellos en el Sacramento de Mi amor. Nada puede remplazar la íntima experiencia de Mi amistad Eucarística y esta es la experiencia que ofrezco a ti, a todos los que buscan Mi Rostro Eucarístico y a todos los que ofrecen un Sacrificio de tiempo a Mi Corazón Eucarístico.

La pérdida de fe que aflige a tantas almas es incompatible con una vida de adoración. Las almas no dejan de adorar porque ellas han perdido su fe; ellas pierden su fe porque han dejado de adorarme. Es por eso por lo que quisiera que te mantuvieras firme incluso en las formas externas de adoración.[1] Cuando estas cosas son dejadas de lado, no queda nada para invitar al alma a la adoración interna en espíritu y en verdad, por la cual soy glorificado. Yo hablo aquí de arrodillarse, la postración, el profundo arco y todas las otras marcas de atención a Mi presencia que proveen al alma con un lenguaje en el cual ella puede expresar su fe y su deseo para adorarme.

Otra vez, es por esta razón que llamo a Mis sacerdotes a aprender y a practicar fielmente las rúbricas de la Sagrada Liturgia. Ellas no son importantes en ellas mismas, pero son importantes en lo que contienen y porque expresan todos los sentimientos hacia Mí y hacia Mi Sacrificio con el cual he dotado a Mi Esposa, la Iglesia. El que se libere fácilmente de estas prácticas es culpable de un pecado de orgullo que abre la puerta del alma a la frialdad y los vientos hostiles que extinguirían la llama de la fe en su interior.

Tú muestra humildad y obediencia a Mi Iglesia e invita a tus hermanos sacerdotes a la misma fidelidad gozosa, incluso en pequeñas cosas.[2] Yo los recompensaré con un aumento de fe, esperanza y caridad, y les revelaré los misterios que Mi Padre y Yo escondemos de los que piensan que son eruditos e inteligentes según el mundo.[3]

[1] Como el texto continúa diciendo, "formas externas" se refieren a costumbres piadosas como la exposición del Santísimo Sacramento en una custodia, montada en un tabor y rodeada de velas encendidas, la doble genuflexión del adorador ante el Sacramento expuesto y el uso de la cofia, el velo humeral, el incienso y las campanas para la bendición.

[2] Mat 25:21–23; Luc 16:10, 19:17.

[3] Luc 10:21–24; Mat 13:10–17; Sab 6:24; Jn 7:14–17; 1 Cor 1:25–29; 2:12–16.

*Yo le pregunte a Nuestro Señor acerca de las distracciones que me atormen-
tan durante la Santa Misa y el Oficio Divino.*

Tú experimentas distracciones en la Santa Misa y durante tus oraciones
porque todavía no has permitido que Mi orden reine sobre tu corazón y
en tu vida. Este es Mi deseo, que tu vida entera refleje, ahora, el orden y
la belleza que caracteriza Mi reino.

Esto es también el deseo de Mi Madre por ti y ella te ayudará a
lograrlo. Escucha su guía y sus inspiraciones y sigue su sabia dirección.
En esto, ella es el instrumento puro del Espíritu Santo que en cada
momento trae orden al caos, paz a la disensión y unidad a la multipli-
cidad.[1] Hay disensión en tu vida cuando dos intereses compiten por tu
tiempo, tu atención y tu energía. Permite a Mi Madre reordenar tu vida
y descubrirás la alegría de vivir en la santa simplicidad, en un orden que
anticipa el glorioso orden preparado por todos Mis santos en el Cielo.

Lunes 10 de noviembre de 2008
Papa San Leo el Grande

Conoce que te he traído aquí para una cosa y solo una, para ser el sacerdote adorador y reparador de Mi Rostro Eucarístico. Todas las otras
cosas son secundarias y deberías mantenerte libre de cualquiera cosa
que arriesgue cargar tu alma o atraerte lejos del corazón de tu misión
aquí.

En todas las circunstancias sé humilde; nunca insistas sobre tu propio
camino. Presenta tus deseos y opiniones, de forma simple y confiada, y
luego deja todas las cosas en Mis manos. El resultado será según Mis
designios y Yo no estaré frustrado por la resistencia o miopía de Mis
agentes humanos.

Estás aprendiendo, por fin, a no forzar eventos y a no manipular a la
gente para hacer las cosas a tu propia manera. Yo quiero que confíes
absolutamente en Mí en todas las cosas. Nada escapa de Mi atención. Tú
estás cerca de Mi Corazón. Mi Madre te cuida. Ella es tu Abogada y tu
perpetuo ayuda. Ve a ella con confianza con tus dudas, tus preocupaciones y tus miedos. Confía en su Corazón maternal que nunca está
fuera de lugar y que nunca te decepcionará.

Lo que le sucedió al padre *N.* es la respuesta a tu oración por él. Es
una intervención de Mi amor misericordioso. Continúa orando por él.
Emergerá de su prueba, purificado y fortalecido en Mi gracia.

---

[1] Gén 1:2; Éxod 31:2–5; Hech 2:1–11; Rom 8:5–9; Efes 4:1–16; 1 Cor 12:4–13; 1 Jn
4:1–3.

Tú haces bien en orar por Mi buen sirviente, tu padre, el papa Benedicto XVI. Tiene gran necesidad de tu oración. Él no está enteramente libre para seguir ciertas decisiones que ya ha tomado en su corazón. Ora, ora, para que los obstáculos que lo rodean puedan moverse y para que pueda encontrar colaboradores que sean leales, puros y verdaderos.

Sí, he puesto en tu corazón el deseo de una vida más escondida, apartada del tumulto y las actividades del mundo, para que te entregues a Mí, en adoración y reparación por tus hermanos sacerdotes. Lo esencial es venir ante Mí llevando los pecados y las traiciones de tus hermanos sacerdotes y exponerlos a la luz de Mi Rostro y al fuego de Mi Sagrado Corazón. Ven delante de Mí con tristeza por tus pecados y por los pecados de tus hermanos sacerdotes y al mismo tiempo, con una inmensa confianza en Mi amor por cada uno de ustedes. Llamo a cada sacerdote a la santidad, incluso a los más indiferentes y negligentes entre ellos, incluso los más pervertidos y quebrantados. Quiero sanarlos a todos. Deseo que se conviertan en santos, trofeos brillantes de Mi amorosa misericordia, dignos de ser presentados a Mi Padre. No hay sacerdote a quien Yo no haya llamado a la santidad.[1]

Ven delante de Mí, cargando toda degradación del estado sacerdotal, cada traición, cada oscuro y malvado secreto y elevaré sobre ustedes la luz de Mi Rostro Eucarístico, por el bien de Mis pobres sacerdotes, pecadores necesitados de Mi misericordia, Mi amor sanador y Mi amistad. Represéntalos delante de Mí y Yo los representaré delante de Mi Padre.

Mi Madre está a tu lado en este trabajo de reparación por sus hijos sacerdotes. Ella aboga constantemente por ellos, es la gran Mediadora que permanece de pie con las manos levantadas, apelando a Mi Corazón traspasado por sus hijos. Ella te ha elegido para que compartas su obra, para que intercedas junto con ella y en unión de su Doloroso e Inmaculado Corazón y obtengas abundantes gracias para los pobres sacerdotes que más los necesitan.

Entonces, cuando yo le pedí a Nuestro Señor me diera una oración para este propósito:

Señor Jesucristo, Sacerdote y Víctima,
Cordero sin mancha ni defecto,
vengo ante Tu Rostro,
cargado con los pecados y traiciones de mis hermanos sacerdotes
y con la carga de mis propios pecados e infidelidades.

---

[1] Deut 7:6–8; Sal 131(132):9, 16; Is 40:26–31, 43:1–7, 62:11–12; Rom 1:7; 1 Cor 1:2; Efes 4:11–13; Col 1:11–14; 1 Tes 4:3; 1 Tim 3–6; 1 Pe 2:9.

Permíteme representar a esos sacerdotes
　que más necesitan de Tu misericordia.
Por ellos, permíteme permanecer delante de Tu Rostro Eucarístico,
　cerca de Tu Corazón abierto.
A través del Doloroso e Inmaculado Corazón de Tu Madre,
Abogada y Mediadora de Todas las Gracias,
derrama sobre todos los sacerdotes de Tu Iglesia
ese torrente de misericordia que siempre fluye de Tu Corazón,
para purificarlos y sanarlos,
para santificarlos y restaurarlos,
y a la hora de su muerte,
para hacerlos dignos de unirse a Ti delante del Padre
en el lugar santo celestial más allá del velo.
Amén.

Miércoles 12 de noviembre de 2008

Conoce que te traje aquí para separarte de muchas cosas que fueron un obstáculo para el cumplimiento de Mi plan para ti. Tenías que ser liberado del contexto de tu vida —— para hacer un nuevo comienzo aquí. Esta fue Mi voluntad para ti y mira, la he llevado a cabo.

Continúa confiando en Mí en todas las circunstancias y en todas las cosas grandes y pequeñas. Yo no te abandonaré. Te he dado la amistad de Mi Corazón Eucarístico y en ese Corazón, no querrás nada. Vive entonces en la caverna de Mi Costado herido como en un tabernáculo y busca entrar en Mi Corazón de corazones. Allí el Padre espera por ti. Allí el Espíritu Santo te transformará y configurará completamente a Mí, Hijo Primogénito del Padre, Su Víctima y Su Sacerdote.

¿Por qué te hablo tan frecuente de Mi Corazón *abierto*? Es porque para ti, Mi sacerdote, ese es el secreto de la unión Conmigo. La herida en Mi Costado es el Lugar Santo de Mi Cuerpo, el Templo.[1] El Santo de los Santos es Mi Sagrado Corazón y ese Santo de los Santos lo tienes delante de ti en el Sacramento de Mi amor. Al igual que el salmista, que anhela permanecer en la parte más interna y secreta de Mi Templo.[2] Escóndete en Mí, para que pueda manifestar Mi Rostro a través de ti.[3]

El movimiento de persecución que está cerca de estallar contra Mi Iglesia se enfocará en tres objetivos. De hecho, esto ya ha comenzado. El primero seré atacado por medio de Mis sacerdotes; ellos representan Mi

---

[1] Jn 2:19–22; Apoc 21:22.
[2] Sal 26(27):4–5; Sal 83(84):2.
[3] Sal 26(27):5; Sal 30:21 (31:20).

Rostro Eucarístico. El Rostro del sacerdocio es Mi Rostro, una vez más, burlado y cubierto de barro, saliva y Sangre. El segundo seré deshonrado en el Sacramento de Mi Cuerpo y Sangre. Verás un aumento de los pecados contra los misterios de Mi Cuerpo y Sangre, sacrilegios, profanaciones y burlas. Y el tercero seré atacado en los miembros más débiles y más vulnerables de Mi Cuerpo místico. Esto también ya ha comenzado, pero aumentará hasta que alcance proporciones que obligarán a Mi Padre a vengar la sangre de Sus amados inocentes.

Por todo esto, debes hacer reparación, servirme por Mis sacerdotes e interceder por ellos, adorándome en el Sacramento de Mi Cuerpo y Sangre, y orando por el fin de la persecución de los débiles, los pequeños y los pobres, los que no tienen a nadie que los defienda, aparte de Mí.

El día está llegando y no está lejos, cuando intervendré para mostrar Mi Rostro en un sacerdocio completamente renovado y santificado; cuando intervendré para triunfar en Mi Corazón Eucarístico por el poder conquistador del amor sacrificial solamente; cuando intervendré para defender a los pobres y reivindicar a los inocentes cuya sangre ha marcado a esta nación[1] y tantas otras como lo hizo la sangre de Abel al principio.

Ahora arrodíllate y adórame en silencio.

Jueves 13 de noviembre de 2008

En Mi adoración de la mañana:

Nadie puede venir al Padre excepto a través de Mí.
JUAN 14:6

Así Yo permanezco contigo siempre, incluso hasta el final de los tiempos, en el Sacramento de mi Cuerpo y Sangre. Yo Me entrego en la Sagrada Eucaristía como tu puente vivo hacia la presencia del Padre. Este es también el trabajo de cada sacerdote Mío, lanzarse a través del gran abismo que separa al hombre pecador de la santidad de Mi Padre. Por lo tanto, él me *reemplaza*[2]—toma Mi lugar y Me representa—en cada Misa como mediador y puente.

Por sí mismo, el sacerdote no puede alcanzar este trabajo de mediación. Es solo porque lleva dentro la marca indeleble de Mi sacerdocio que puede convertirse en el mediador entre Mi Padre y Sus hijos pecado-

---

[1] Es decir, los Estados Unidos de América.

[2] No en el sentido de eliminar la mediación de Cristo, sino más bien como una representación sacramental de esa mediación. Otra vez no es solo una imagen de la mediación o como alguna cosa que apunta a eso, sino como una forma efectiva de participación.— *Autor.*

res. Así está autorizado a hacer eso por el Espíritu Santo que lo marcó para este trabajo sacerdotal, esencial en el momento de la ordenación. La representación de Mi Padre, de Sus intereses y deseos, es la tarea de Mis sacerdotes. El que *ve* a Mi sacerdote, *ve* a Mi Padre porque he apartado a Mis sacerdotes para que sean las imágenes de Mi Santo Rostro en el mundo hasta el final de los tiempos.[1] Mientras más cerca él esté unido a Mí, más vívidamente revelará Mi Rostro a las almas y a Mi Padre a ellas.

Es a Mi Padre al que voy y cualquier pedido que hagas al Padre en Mi nombre, lo concederé, para que el Padre sea glorificado en el Hijo, cada solicitud que Me hagas en Mi propio nombre, Yo te la concederé.
JUAN 14:13–14

No estoy solo delante de Mi Padre, cada sacerdote Mío participa en Mi intercesión celestial ante el Rostro del Padre y Yo autorizo y ratifico la intercesión de cada sacerdote en los altares de Mi Iglesia. Esto es lo que le da tal eficacia a la oración del sacerdote en el altar durante la acción del Santo Sacrificio.

Yo deseo que Mis sacerdotes vivan en constante conversación y dependencia del Espíritu Santo. No deberían iniciar nada sin primero consultar al Espíritu Santo. Una vez que han invocado al Espíritu Santo y discernido sobre qué es lo que les pido, deben seguir adelante con valor y determinación, libres de miedo y llenos de confianza en el poder de Mi gracia para lograr a través de su debilidad todo lo que les he pedido.

Pueden verme porque Yo vivo y ustedes también tendrán vida. Cuando llegue ese día, aprenderán por ustedes mismos que Yo estoy en Mi Padre, y ustedes en Mí y Yo en ustedes. El que tiene Mis mandamientos, y los guarda, es el que Me ama de verdad; y el que Me ama, será amado de Mi Padre, y Yo le amaré, y Me manifestaré a él.
JUAN 14:19–21

Vivo en el Sacramento de la Santísima Eucaristía, pero pocos entienden que este es el cumplimiento de Mi promesa la noche anterior a Mi sufrimiento. Tienes solamente que levantar los ojos hacia la Hostia Sagrada para *verme*. Allí, en el Santísimo Sacramento, vivo. Ahí estoy presente para ti y presente delante de Mi Padre en la gloria del Santuario celestial. Levanta tus ojos a Mí. Busca Mi Rostro Eucarístico y comprenderás que Mi sacerdocio es una ofrenda incesante en el Cielo y sobre la Tierra a Mi Padre.

Es a través de Mi vida silenciosa en el Santísimo Sacramento del Altar que enseño a Mis sacerdotes sobre cómo ser sacerdotes en todo

---

[1] La premisa implícita es Jn 14:9: "El que Me ve, ve al Padre."

momento y no solo cuando, investidos en la insignia de su dignidad sacerdotal, están ante el altar para celebrar los Santos Misterios. La vida del sacerdote *es* Mi vida en el Cielo: atención incesante al Padre e intercesión ininterrumpida, acción de gracias, reparación y alabanza en nombre de todos los hombres.

No hay un momento en que el sacerdote no pueda unirse a Mí en alabanza a Mi Padre por Su gran gloria,[1] para mediar las alabanzas de los santos y de los ángeles, en la realización de toda ofrenda al Padre hecha en la Tierra, desde el nacimiento del sol hasta su ocaso.[2] La vida del sacerdote no es solamente su misa; es toda misa, que se ofrece en la Tierra, que ha sido o será ofrecida y todo esto en unión Conmigo, que permanezco en la presencia de Mi Padre como Sacerdote eterno, como Víctima perpetua y como Altar cubierto con el derramamiento de Mi propia Sangre. El servicio de Mis sacerdotes en los santuarios de Mi Iglesia en la Tierra no es más que una parte de sus días, un momento pasajero en el tiempo. Mi deseo es que cada sacerdote se una a Mi servicio eterno al Padre en el santuario que está en el Cielo no hecho por manos humanas.[3]

Cuando llegue ese día, aprenderán por ustedes mismos que Yo estoy en Mi Padre y ustedes en Mí y Yo en ustedes.
JUAN 14:20

Oh, que todo sacerdote Mío diga Conmigo al comienzo de su día:

El mundo debe saber que amo al Padre y que solo actúo como el Padre Me ha ordenado actuar. Levántate, debemos estar en nuestro camino.
JUAN 14:31

29 de noviembre de 2008
Después de las primeras vísperas del
primer domingo de Adviento

Comienza esta temporada de Adviento llena de confianza y esperanza en mi infalible misericordia. Aunque Yo estoy viniendo y vengo pronto, ya estoy presente.[4] Mira Mi Rostro Eucarístico, conoce que estoy aquí para ti en este el Sacramento de Mi amor. Estoy aquí para consolarte, confórtarte e instruirte, para darte una experiencia de Mi amistad divina y aquí en esta vida para prepararte para las glorias de la amistad en la próxima.

---

[1] Véase: La Gloria de la Misa: "Laudamus te, benedicimus te, adoramus te, glorificamus te, gratias agimus tibi propter magnam gloriam tuam."

[2] Mal 1:11; Sal 112(113):3.

[3] Mar 14:58; Heb 8:5, 9:11; Hech 7:48; 2 Cor 5:1.

[4] Apoc 3:11, 22:7, 22:12, 22:20; Is 56:1; Bar 4:22–25.

En este Sacramento te espero. Muchos enfatizan que deben esperar por Mí y sin embargo Yo ya estoy presente, cerca de ellos y dispuesto a revelarles los secretos de Mi Corazón. Se olvidan de que soy Yo quien espera por ellos para que vengan a Mí. Como frecuentemente les dije a Mis discípulos: "Vengan a Mí."[1] Ellos entendieron, al menos la mayoría de ellos lo hizo, la intensidad de Mi anhelo por la compañía de las almas.[2] Yo haría que todas las almas vinieran a Mí y permanecieran Conmigo.

Este es el secreto de la santidad sacerdotal. Una vez que un sacerdote comienza a venir a Mí, buscando Mi Rostro Eucarístico y anhelando la compañía de Mi Corazón traspasado, Yo vendré a él y haré Mi hogar en él y Conmigo vendrá Mi Padre y el Espíritu Santo.[3] Así su sacerdocio será siempre consagrado y santificado, y se volverá divinamente fructífero.

Pasa este Adviento, Mi amado amigo, Mi sacerdote, cerca de Mí en el Sacramento de Mi amor. Sé Mi sacerdote adorador. Ofréceme a ti mismo, y te ofreceré Conmigo a nuestro Padre. Busca la compañía de Mi Madre Inmaculada y de los santos. Aprende a vivir con ellos ahora para que vivas con ellos en la eternidad. Honra a Mi Madre en el misterio de su Inmaculada Concepción. Este es un misterio lleno de gracia y de luz para quienes lo reflexionan. Es el remedio para muchos de los males que afligen a Mis sacerdotes y envenenan sus almas. Invoca a Mi Madre concebida sin pecado y te comunicará algo de la pureza y la luminosidad de su Santísimo e Inmaculado Corazón.

Yo le pedí a Nuestro Señor por ayuda en la predicación a los sacerdotes de la diócesis.

No tengas miedo de predicar. Sabes que Yo estaré contigo para hablar a través de ti y tocar incluso a los corazones más endurecidos. Abandónate a Mí con completa confianza y Yo Me abandonaré a ti para que tus palabras sean Mis palabras y tu presencia, Mi presencia. Esto es lo que anhelo hacer con cada sacerdote Mío. Si solamente Mis sacerdotes Me permitieran hablar y actuar a través de ellos, ¡Qué milagros de gracia verían!

Un sacerdote santo es simplemente alguien que Me permite vivir en él como en una humanidad suplementaria.[4] En cada sacerdote hablaría y actuaría, liberando a las almas de los poderes de las tinieblas y sanan-

---

[1] Mat 11:28; Jn 7:37; Sir 24:19–21.
[2] Luc 22:15.
[3] Jn 14:23.
[4] Ver p. 73, pie de página 1.

do a los enfermos,[1]—pero, sobre todo, deseo ofrecerme a Mí mismo en cada sacerdote y asumir a cada sacerdote en Mi propio ofrecimiento al Padre. Esto lo haría en el altar en la celebración de Mi Santo Sacrificio, pero no solo allí, la vida de un sacerdote unido a Mí es una oblación incesante y él, como Yo, es una *Hostia perpetua*.[2] Tú no puedes imaginar la fecundidad de tal unión y esta es la fecundidad que deseo para la gloria de Mi Padre y para el gozo de Mi Esposa, la Iglesia.

No pares de transcribir Mis palabras para ti. Te hablo para consolarte e iluminarte, para mostrarte cuánto te amo y te deseo en todo momento cerca de Mi Corazón abierto, pero también te hablo por tus hermanos sacerdotes, por aquellas almas que orarán por ellos y por quiénes se ofrecerían a sí mismos, para que los sacerdotes pudieran ser santificados en verdad.[3] Mi palabra para ti esta noche es el llanto del profeta a Israel que tu cantaste hace unos momentos. "Sean consolados, sean consolados, porque he aquí, Yo vengo muy pronto."[4] Desea Mi venida y prepárate para eso viviendo en comunión con el Corazón más puro de Mi Madre. Le he confiado a ella la preparación de las almas para Mi advenimiento en la gloria.

Martes 9 de diciembre de 2008

Nuestra Señora:

Fui yo quien te protegió anoche y preservé tu vida de los planes del Maligno, que no busca otra cosa que impedir que perseveres en esta obra que mi Hijo te ha pedido. Entonces permanece en guardia y sé prudente, pero sin miedo, porque yo soy tu Madre y tal como le dije a mi amado hijito Juan Diego, te tengo debajo de mi manto protector, en el cruce de Mis brazos, cerca, muy cerca de mi Inmaculado Corazón. Confía en Mi protección, sí, yo soy tu Madre del Perpetuo Socorro, siempre lista para ir a tu rescate, siempre dispuesta a proporcionar tus necesidades, para librarte del peligro y para consolarte en el dolor. Acércate a Mí con confianza infantil y nunca serás decepcionado.

Tengo mucho que decirte. Por favor, detente—permanece callado en mi presencia. Ven ante mi imagen. Dame tu tiempo y dame un oído que escuche y un corazón atento, y te instruiré en el camino por el que debes ir.[5] No hay necesidad de que tengas miedo, porque mi Hijo te ha confiado a mí y yo siempre te mantendré a salvo.

---

[1] Mat 10:8; Mar 3:15, 6:13, 16:17–18; Luc 9:1, 10:17, 13:32.
[2] Una Víctima perpetua.
[3] Jn 17:19.
[4] Is 40:1; Apoc 22:7, 22:12.
[5] Sal 31(32):8; Is 48:7; Prov 2:2.

El Rosario es el medio por el cual yo uniré a las almas a mí misma. El Rosario asegura almas a mi presencia y protección. ¿Cómo no podría yo haber venido a salvarte anoche mientras tú me estuviste llamando por medio del rezo de mi Rosario? Habla del Rosario a mis amados sacerdotes. Ellos encontrarán la sanación de su corazón y un consuelo para sus almas en esta oración que yo amo.

Después del adorable y santísimo nombre de mi Hijo, Jesús, no hay nombre en el Cielo ni en la Tierra que tenga el poder y la dulzura de mi nombre. Yo soy la más humilde servidora del Señor, pero Él que es poderoso me tiene exaltada, haciéndome Reina del Universo.[1] Todas las cosas están sujetas a mí y no hay algo que yo pida a mi Hijo que Él me rechace.[2] Reza en mi nombre, es decir, a través de mi Corazón más puro y confiando en mi intercesión, como lo has hecho ya, como lo hiciste ayer en tu oración de consagración y verás maravillas, milagros de gracia y señales del poder de mi Hijo, quien es Señor de señores y Rey de reyes,[3] mi Hijo que es toda misericordia oye el llanto de los pobres y concede su petición.

Cuando rezas el Rosario, efectivamente estás orando en mi nombre y en el dulce y adorable Nombre de mi Hijo, Jesús. Orar en mi nombre significa orar en unión y en armonía con mi Inmaculado Corazón. Orar en el Nombre de Jesús significa orar en comunión con todos los sentimientos, deseos y planes de Su Sagrado Corazón.

Entonces Nuestra Señora me pidió que cerrara mi oración con la Letanía de San José.

Jueves 8 de enero de 2009

Dame toda la atención de tu corazón—el oído de tu corazón—y te hablaré.[4] Te mostraré el camino por el que caminarás y te daré Mi luz sobre las cosas que pesan sobre ti, te entristecen o te dejan perplejo.[5]

---

[1] Luc 1:46–49; Sal 44:10 (45:9); Jdt 13:22–25, 15:10; Apoc 12.

[2] Jn 2:1–1.

[3] 1 Tim 6:15; Apoc17:14, 19:16.

[4] Véase las líneas abiertas del Prólogo de la *Regla* de San Benito: "Escucha, Oh mi hijo, los preceptos de tu maestro e inclina el oído de tu corazón y recibe alegremente y fielmente la ejecución de las advertencias de tu amoroso Padre, porque por el trabajo de la obediencia tú puedes retornar a Él, de quien por la pereza de la desobediencia te has ido."

[5] Is 30:20–21.

Trae todas las cosas a Mí y te daré a cambio, Mi gracia y Mi amor. Es el miedo más que cualquier otra cosa lo que te impide llegar a Mi presencia con confianza, con esperanza y con un corazón callado.

Conmigo y de Mí no tienes nada que temer. Estoy aquí, en el Sacramento de Mi amor, para ser tu consuelo, tu paz, tu luz, tu descanso y tu alegría. ¡Debes saber esto! Tómalo en serio. Créelo y actúa en consecuencia. Si las almas creyeran esto de Mí, nada podría evitar que Me busquen en el Sacramento de Mi amor y que permanezcan en Mi presencia.

Incluso después de dos mil años de presencia Eucarística en Mi Iglesia, Yo sigo siendo desconocido, soy olvidado, abandonado y tratado con poco respeto, como una cosa que hay que guardar aquí o allá. Sin tener en cuenta Mi ardiente deseo de estar presente para Mi pueblo en una forma visible y verlos acercarse a Mí y permanecer en silencio y en adoración, en la luz de Mi Rostro Eucarístico. ¿Quién puede cambiar este triste estado de las cosas sino Mis sacerdotes, Mis amigos elegidos—en cuyas manos Yo entrego Mi propio Cuerpo y Sangre, justo como lo hice la noche anterior a Mi muerte con los Apóstoles en el Cenáculo? Quiero que Mis sacerdotes sean los primeros en buscarme en el Sacramento de Mi amor. Que empiecen, que den el ejemplo, entonces otros los seguirán.

En cuanto a ti, Mi amigo, Mi sacerdote adorador, haz más tiempo para Mí y te daré tiempo y energía para todo lo demás. Tú estás aquí, primero que todo, para hacerme compañía. Todo lo demás es secundario. Te traje aquí para Mí, para ser el sacerdote adorador de Mi Rostro Eucarístico y el amigo consolador de Mi Corazón Eucarístico. Mientras más tiempo dediques solo a Mí en el Sacramento de Mi amor, más te bendeciré en todo lo que estás llamado a hacer. Resiste cada tentación de acortar el tiempo dedicado a la adoración. Has sido apartado para ese trabajo de reparación y de amor, y nada puede tomar su lugar en tu vida. ¿Me escuchas? Entonces haz lo que te estoy diciendo. Sigue Mi inspiración permanece Conmigo y continuaré instruyéndote y guiándote hacia un futuro lleno de esperanza como que te lo he prometido.

Lunes 26 de enero de 2009

No es por tus obras que Me complacerás, sino por tu confianza en Mi amor misericordioso.

Martes 27 de enero de 2009

La fidelidad y la constancia en las buenas obras y en la práctica de tu regla es el fruto de la confianza en Mi amor misericordioso por ti. Mientras más confíes en Mi amor misericordioso, más te daré la fuerza y la energía necesarias para cumplir lo que Me has prometido. Confía en Mi misericordia, especialmente en los momentos de debilidad. Cuando no puedas vivir de acuerdo con el ideal que te has establecido, vive de la única cosa que te pido, antes que nada, confía en Mi amor misericordioso. De esta manera, siempre Me complacerás, en tus momentos de debilidad tanto como en tus tiempos de regularidad y fidelidad generosa a tu regla. Acepta tus debilidades de cuerpo y aquellas de tu espíritu también, ellas no son obstáculo para la obra de Mi gracia en tu alma. El único obstáculo para Mi trabajo en las almas es la falta de confianza en Mi amor misericordioso.

Jueves 29 de enero de 2009

Estaba orando sobre Juan 17 como lo hago todos los jueves, en presencia del Santísimo Sacramento expuesto. Entendí que Satanás no pudo romper el Cuerpo (físico) de Cristo en Su Pasión: "No romperás ni un solo hueso de Él" (Juan 19:36). Pero Satanás se ha vengado buscando romper Su Iglesia. Entendí que el Cuerpo fragmentado de Cristo puede ser curado por las ministraciones del Espíritu Santo y de la Santísima Virgen María. El Cuerpo místico de Cristo necesita las ministraciones suaves y perfectas de las manos más puras de la Santísima Virgen María. Ella es enviada desde el Cielo—sin dejar Su glorioso trono celestial—para cuidar a los miembros enfermos del Cuerpo místico y restaurar la salud de la Iglesia donde esté debilitada por el pecado o envenenada por el mal. No puede haber—y no habrá—una restauración total de la unidad hasta que el papel divinamente designado de la Madre de Jesús sea reconocido y confesado. Lo mismo es cierto cuando se trata de la curación de vidas rotas y de almas envenenadas por el pecado.

Entonces Nuestro Señor continuó:

Mi Madre es el agente de toda curación, el instrumento escogido del Espíritu Santo para la restauración de la vida, la luz y la unidad en cada lugar o instancia donde estos son escasos. Hasta que esta disposición soberana de Mi Padre sea reconocida y confesada, no habrá sanación, purificación y santificación del sacerdocio y de la Iglesia, por lo que tantas almas trabajan y se ofrecen a sí mismas. Ninguno de estos objetivos puede ser obtenido por medios humanos o incluso espirituales, aparte del rol que le pertenece a Mi Madre y a ningún otro, porque ella sola es la Inmaculada y por lo tanto, es el único instrumento humano apto para los trabajos del Espíritu Santo.

Ahora ves un poco mejor por qué la consagración a Mi Madre no solo es deseable y digna de alabanza, sino que también es realmente necesaria.[1] Es la condición por la cual se dará la realización de Mis promesas en las almas y en la Iglesia,—y especialmente en el sacerdocio de la Iglesia—pero continuará siendo frustrada y retrasada. Consagración, significa más que un simple acto de devoción mediante el cual una persona, grupo o nación se confía al amor de Mi Madre, Me refiero a un reconocimiento claro de su papel en Mi trabajo de salvación y entonces, a una entrega deliberada y consciente de ese papel con todas sus implicaciones.

Viernes 30 de enero de 2009

Aquel a quien llamo a una vida de reparación no debe caer en la tibieza y la escasez de generosidad. Estas cosas son todo lo contrario de lo que significa un llamado a la reparación. Te he llamado y separado para vivir día tras día en Mi presencia y adorar Mi Rostro Eucarístico. Por esto te he traído junto a nosotros en casa. Deseo ser el centro y todo el motivo de todo lo que haces. Vive tu vida para Mí y construye tus días alrededor de Mi deseo de tenerte y mantenerte ante Mi Rostro Eucarístico, cerca de Mi Corazón abierto.

Te he llamado a esta vida de adoración para compensar la frialdad e indiferencia de tantos sacerdotes que mientras viven cerca de Mi presencia sacramental, rara vez o nunca vienen ante Mi Rostro y se acercan a Mi Corazón Eucarístico. Este es uno de Mis grandes dolores: que los hombres que he elegido y apartado para ser Mis amigos y Mis sacerdotes muestren tan poco interés en permanecer en Mi compañía, en escuchar lo que tengo que decirles y en abrirme sus corazones. Yo los espero. Yo busco su llegada. Y Me siento decepcionado porque muy pocos de Mis sacerdotes entienden que Mi deseo al instituir el Sacramento del amor, fue por los sacerdotes que ofrecen Mi Sacrificio y nutren Mi pueblo con Mi Cuerpo y Sangre, pero deseo que también encuentren en Mi presencia Eucarística el remedio para cada soledad, miedo y necesidad de amor—a causa del amor que les hago anhelar. Mis sacerdotes sufren del vacío en su corazón sin el amor para el cual ellos fueron creados. Yo estoy cerca de ellos. Yo espero por ellos ¿Por qué no vienen a Mí?

Quiero que vengas a Mí y que permanezcas delante de Mi Rostro por ellos y en su lugar. Esta es la reparación que Yo te pido. Es por eso por lo

---

[1] Al menos implícitamente, es decir, uno no podría salvarse si se rechaza alguna de las verdades concernientes a Nuestra Señora o si rechaza recibir toda la gracia a través de sus manos y Corazón. Si uno debe ser salvo, es necesario que pertenezca a María, porque los que no le pertenecen, no pertenecen a la Iglesia o a Cristo.

que Yo te he traído aquí. No Me decepciones. Ven a Mí. Permanece Conmigo. Te hablaré de Corazón a corazón y te regocijarás al reconocer Mi voz.

Tú Me consuelas viniendo a Mí y te daré todo el consuelo de Mi amistad Eucarística, tal como se la di a Mi amado discípulo Juan. Quien aprendió muy rápidamente, iluminado por el Espíritu Santo, a discernir Mi presencia en la fracción del Pan, por lo que prolongó su tiempo delante de Mí y encontró en Mi presencia sacramental, la expresión más plena de ese "amor hasta el fin" sobre el cual escribió.[1] Sé para Mí otro Juan. Sé el amigo y el consolador de Mi Corazón Eucarístico. Si eres fiel a esto, a través de ti, Yo atraeré muchos sacerdotes de regreso a Mí.

Sábado 1 de febrero de 2009

Estoy aquí—realmente presente—disponible para ti a cualquier hora del día o noche. Yo espero por ti. Quiero escuchar los cuidados y preocupaciones que llevas como una pesada carga. Dámelos todos a Mí. Confía en Mí y actuaré. Yo te he dicho esto antes, para Mí nada es insignificante. Ningún detalle de tu vida es demasiado pequeño ni ningún pecado tuyo es demasiado vergonzoso para ser traído a Mí y para ser abandonado a Mis pies. Sí, así es como actuaron Mis santos. Ellos estuvieron seguros de que cualquier dificultad encomendada a Mi Corazón encontraría allí la mejor de todas las soluciones posibles. Dime que confías en Mi amor misericordioso dejando ir las cosas que cargas y te oprimen. Yo soy el Señor de todas las cosas en el Cielo y sobre la Tierra, y para Mí nada es imposible.[2]

Martes 3 de febrero de 2009

Dame el primer lugar en tu corazón y en tu vida, y Yo te proveeré en cada circunstancia. Yo no permitiré que tú o con los que compartes esta vida se queden sin nada. Mi Providencia está totalmente a disposición de Mi amor misericordioso. Confía entonces en Mi amor misericordioso y verás las maravillas que lograré para ti.

Se desperdicia tanto tiempo y energía en preocupaciones inútiles y en interminables discusiones sobre lo que es necesario y cómo conseguirlo. Simplemente presenta tus necesidades a Mí con un corazón lleno de confianza y te mostraré que soy un proveedor generoso para los que Me

[1] Jn 13:1; Luc 24:30–35; Hech 2:42, 2:46.
[2] Job 42:2; Sal 118(119):91; Sab 7:27, 11:23; Jn 15:5; Mat 17:20, 19:26; Mar 9:23, 10:27, 14:36; Luc 1:37.

permiten hacerme cargo de sus necesidades. El obstinado deseo de controlar todas las cosas y obtener por medios puramente humanos las cosas necesarias para Mi obra, es una afrenta tanto para Mi amor misericordioso como para Mi infinita generosidad. ¿No ha sido este todo Mi mensaje a través de la historia sagrada: "Confía en Mí y tú verás maravillas"?[1]

Y agradéceme. Agradéceme siempre con el corazón puro y humilde. Ven a Mí como un niño deleitado con un regalo va a su padre o madre y cuéntame lo feliz que te he hecho. Esta es la acción de gracias que busco en ti y en todos los que experimentan la Providencia de Mi amor misericordioso.

Tú estás recordando hoy a M. Yvonne-Aimée.[2] Ella tenía esta simple confianza infantil en Mi amor misericordioso que Me permitió hacer por y a través de ella grandes cosas, cosas maravillosas, todo porque su confianza en Mi amor misericordioso era ilimitada e inquebrantable. ¿Cómo se llega a ese grado de confianza? Encomendándome cosas muy pequeñas, día tras día, a medida que surgen y dejándomelas. Esta fue también la sabiduría de Mi sacerdote don Dolindo.[3] "Jesús," solía decirme, "cuida de esto." Y luego seguía su camino alegremente y confiando en que honraría la confianza que depositó en Mí.

Mis Apóstoles no querían nada mientras Yo estaba con ellos.[4] Al tenerme a Mí en medio de ellos, tenían la Fuente y el Creador de todo lo que es, era y siempre será. Me tienes cerca de ti. Estoy aquí delante de ti en el Sacramento de Mi amor. Permanece Conmigo por Mi causa, que Yo te proveeré.

Es Mi deseo que los sacerdotes vengan a adorarme, se mantengan en vigilia delante de Mi Rostro Eucarístico, cerca de Mi Corazón abierto. Porque Yo así lo quiero, proporcionaré todo lo que se necesite. Tranquiliza a N. respecto a Mi fidelidad y generosidad. Haz lo que te inspiro a hacer con sencillez y total desapego y entonces permíteme actuar.

Permitiré que experimentes la desilusión y el fracaso solo para que les

---

[1] Véase, inter alia, Éxod 15:11–13; Jos 3:5; 1 Cró 16:8–13; 2 Cró 20:17; Sal 76(77); Is 66:14–16; Jn 1:50.

[2] Madre Yvonne-Aimée de Jésus.

[3] Don Dolindo Ruotolo (6 de octubre de 1882–19 de noviembre de 1970) era un sacerdote italiano y terciario Franciscano de Nápoles, cuya causa de canonización está actualmente en curso. Su biógrafo Luca Sorrentino lo retrató así: "Escriba del Espíritu Santo, Sabiduría infundida desde arriba, hacedor de milagros no menos significativos que los del padre Pío de Pietrelcina, estigmatizado de Cristo que está ya en su nombre ['Dolindo' de 'dolore'], hijo predilecto de la Virgen, iniciado en la Sabiduría por las Escrituras, siervo fiel que quiso ser la nada de todas las cosas en Dios y el todo de Dios en los hombres."

[4] Luc 22:35.

quede claro a todos que este es Mi trabajo y que estoy haciéndolo para el bien de Mi Esposa la Iglesia y por el bien de Mis sacerdotes, a los que he llamado a amar a Mi Iglesia incluso como Yo la amo.

Ven a Mí en el Sacramento de Mi amor y continuaré instruyéndote. Cuando estés desconcertado o perdido, tienes que recurrir a Mí y enviaré Mi luz y verdad para llevarte a Mi montaña santa,[1] es decir, al lugar donde habitaré en medio de Mis sacerdotes, amado por ellos, adorado por ellos—así los sanaré, restauraré y santificaré desde el Sacramento del altar.

Esto es lo que quiero de ti, tiempo "perdido," pasado en Mi presencia. Tiempo dado a Mí por Mi bien. Quiero que todos Mis sacerdotes recuperen un sentido de gratuidad en su oración. Quiero que vengan a Mí y que permanezcan Conmigo, solo para Mí y por Mi causa, porque solo Yo soy digno de todo su amor.

¿Crees que siempre Me estaba reuniendo con Mis discípulos para planear eventos, organizar, diseñar estrategias y trazar nuestro curso de acción? Todo esto es la forma en que el mundo logra lo que ve como resultados. Cuando caminé con Mis discípulos, cuando descansé con ellos, nos deleitamos en estar juntos. Ellos permanecieron Conmigo solo por Mí y Yo permanecí con ellos por amor a ellos, así como permanezco en el Sacramento del Altar por el amor que tengo por toda Mi Iglesia, pero especialmente y primero que todo, por Mis sacerdotes. ¿Por qué Mis sacerdotes aún no comprenden esto? Toda su actividad sacerdotal debe fluir de su "estar Conmigo" y, por lo tanto, el fruto tendrá que ser abundante y vigoroso, ese es el fruto que durará.[2]

Diciendo estas cosas, no estoy sugiriendo que Mis sacerdotes caigan en una especie de quietud indolente sin hacer nada y dejando de demostrar un fervor pastoral. Estoy diciendo que ellos deben hacer de Mí el principio, el manantial de todo lo que hacen y dicen, y que todas las cosas que ellos hagan deben ser redirigidas a Mí y puestas en Mis manos, para que pueda devolver *todo* a Mi Padre.

Prometí el regalo de Mi Espíritu Santo, el Paráclito, para dirigir e inspirar el trabajo de Mis Apóstoles.[3] Él viene con Sus siete dones. Aquel que es guiado por el Espíritu Santo actuará, pero con total confianza en Mi amor misericordioso y en un espíritu de confianza absoluta en Mi gracia. Él no buscará obtener resultados, él Me lo dejará a Mí.[4]

---

[1] Sal 42(43):3–4.

[2] Luc 8:15; Jn 12:25(24), 15:2–16; Rom 7:4.

[3] Luc 24:49; Hech 1:4, 2:3, 10:19; Mat 10:20; Jn 7:39, 14:16–18, 15:26–27, 16:12–15; Sal 103(104):30; Sal 142(143):10; Is 32:14–18.

[4] Mat 4:1; Luc 4:1, 11:13; Hech 8:26–40; Rom 8:14; Gál 5:18.

Soy la fuente de toda fecundidad en la viña que es Mi Iglesia. Apartado de Mí, no puedes hacer nada. Entonces ven a Mí. Permanece Conmigo.[1] Actúa por Mí, guiado por Mi Espíritu Santo y vuelve a Mí con acción de gracias. Este es el secreto de una vida sacerdotal que Me complacerá, edificará a Mi Iglesia y glorificará a Mi Padre.

Mi Madre Inmaculada está presente para ti en cada uno de estos momentos. Es ella quien obtiene para ti, la gracia de que vengas a Mí. Cuando te quedas Conmigo, ella está allí, así como estuvo con San Juan en la adoración de los misterios de Mi Cuerpo y Sangre. Cuando te levantas para entrar en la viña, ella te prepara el camino y obtiene las gracias necesarias para tu trabajo. Cuando vuelves a Mí, ella todavía está contigo y ofrece su Magníficat mientras tú ofreces la humilde acción de gracias de tu corazón a Mi Padre.

Viernes 6 de febrero de 2009

Yo quiero que tú vivas en silencio y adoración.

Miércoles 11 de febrero de 2009

Pasa menos tiempo en la computadora y más tiempo en Mi presencia. Aquí espero por ti. Anhelo verte delante de Mí. Quiero darte todos los signos de Mi amistad que Mi Corazón ha destinado para ti y para nadie más, pero para esto debes venir a Mí. Sigue las indicaciones de Mi gracia.

Jueves 12 de febrero de 2009

No hay necesidad de que te vuelvas ansioso o temeroso. Continuaré hablándote mientras tu vengas delante de Mí con un corazón tranquilo y confiado. Todavía tengo mucho que enseñarte. Quiero formarte en pureza, caridad y misericordia hacia tus hermanos sacerdotes y en la incesante adoración que deseo de ti.

Espérame. Ven a Mí. Abre tu corazón a Mí y abriré el Mío para ti.

Uno de Mis sufrimientos más conmovedores, es que debo encontrar corazones que están cerrados para Mí, incluso entre Mis queridos sacerdotes, los amigos que he elegido. ¿Cómo puedo tener amistad con alguien que Me cierra su corazón, que huye de Mi presencia, que no puede soportar estar en silencio, quieto y solo Conmigo?

Incluso en ti esto sigue siendo una lucha. Hay tantas cosas menores

---

[1] Jn 15:1–8.

que te alejan, que consumen tu tiempo y que ponen tropiezos en el camino cuando vienes a estar Conmigo. Aprende a reconocer estos obstáculos por lo que son. Algunos de ellos son tuyos propios, otros son obra del Maligno, otros vienen de los cuidados ordinarios de la vida en un mundo que ha olvidado cómo estar quieto en Mi presencia. No te dejes detener por ninguna de estas cosas. Aprende a venir a Mí de forma rápida, generosa y alegre. Yo espero por ti en el Sacramento de Mi amor y no te decepcionarás viniendo a Mí. Esto es realmente todo lo que pido de las almas y especialmente de Mis sacerdotes, que ellos vengan a Mí. Y Yo haré el resto.

Viernes 13 de febrero de 2009

De los pecados arrojados al fuego de Mi Corazón no queda nada. Están completamente aniquilados,—reducidos, no hay cenizas, solo destrucción y olvido. El amor Me hace hacer esto. Cuando un alma cargada de pecado, incluso con pecados contra Mi Persona divina—blasfemia, sacrilegio y vituperio—viene a Mí con un corazón arrepentido y quebrantado, Mi amor envuelve a esa alma y la purifica con Mi Sangre.[1]

Yo soy el Salvador, aborrezco el pecado y sus estragos en Mis criaturas. El pecado dado a Mí deja de existir; está perdido para siempre en el océano infinito de Mi misericordia, pero el pecado que se aferró y se mantiene cerca de sí en una persona, se convierte en un veneno, un cáncer que se propaga, destruyendo el organismo espiritual que diseñé para la santidad y la beatitud eterna.

Quiero que Mis sacerdotes Me den sus pecados. Quiero todos sus pecados porque ya he pagado el precio por ellos. ¿Por qué Mis sacerdotes deben estar agobiados por la vergüenza y el impedimento por el peso de la maldad que llevan con ellos? Cada pecado que se Me da a Mí desaparece y a cambio por cada uno que Me den, les daré una gracia.[2] Este es el intercambio que propongo a las almas; este es el intercambio que ofrezco a Mis pobres sacerdotes. Tú ya has visto cómo hago esto. Puedes dar fe de la belleza de este intercambio en tu propia vida y en la vida del padre N. Es suficiente que Mis sacerdotes entreguen sus pecados a Mí, a cambio otorgaré una abundancia de gracias, preciosas gracias que santificarán sus almas y harán que las virtudes broten donde antes no había nada más que un páramo habitado por las sombras del vicio.

---

[1] Mat 26:28; Mr 3:28–29; 1 Jn 1:7–10, 2:1–2; Hech 3:19; Efes 1:7; Heb 8:12, 10:17; Sal 31(32):1; Sal 102(103):8–12; Is 1:18, 38:17, 43:25, 44:22; Miq 7:19.

[2] Rom 5:20.

Quiero que Mis sacerdotes sean los primeros en experimentar la inmensidad de Mi misericordia. Quiero que sean los primeros en experimentar este intercambio de pecado por gracia, de oscuridad por luz, de enfermedad por salud y de tristeza por alegría. Que vengan a Mí en el Sacramento de Mi misericordia y entonces que ellos Me busquen cada día, incluso cada hora, en el Sacramento de Mi amor, la Sagrada Eucaristía. Allí espero por ellos, allí encontrarán todo lo que desean sus corazones.

Yo soy Jesús, lo Mío es salvar, sanar, vivificar y hacer hermosas ante los ojos de Mi Padre, las almas que consienten las operaciones de Mi misericordia con la acción secreta del Espíritu Santo. Cuando hables con Mis sacerdotes, recuérdales el poder y la eficacia de un solo acto de confianza en Mi amor misericordioso. La confianza abre la puerta a todos los tesoros de Mi reino. Para alguien quien tiene confianza en Mi amor misericordioso, no puedo negarle nada.

Cuando quiero atraer a las almas a la unión Conmigo, les hablo como te estoy hablando a ti. El efecto de Mis palabras es la unión del alma Conmigo en un silencio que es todo amor y deseo. Quiero ser deseado. Quiero que las almas anhelen la unión Conmigo. Mi palabra producirá este anhelo en ti y lo cumpliré.

Haz que los escritos de Mi pequeña Josefa[1] sean conocidos por los sacerdotes, Yo te los mostraré. Encontrarán en ellos un remedio, un consuelo y una fuente de confianza en Mi amor misericordioso. No son para todos, no todos son lo suficientemente humildes para escuchar el mensaje de Mi Corazón, pero los quebrantados, los heridos y los devastados por el pecado, los comprenderán y se regocijarán en el mensaje de Mi amor.

Viernes 13 de marzo de 2009

Tan pocas almas recuerdan agradecerme después de recibir Mi Cuerpo y Sangre. Esta es la verdad incluso en Mis sacerdotes, Mis amigos, Mis elegidos de quienes espero más y deseo más. Los corazones se han vuelto fríos e indiferentes hacia Mí en este Sacramento de Mi amor. Para muchos, recibirme se ha convertido en una acción rutinaria desprovista

---

[1] Hermana María Josefa Menéndez (4 de febrero de 1890–29 de diciembre de 1923) fue una monja católica y mística, nació en Madrid, pero entró a los 29 años a la Sociedad del Sagrado Corazón de Jesús en Poitiers. Su vida religiosa como hermana coadjutora se gastó en tareas serviles tales como la limpieza y la costura, y pocos fueron conscientes de las visiones y revelaciones que recibió de Jesús, las cuales fueron publicadas póstumamente bajo el título *El Camino del Amor Divino*.

de fe y sin manifestación de adoración y de amor. ¿Cómo ha venido Mi Iglesia a esto?

Levantaré sacerdotes santos para reavivar un amor ardiente por la Santísima Eucaristía en los corazones de Mis fieles. Estoy llamando a muchos sacerdotes para que adoren Mi Rostro Eucarístico y se acerquen a Mi Corazón abierto en el Sacramento de Mi amor. Estos son los sacerdotes que usaré para ministrar primero a sus propios hermanos en las Órdenes Sagradas y luego, a través de ellos, a vastas multitudes de almas que nunca han entendido los misterios de Mi Cuerpo y Sangre ofrecidos al Padre y entregados para la vida del mundo.

Es en estos pocos momentos preciosos después de la Sagrada Comunión cuando Mi Corazón busca mantener una conversación con Mis amigos, es cuando muchos se alejan de Mí ocupados en muchas cosas.[1] De ti, amigo Mío, Yo pido algo más. Permanece Conmigo por estos pocos momentos. Escucha el sonido de Mi voz en tu corazón. Conoce que Mi deseo es hablarte y escuchar todo lo que tienes que decirme. Es en estos momentos en los que estoy más dispuesto a conceder las solicitudes que se hagan a Mí con fe.

Sábado 14 de marzo de 2009

Permíteme instruirte y enseñarte lo que tú debes decir, tanto cuando oras como cuando predicas.[2] Esto lo hago enviando sobre ti la gracia del Espíritu Santo, de una manera siempre nueva, siempre fresca y siempre adaptada a tus necesidades en un momento dado. Sí, el Espíritu Santo es tu otro Abogado, tu otro Amigo[3] y quiero que vivas no solo en Su compañía, sino que te mantengas firme en Su íntimo abrazo. Así estarás unido a Mí y a través de Mí a Mi Padre.

Ama al Espíritu Santo y llámalo con humildad y confianza. Él nunca te fallará. Él es, como lo llama Mi Iglesia, el "Padre de los Pobres."[4] Él se deleita en descender sobre los que son pobres en espíritu y hace Su tabernáculo en sus corazones. Busca Su presencia allí y comienza a vivir en constante dependencia de Su guía divina. Así es como vivían Mis Apóstoles y esta era la vida de Mi Virgen Madre.

---

[1] Luc 10:40–42; Mat 22:4–5; Sir 11:10, 38:24–25; Sal 126(127):1–2.

[2] Rom 8:26; Efes 6:18; Fil 1:19; Jds 1:20; Mat 10:19–20; Mar 13:11; Luc 4:18, 12:11–12; 2:4, 4:31; 1 Cor 2:4, 2:12–14; 1 Pe 1:12; 2 Sam 23:2; Sir 39:6.

[3] Jn 14:16, 16:17.

[4] *Pater pauperum*, un título aplicado al Espíritu Santo en la Secuencia Dorada *Veni, Sancte Spiritus* fijada por Pentecostés (y en el *usus antiquior* del Rito Romano, diariamente durante su octavo).

Llámalo en la oración que te es familiar y dirígete a Él como el "Alma de tu alma." El cardenal Mercier[1] fue inspirado para llamar a esto el secreto de la santidad. Quien vive en una unión íntima con el Paráclito divino estará unido necesariamente a Mi Madre Inmaculada. Ella está presente donde el Espíritu Santo esté activo y donde ella esté, el Espíritu Santo entra.

San Juan sabía esto y al compartir su hogar con Mi Madre Inmaculada, se convirtió para él como el Cenáculo en la mañana de Pentecostés. Mi Madre obtiene para las almas consagradas a ella y a su gracia un Pentecostés perpetuo interior. En cada momento, el Espíritu Santo es enviado desde el Padre y el Hijo para reunir a las almas en unidad, uniéndolas a Mí y entre ellas.

Domingo 15 de marzo de 2009

Muéstrate agradecido, sincero e interesado en los demás y en las cosas que les preocupan, en primer lugar, en sus familias. Revela a todos a los que te envío Mi Corazón y Mi Rostro.

Lunes 16 de marzo de 2009

Mi amor por ti es único e infalible. Confía en Mi amor misericordioso en todo momento y en cualquier circunstancia. Tus debilidades no son

---

[1] Cardenal Desiderio Feliciano Francisco José Mercier (21 de noviembre, de 1851–23 enero, de 1926) fue arzobispo de Malines, Bélgica de 1906 hasta su muerte. Además del liderazgo heroico que demostró durante la Primera Guerra Mundial, el Cardenal Mercier fue el anfitrión del famoso diálogo católico-anglicano conocido como las Conversaciones de Malines, y obtuvo el establecimiento de la fiesta litúrgica de la Santísima Virgen María, Mediadora de Todas las Gracias, con su propia Misa y Oficio. Su mentor espiritual fue el Beato Dom Columba Marmion. La práctica diaria que recomendó se expone seguidamente en sus propias palabras: "Yo voy a revelarte el secreto de la santidad y la felicidad." Todos los días durante cinco minutos controla tu imaginación y cierra tus ojos a las cosas de los sentidos y tus oídos a todos los ruidos del mundo, para poder entrar en ti mismo. Luego, en la santidad de tu alma bautizada (que es el templo del Espíritu Santo), habla con ese Espíritu Divino, diciéndole: 'Oh Espíritu Santo, Alma de mi alma, ¡Yo Te adoro! Ilumíname, guíame, fortaléceme, consuélame. Dime qué debo hacer; dame Tus órdenes. Yo prometo someterme a todo lo que deseas de mí y aceptar todo lo que permitas que me suceda a mí. Solo hazme saber Tu Voluntad.' "Si haces esto, tu vida fluirá feliz, serena y llena de consuelo, incluso en medio de las pruebas. La gracia será proporcionada a la prueba, dándote fuerzas para llevarla, y tu llegarás a la Puerta del Paraíso cargado con mérito. Esta sumisión al Espíritu Santo es el secreto de la santidad." Mercier también fue un notable erudito tomista, y el fundador del Instituto Superior de Filosofía en la Universidad de Lovaina, así como de la *Revue Néoscholastique*.

un impedimento para Mi amor misericordioso, por el contrario, ellas hacen que te quiera y te traen gracias especiales. Mientras confíes en Mi amistad duradera por ti, experimentarás los signos de Mi amor misericordioso en una abundancia cada vez mayor. Quiero llenarte de gracias no solo para ti, sino para todos Mis sacerdotes y sobre todo, para los que Me han cerrado sus corazones, han rechazado Mi íntima amistad y se han retirado a la cómoda vida que han organizado para ellos mismos— pero ese tipo de vida apartados de Mí es el comienzo de la condenación, el comienzo de ese infierno que no es algo que Yo inflija a sus almas, sino más bien, el estado en que ellos se ponen retirándose poco a poco de Mí hasta el final, cuando la separación está completa y no hay retorno.

Tú estabas también en tu camino a esta terrible separación de Mí, pero Mi Madre Inmaculada intervino, lo mismo que el papa Juan Pablo II y Mi amor misericordioso triunfó en tu corazón. Lo que he hecho en ti, anhelo hacer en muchos otros. Ora por tus hermanos sacerdotes. Tráelos a la luz de Mi Rostro Eucarístico. Ofrécelos a Mi Corazón Eucarístico. Yo recibiré tu intercesión en sus nombres y a través de la mediación de Mi Madre Inmaculada, otorgaré abundantes gracias de conversión, sanación y santidad a Mis sacerdotes a través de este trabajo que te he pedido que hagas.

Soy Yo el que inspiró a Mi siervo, el papa Benedicto XVI, a proclamar este año sacerdotal.[1] Este es un signo y una confirmación que te doy. Aférrate a Mis palabras y sé fiel en todo lo que te pido. Verás un gran derramamiento del Espíritu Santo sobre los sacerdotes de Mi Iglesia. Muchas vidas serán cambiadas. El rostro de Mi sacerdocio se renovará y todos se maravillarán con su esplendor y pureza recién encontrados.

Sábado 21 de marzo de 2009
Tránsito de nuestro santo padre San Benito

El propósito de cualquier palabra que te diga es para unirte a Mí en el silencio del amor. Es por eso por lo que los amigos y los amantes se hablan el uno al otro, para expresar lo que tienen en sus corazones. Una vez que estas cosas han sido expresadas, es suficiente que permanezcan unidos uno con el otro en el silencio, la cual es la expresión más perfecta de su amor.

---

[1] El 16 de marzo de 2009, el papa Benedicto XVI anunció que un "Año Sacerdotal" sería observado por la Iglesia en la celebración del 150 aniversario del *dies natalis* de san Juan María Vianney. Comenzó en la fiesta del Sagrado Corazón de Jesús ese año (19 de junio) y finalizó en la misma solemnidad en el 2010 (11 de junio).

Muchas almas temen el silencio al que las conduciría si tan solo Me lo permitieran. El miedo hace que se escondan detrás de una presa de palabras y conceptos, cuando Mi deseo es la unidad de ellos directamente Conmigo por medio de la fe, la esperanza y especialmente el amor. El amor es el vínculo de Mi unión contigo y con cada alma a la que he elegido vivir en el don de Mi amistad divina.

Hay momentos en que las palabras son útiles y necesarias para tu debilidad humana y por la necesidad que tú tienes para asegurar Mi amor por ti, pero al final, el silencio es la expresión más pura de Mi amor por ti y de tu amor por Mí.

Poco a poco te guiaré al silencio del amor unitivo. Yo no dejaré de hablarte por completo porque necesitas Mis palabras y también porque serán útiles para otras almas, pero te enseñaré a imitar a Juan, Mi amado discípulo, descansando su cabeza,—tan lleno de pensamientos, preocupaciones, miedos y palabras—sobre Mi Sagrado Corazón. Allí aprenderás a encontrar la paz y la felicidad perfecta escuchando únicamente el ritmo eterno y constante de Mi Corazón que late con amor por ti y por todos los sacerdotes. Lo que importa no es la duración de estos momentos, sino más bien, la intensidad del amor divino que los llena.

Lunes 23 de marzo de 2009

Yo aumentaré tu amor por Mí. Esto es lo que haré en ti, porque Me lo pides y en las almas de los demás que Me lo pidan, especialmente en las de Mis sacerdotes.

Para que Me ames como Yo quisiera que Me amaras, tienes la necesidad de Mi regalo de amor. Sin Mí, no puedes hacer nada.[1] Los que Me han amado bien, Mis santos en el Cielo, Me glorifican eternamente por haber puesto en sus corazones el ardiente amor con que Me amaron sobre la Tierra.[2] Ámame, entonces, como Me doy para que Me ames y en ese amor encontrarás la única cosa necesaria.[3]

Miércoles 25 de marzo de 2009
La Anunciación

Yo soy tu Madre, la Madre que te fue dada por mi Hijo Jesús, desde la Cruz, en la hora solemne de Su Sacrificio. Y tú eres mi hijo, querido por

---

[1] Jn 15:5.
[2] Rom 5:5; Ezeq 11:19.
[3] Luc 10:42.

mi Doloroso e Inmaculado Corazón, precioso para mí y siempre bajo el manto de mi protección. Déjame vivir contigo como viví con Juan, el segundo hijo de mi Corazón y el modelo para todos mis hijos sacerdotes a través de las edades. Háblame simplemente y con completa confianza en la compasión de mi Corazón materno y en el poder dado a mi intercesión materna.

No hay nada que no puedas traerme, nada que no puedas presentarme, nada que no puedas ofrecerme, incluso tus propios pecados. Cualquier cosa que me den mis hijos, yo lo presiono a mi Corazón, todo lo que es impuro, todo vestigio de pecado se consume en la llama del amor que arde en mi Inmaculado Corazón, en el fuego del amor que es el Espíritu Santo en mí, el fuego mismísimo de la divinidad. Dame, entonces, todo lo que tú le ofrecerías a mi Hijo y a Su Padre. Será purificado como oro en el horno porque lo presionaré a mi Corazón. Nada impuro puede soportar la llama del amor que arde en mi Corazón. Solo el amor permanece.

Dame tus debilidades, tus pecados pasados, tus faltas diarias y solo presentaré a mi Hijo el amor con el que, a pesar de todas tus debilidades, deseas amarlo y con Él, amar al Padre.

Yo soy tu Madre. Soy la Madre de quien no necesitas ocultar nada. Incluso aquellas cosas que piensas que están ocultas me parecen claras a la luz pura de la Divinidad. Cuando veo a un sacerdote, hijo mío, desfigurado o contaminado por el pecado, me conmuevo, no para juzgarlo, sino para mostrarle misericordia y emplear todos los medios a mi disposición para su completa recuperación de los estragos del pecado. Muchos de los que luchan contra los arraigados hábitos del pecado y los vicios perniciosos se encontrarán rápidamente libres de ellos, solamente si se acercan a mí con confianza filial y me permiten hacer por ellos lo que mi materno y misericordioso Corazón me mueve a hacer.

No hay límites a mi poder de intercesión porque el Padre así lo ha ordenado.[1] Una persona nunca puede equivocarse al recurrir a mí. No importa cuán complejo sea el problema, no importa cuán sórdido sea el pecado, soy la sirvienta de la misericordia divina, el refugio de los pecadores y la Madre de todos los que luchan contra las fuerzas de la oscuridad. Entonces ven a mí. Incluso puedo decir aquellas palabras reconfortantes que mi amado Hijo pronunció por primera vez: "Ven a Mí y Yo te daré descanso."[2]

No es suficiente tener algunas prácticas en mi honor en el transcurso

---

[1] Jn 2:1–11.
[2] Mat 11:28.

del día, deseo más y tú estás llamado a más. Estás llamado a reproducir la vida de San Juan conmigo en el Cenáculo y en Éfeso.[1] ¡Si tan solo supieras los lazos de amor por Jesús, la obediencia al Padre y la alegría en el Espíritu Santo que unió el alma de Juan con la mía! Nosotros fuimos el núcleo de una familia de almas que han crecido maravillosamente a través de las edades—la familia de todos los que, como Juan, vivieron conmigo, aprendieron de mí y me permitieron amarlos de tal manera que el amor por mi Jesús ardió en sus corazones como un gran fuego, el fuego que mi Hijo vino a arrojar sobre la Tierra.[2]

Estoy feliz de haberte hablado en esta fiesta de la Anunciación que me llenó de gozo divino hace muchos años en Nazaret. Esa alegría divina permanece. Nadie la hará disminuir. En la eternidad se multiplica al infinito, es un océano de alegría que no tiene límites y su profundidad no se puede medir. Esta es la alegría que compartiría contigo y con todos mis hijos sacerdotes hoy.

14 de abril de 2009
Martes de Pascua

Nuestro Señor me dirigió a las dos epístolas dadas para la misa del día de Pascua de Resurrección.[3]

> *¿No se ha sacrificado Cristo por nosotros, nuestra Víctima pascual? Celebremos la fiesta, entonces, no con la levadura de ayer, eso fue todo vicio y malicia, sino con pan sin levadura, con pureza, verdad y honestidad de intención.*
> 1 CORINTIOS 5:7–8

Te llamo a la novedad de la vida en pureza de corazón y en adoración fiel. La pureza de corazón es el efecto de la adoración perseverante y su fruto. Uno no puede permanecer delante de Mi Rostro Eucarístico, día tras día sin cambiar de un grado de pureza—es decir, de un brillo—a

---

[1] Aunque algunos padres de la Iglesia hablan de Jerusalén como el hogar de la Santísima Virgen María después de la resurrección de Cristo, otra tradición de larga data la tiene viviendo cerca de Éfeso con San Juan, lo cual armoniza mejor con la entrega de Nuestro Señor al discípulo amado (Jn 19:26–27) y que es corroborado por la visión de la beata Anne Catherine Emmerich, en los comienzos del siglo diecinueve en Alemania, donde vio el hogar de la Virgen María en Mt. Koressos, en las cercanías de Éfeso. Su descripción detallada permitió a un equipo de exploradores en 1881 localizar el sitio que bajo el nombre turco Meryem Ana Evi, se ha convertido en un santuario popular entre cuyos visitantes han estado papas como Pablo VI, Juan Pablo II y Benedicto XVI.

[2] Luc 12:49; Deut 4:36.

[3] En el leccionario revisado, las dos opciones para la segunda lectura son Col 3:1–4 y 1 Cor 5:6b–8, las cuales son comentadas aquí en orden invertido.

otro mayor.[1] Los que adoran Mi Rostro Eucarístico serán como espejos en la Iglesia, reflejando Mi santidad, Mi majestad y Mi infinita piedad para que todos lo vean.

Así es como lograría la transformación de Mis sacerdotes: Yo los haría permanecer en Mi presencia hasta que el reflejo de Mi santidad en ellos y en sus rostros, demuestre a todos que soy fiel a Mis promesas y que la adoración de Mi Rostro Eucarístico es, para todos Mis sacerdotes, un medio privilegiado de transformación en Mí.

Te llamo a la novedad de la vida y lo principal de esa novedad es tu fidelidad a la adoración. Prometiste en Mi presencia y ante el obispo que te di, vivir en adoración perseverante. Esta es tu llamada. Esta es la forma que he abierto ante ti, para tú sanación y purificación. Pero esto no es solo para ti. Esto también es para los que te enviaré y para todos Mis sacerdotes.

Mis sacerdotes rara vez se toman el tiempo de estar Conmigo, para contemplar Mi Rostro, para permanecer en Mi compañía. Este próximo año para los sacerdotes será fructífero como para Mi Iglesia en proporción a la respuesta de Mis sacerdotes a las gracias que se les dieron, la más preciosa entre estas gracias es Mi invitación a contemplar y adorar Mi Rostro Eucarístico. El trabajo de transformación en Mí es Mi obra. Mis sacerdotes solo tienen que exponerse a Mi Rostro Eucarístico. Poco a poco, el resplandor de Mi Rostro hará que el carácter indeleble de Mi sacerdocio en ellos emerja del pecado que lo ha oscurecido y desfigurado. Ese carácter comenzará a brillar en ellos, y esto atraerá a las almas hacia Mí a través de Mis sacerdotes.

La santidad de un sacerdote es Mi vida en él. Los deberes del ministerio sagrado son santificadores, pero no son suficientes. Debe haber en cada sacerdote una voluntad, un deseo de crecer en Mi amistad, de morar en Mi presencia, de rendirse a Mi amor transformador en silencio y en reposo ante Mi Rostro.

Ya que han resucitado con Cristo, deben elevar sus pensamientos buscando las cosas de arriba, donde Cristo ahora Se sienta a la diestra de Dios. Deben tener una mente celestial, no una mente terrenal; han experimentado la muerte y su vida está oculta ahora con Cristo en Dios. Cristo es su vida y cuando Él Se manifieste, ustedes también serán manifestados con Él en gloria.
COLOSENSES 3: 1–4

Esta es la regla de vida que te doy para este tiempo de Pascua y, de hecho, para el resto de tu vida. Vive Conmigo, oculto en Mí como estoy

---

[1] 2 Cor 3:18; Heb 1:3; 1 Cor 15:41; Sab 7:24–30; Bar 5:3.

oculto en la gloria de Mi Padre y oculto bajo la apariencia de pan en el Sacramento de Mi amor. Busca Mi Rostro y Yo buscaré el tuyo, haciendo que Mi brillo penetre en tu alma y te transforme desde adentro.

Los que se alejan de Mí en el Sacramento de Mi amor eligen la oscuridad sobre Mi luz y serán deformados por la oscuridad que penetra en sus almas y causa que el pecado los controle.[1]

Yo te he mostrado el camino a la santidad sacerdotal que deseo que sigan todos Mis sacerdotes. ¡Ojalá Mis sacerdotes se tomaran el tiempo para permanecer ante Mi Rostro Eucarístico para entregarse al amor de Mi Corazón Eucarístico! Así es como iré a renovar el sacerdocio en Mi Iglesia. Este año sacerdotal es el momento en que he elegido comenzar una acción universal en sus almas. Yo separaré el trigo de la paja.[2] Algunos se perderán[3] y ya Mi Corazón y el Corazón de Mi Madre se afligen por ellos, pero muchos entrarán en una nueva forma de vida marcada por la adoración y por la brillante pureza que es su fruto.

Miércoles 15 de abril de 2009

El camino que tracé delante de ti es el camino de la adoración. Camina por este camino a la luz de Mi Rostro Eucarístico y verás que conduce directamente a Mi Corazón abierto. Este es el camino que Yo pondré delante de todos Mis sacerdotes. Yo quiero que ellos caminen a la luz de Mi Rostro,[4] abandonando toda oscuridad y deseando nada más que descansar en Mi Sagrado Costado.

Mi Corazón traspasado es la fuente de pureza, de sanación y de santidad para todos Mis sacerdotes. ¡Cuánto quiero atraerlos a Mi Corazón abierto en el Sacramento de Mi amor! Es suficiente con que vengan a Mí, incluso si están cansados, sin palabras o pensamientos afectuosos. Por el simple hecho de venir, demuestran su amor y su deseo de Mi acción sanadora y purificadora en sus almas.

Debes aprender a permanecer en Mi presencia, a quedarte allí todo el tiempo que puedas, porque esta es la esencia misma de la vida a la que te he llamado aquí. Cuando Me dejas por otras cosas, estás comprometiendo la inmensa gracia que te he dado al traerte aquí para ser el sacerdote adorador de Mi Rostro Eucarístico. La curación y la purificación de muchas almas sacerdotales dependen de tu fidelidad a este llamado a la

---

[1] Inter alia, Mat 6:23; Luc 11:34; Jn 3:19; Job 24:13–17; Sab 18:4.

[2] Mat 3:12, Mat 13:49, 25:32; Luc 3:17; Jer 23:28.

[3] Inter alia, Mat 22:12–13, 25:24–30; Luc 13:2–5; 1 Cor 1:18, 2:15–16; 2 Cor 4:3–4; Fil 3:16–19; 1 Tim 1:19; 2 Pe 2; Apoc 20:12–15.

[4] Sal 88:16 (89:15).

adoración y la reparación. Te he encomendado una grave responsabilidad para la sanidad de tus hermanos sacerdotes y para el regreso de muchos de ellos a Mi Corazón abierto. Su curación y santificación depende del amor que tú tengas por ellos y de la expresión de ese amor siendo fiel a la adoración. Yo he elegido asociarte a Mí y a Mi Santísima Madre en este trabajo. No estás solo. Hay muchas otras almas a quienes he llamado a esta vida de adoración y reparación por Mis amados sacerdotes. Pero tienes tu parte que desempeñar en este designio de Mi amor misericordioso y nadie puede cumplir esta parte excepto tú. Verás entonces que cuento contigo. Pero no tengas miedo. Te daré la gracia de ser fiel a todo lo que te he pedido. No eres tú quien hará grandes cosas por Mis sacerdotes, sino Yo viviendo en ti como en una *humanité de surcroît*,[1] otra humanidad marcada por Mi sacerdocio, otra humanidad en la que puedo ofrecerme al Padre y derramarme por las almas.

Esta es la vocación de cada sacerdote, permitirme vivir Mi misión de Sacerdote eterno y Víctima en ellos. Así es como, desde el principio, determiné salvar almas y dar gloria a Mi Padre. Y esto es por lo cual, la misma noche anterior a Mi sufrimiento, oré para que Mis Apóstoles fueran uno Conmigo, así como Yo soy uno con Mi Padre. La oración que tú has estado diciendo después de la Sagrada Comunión se inspira en Mi propia oración por todos Mis sacerdotes:

> Oh, mi amado Jesús,
> úneme a Ti,
> mi cuerpo a Tu Cuerpo,
> mi sangre a Tu Sangre,
> mi alma a Tu Alma,
> mi corazón a Tu Corazón,
> todo lo que soy a todo lo que Tú eres,
> para hacerme Contigo, oh Jesús,
> un sacerdote y una víctima
> ofrecidos a la gloria de Tu Padre,
> por amor a Tu Esposa, la Iglesia.

Y sí, Yo quiero que le agregues:

---

[1] Una humanidad sobreañadida. Esta frase es de la oración "Ô mon Dieu, Trinité que j'adore" por la Beata Isabel de la Trinidad: "O Feu consumant, Esprit d'amour, 'survenez, en moi,' afin qu'il se fasse en mon âme comme une incarnation du Verbe: que je Lui sois une humanité de surcroît en laquelle Il renouvelle tout son Mystère" (Oh Fuego Consumidor, Espíritu de Amor, 'ven a mí' y crea en mi alma una especie de encarnación de la Palabra, para que pueda ser para Él una humanidad sobreañadida en la que pueda renovar todo Su misterio).

Para la santificación de Tus sacerdotes,
la conversión de los pecadores,
las intenciones del papa Benedicto XVI
y en dolorosa reparación
por mis innumerables pecados
contra Ti en Tu Sacerdocio
y en el Sacramento de Tu amor. Amén.

Cada vez que un sacerdote peca, peca directamente contra de Mí y la Santísima Eucaristía hacia la cual se ordena todo su ser. Cuando un sacerdote se acerca a Mi altar cargado de pecados que no han sido confesados o por los cuales no se ha arrepentido, Mis ángeles miran con horror, Mi Madre se aflige y Yo nuevamente soy herido en Mis manos, Mis pies y en Mi Corazón. Nuevamente fui golpeado en Mi boca y tratado con una terrible ignominia. Es por eso por lo que llamo a Mis sacerdotes a la pureza de corazón y a la confesión frecuente. Es por eso por lo que te pido que confieses tus pecados semanalmente y que con la adoración de Mi Rostro Eucarístico se purifique tu corazón y te haga menos indigno de ofrecer Mi Santo Sacrificio. Los pecados de Mis sacerdotes son una grave ofensa para Mi propio sacerdocio y para Mi inmaculada victimización.

Todo sacerdote Mío debe vivir *para* el altar y *desde* el altar. Sé consciente de esto y aprenderás a odiar el pecado y te apartarás del pecado con disgusto. Aprende esto y no desearás nada más que la pureza de corazón y la santidad de la vida.

Cuando un sacerdote peca, peca contra Mi cuerpo Eucarístico y contra Mi Cuerpo Místico, tan íntima es la relación entre su ser y el Sacramento de Mi Cuerpo y Sangre ofrecidos al Padre y dadas para la vida de Mi Esposa, la Iglesia.

Le pregunté a Nuestro Señor sobre la lectura durante la adoración.

Está bien leer un poco en Mi presencia Eucarística, especialmente sobre las Escrituras, siempre que tu corazón permanezca fijo en Mí y tus ojos sean iluminados por la luz de Mi Rostro.

Martes 12 de mayo de 2009

Tu debilidad es Mi regalo para ti. En lugar de ofrecerme tus logros, ofréceme tu pobreza, tu debilidad, tu propio fracaso para lograr grandes cosas y Yo, a su vez, aceptaré tu ofrenda y uniéndola a Mi propia pasión, hará que sea suficiente para producir frutos para Mis sacerdotes y para

toda Mi Iglesia.[1] Mientras tu vengas, humilde por tu debilidad y animado por un santo deseo para estar solo Conmigo, pasaré por alto las otras
fallas que te afectan y en Mi misericordia, las borraré y te daré en su
lugar, gracias y misericordias que he elegido y designado para ti y para
ningún otro y esto desde toda la eternidad.

Mi plan para ti no es el que has creado y entretenido en tu mente. Mi
plan para ti es él que se desarrolla día tras día en todas las humillaciones
y el aparente fracaso para lograr grandes cosas que componen esta fase
de tu vida. Acepta tus debilidades y luego ofrécemelas. Haz esta ofrenda
a través de Mi Madre. Colócalas en sus manos y entrégalas a su Corazón
más puro. Cada debilidad confiada a Mi Madre se convierte en una
ocasión de gracia y un derramamiento de Mi amor misericordioso en el
alma que lo sufre.

No confíes en lo que haces por Mí, sino en lo que haré por ti, porque
soy todo amor y todopoderoso; tú has ganado el amor de Mi Corazón y
nunca te quitaré lo que te he dado. Te preguntarás, ¿Cómo te has ganado
el amor de Mi Corazón? Al aprender a decirme sinceramente y con confianza, "Oh Jesús, Rey de Amor, pongo Mi confianza en Tu bondad
misericordiosa."[2] Esta pequeña invocación expresa todo lo que un alma
necesita decir para ganar la ternura y el favor de Mi Corazón.

Miércoles 17 de junio de 2009

Espera ahora a que se cumplan las promesas que te hice, porque el
momento de su cumplimiento está cerca. Recibe de Mis manos amorosas todo lo que te enviaré y déjate ser atraído por todas estas cosas al
secreto santuario de Mi Corazón traspasado. Allí te uniré a Mí como
Sacerdote y Víctima, tal como tú Me pides que haga todos los días en la
Misa. Te comunicaré una participación en Mi propia oración sacerdotal
al Padre y esta oración será acelerada en tu alma mediante un nuevo
derramamiento del Espíritu Santo.

No rechaces nada de lo que he preparado para ti. Entra humildemente
y con gratitud en este plan Mío. Tu correspondencia con Mis designios
es el medio por el cual te santificaré y usaré para la santificación de Mis
sacerdotes.

Sobre todo, sé fiel a tus tiempos de adoración. Espero que vengas a
Mí en el Sacramento de Mi amor. Es durante estos momentos de adoración que continuaré comunicándote los secretos de Mi Corazón, tal

---

[1] 1 Cor 2:3; 2 Cor 8:9, 11:30, 12:5–10, 13:4; Heb 4:15, 5:1–2; Col 1:24; Gál 4:12–14;
Mat 5:3; Luc 6:20.

[2] Ver p. 11, pie de página 1.

como se los comuniqué a Mi amado Apóstol Juan cuando descansó sobre Mi pecho en la Última Cena y contempló Mi Costado traspasado en el Calvario.

Vive en compañía de Mi Madre tan pura y ve con ella como cualquier hijo va a su madre, lleno de confianza en su amor por ella. Nunca dudes que ella te ama tiernamente y que ella está en todo momento, lista para consolarte, ayudarte y levantarte cuando te caigas y para instruirte en el plan de vida que he determinado que será tuyo en este lugar.

Agradéceme por la *dona disciplinae*[1] que te he dado, ya que harás grandes avances en poco tiempo. Estos dones de disciplina te permiten seguir el camino de una fidelidad humilde y amorosa de momento a momento, haciendo en el tiempo señalado lo que se debe hacer y confiando en Mi gracia para todo demás. Haz lo que puedas hacer, lo que te he pedido que hagas y todo lo demás se te dará en abundancia y te sobrará para venir a ayudar a los sacerdotes necesitados.[2] Ahora arrodíllate y adórame en el silencio del amor que te une a Mi Corazón.

Jueves 18 de junio de 2009
Después de las primeras vísperas
del Sagrado Corazón de Jesús

Renovaré a Mis sacerdotes en santidad.[3] Restauraré su honor a los ojos de las naciones, porque son Míos y todo lo que pertenece a su honor pertenece a Mi gloria. Purificaré a los que han caído en la inmundicia del pecado habitual. Sanaré a los que están quebrantados de espíritu e incluso a aquellos cuyos cuerpos están cansados y limitados por la enfermedad. Ellos descubrirán que Yo soy su médico, así como verdaderamente soy su amigo.[4] No dejaré nada sin hacer para que Mis sacerdotes puedan renovarse en el fuego de Mi amor.

Un sacerdocio castigado brillará con castidad frente a un mundo oscurecido por todo vicio carnal y exceso pecaminoso. Un sacerdocio manso y humilde asombrará a un mundo obsesionado con el poder, la influencia y la explotación de los pobres. Un sacerdocio obediente

---

[1] "Dones de disciplina." La frase se refiere a ser humilde, pequeñas prácticas de auto-negación por las que uno puede responder a la gracia en la vida diaria: uno podría llamarlas "pequeñas oportunidades para la renuncia."

[2] Luc 6:38, 12:31; 2 Cor 9:8; Sal 22(23):5; Sal 77(78):25.

[3] Sal 131(132):9 y 16; 2 Cró 6:41.

[4] Sobre el médico: ver, e.g., Sal 146(147):3, y, Mateo solo, 4:23, 8:16, 9:12, 9:35, 12:15, 12:22, 14:14, 15:30, 19:2, 21:14; sobre el amigo, ver Mat 11:19; Luc 12:4; Jn 3:29, 11:11, 15:13–15.

estará en contradicción con un mundo que, siguiendo a su maestro, dice: "Yo no serviré."[1]

Estoy cerca de renovar en el corazón de todos Mis sacerdotes el regalo que le hice a Juan, Mi amado discípulo, desde el altar de la Cruz, Yo estoy por dar a cada sacerdote a Mi Madre, de una manera nueva y personal. Los que acepten este precioso regalo Mío y lleven a Mi Madre al secreto más íntimo de sus vidas, experimentarán una maravillosa fecundidad apostólica. Donde esté Mi Madre, allí también está el Espíritu Santo manifestado en abundancia de carismas y signos dados por el bien de Mi Cuerpo y de Mi Esposa, la Iglesia.

Que Mis sacerdotes escuchen atentamente las enseñanzas del papa [Benedicto XVI], porque Yo lo he inspirado para alcanzarlos y para sacarlos de las sombras a la luz radiante de una auténtica santidad.

Por esto he puesto a Mi siervo Jean-Marie Vianney ante Mis sacerdotes.[2] Todos ellos tienen que aprender su humildad, su pobreza, su pureza y su oración. Quiero que todos Mis sacerdotes imiten su fervor por las almas, su compasión por acoger a los pecadores y su enseñanza clara y simple de las verdades de la fe.

En cuanto a ti, amado amigo y sacerdote de Mi Sagrado Corazón, permanece fiel a la adoración que te he pedido y confía en Mí para cumplir todo lo que te he prometido, porque soy fiel en Mi amistad y te he prometido Mi amor en esta vida y en la próxima. Glorifica Mi amor confiando en Mí en todas las cosas, grandes y pequeñas. Sobre todo, búscame y permanece en Mi presencia, tu adoración es preciosa a Mi vista, y a través de ella tocaré los corazones de muchos sacerdotes para atraerlos hacia Mí, así como Yo te he atraído hacia Mí y te he presionado contra Mi Costado traspasado. Ríndete a Mi amor por ti y déjame cumplir para ti todos los deseos de Mi Corazón.

Mi Padre desea que Mi Sagrado Corazón se dé a conocer nuevamente a todos Mis sacerdotes y a través de ellos y su experiencia, a la totalidad de la Iglesia y el mundo. Mis sacerdotes descubrirán los tesoros infinitos de Mi Corazón buscándome en el Sacramento de Mi amor y perma-

---

[1] Jer 2:20; Is 14:11–19; Jn 14:30–31; Efes 2:1–3.

[2] El párroco o cura francés Jean-Baptiste-Marie Vianney (8 de mayo de 1786–4 de agosto de 1859) fue propuesto como modelo para el clero parroquial cuando fue beatificado en 1905 por el papa San Pío X y declarado patrón de los párrocos cuatro años después de su canonización en 1924 por el papa Pío XI. En honor al 150º aniversario de la muerte del Cura de Ars, el papa Benedicto XVI declaró un Año del Sacerdocio, desde la Fiesta del Sagrado Corazón, el 19 de junio de 2009, a la misma fiesta un año después, el 11 de junio de 2010. Las homilías de San Juan Vianney son ejemplares por su claridad de enseñanza, analogías memorables, aplicaciones morales concretas y espíritu de fervor, particularmente en relación con su intensa piedad Eucarística.

neciendo en Mi presencia. Nada puede reemplazar estos tiempos de cercanía a Mí en el Sacramento de Mi amor. Es durante estos tiempos que santifico a Mis sacerdotes y los configuro a Mí en vista del Santo Sacrificio que ofrecen y de su ministerio sagrado. Los sacerdotes que abandonan todo lo demás para permanecer solos en Mi presencia serán de todos los sacerdotes, los trabajadores más efectivos y fructíferos en Mi viña.

Lunes 22 de junio de 2009

Dirigiré tu oración y cumpliré la oración que dirijo. Este será el efecto del Espíritu Santo a quien enviaré sobre ti de una nueva manera para ser el alma de tu alma, la luz y la vida de tu espíritu. Cede a cada movimiento de Mi Espíritu Santo y avanzarás con serenidad y seguridad, preservado de los engaños del Enemigo y de las ilusiones del amor propio.

Te enseñaré a adorarme como deseo ser adorado por todos Mis sacerdotes, y te envío a Mis sacerdotes para comunicarles lo que te he enseñado. Así se cumplirá Mi plan de levantar en Mi Iglesia durante este año sacerdotal, un cenáculo de sacerdotes adoradores conforme a los designios de Mi Corazón.

Martes 23 de junio de 2009
Después de la primera víspera de San Juan el Bautista

Cuando ores por cualquier alma, comienza uniéndote por completo a Mi voluntad perfecta para esa alma y entrando en todos los designios de Mi Corazón para ella. Desea solo lo que Yo deseo. Quiere lo que Yo quiero. Permite que tu oración sea una forma de encauzarte hacía Mí para que podamos trabajar juntos por las almas y por la gloria de Mi Padre. Esto es lo que quise decir cuando llamé a Mis queridos amigos a llevar Mi yugo sobre ellos. Quería que aprendieran a trabajar Conmigo.[1]

Por la oración de adoración por Mis sacerdotes, estás trabajando Conmigo para ellos. Tú estás trabajando Conmigo para levantarlos cuando caigan, vendar sus heridas, liberarlos de la esclavitud del mal, abrirlos a Mis dones y obtener para ellos una mayor apertura a la acción santificadora del Espíritu Santo.

Tu unión Conmigo en oración disminuye la resistencia de muchos sacerdotes a entrar resueltamente en el camino de santidad que estoy

---

[1] Mat 11:28–30, 12:30, 27:32; Mar 15:21; Luc 11:23, 23:26–27; Jn 4:38, 6:27; 3 Jn 1:8; 1 Cor 3:8–9.

abriendo ante ellos. Cuando representas a Mis sacerdotes delante de Mi Rostro Eucarístico, estás obteniendo gracias para ellos, pero también la gracia de aceptar esas mismas gracias que anhelo otorgarles. Mucho de lo que anhelo darles a Mis sacerdotes es rechazado porque no pueden moverse más allá de sus miedos y su auto absorción.

Yo trabajaría maravillas en cada lugar de la Tierra a través del ministerio de Mis sacerdotes, si aceptaran las gracias que tengo reservadas para ellos. Primero los purificaría y santificaría, y luego, por medio de su ministerio sagrado, purificaría y santificaría una gran multitud de almas, para hacer de ellas una ofrenda de alabanza y acción de gracias para la gloria de Mi Padre.

¿Por qué Mis sacerdotes rechazan los regalos que les puedo prodigar? Muchos son autosuficientes, confiando en sus habilidades naturales y talentos, y pensando que estos dones naturales son suficientes para el éxito de su ministerio. Pero su idea de éxito no es la Mía. Y los medios que toman no son los Míos. Yo no necesito sus habilidades naturales, ni sus talentos.[1] Puedo hacer más con un sacerdote pobre que como el Cura de Ars, que sea humilde y esté completamente unido a Mí por la oración incesante, que lo que Yo puedo hacer con un sacerdote que maravilla al mundo con su conocimiento y se presenta brillantemente ante los hombres.[2]

Cuando encuentro un sacerdote abierto a Mis dones, los prodigo sobre él. Nada es escaso para el sacerdote que viene delante de Mí en su pobreza e incluso en sus pecados, siempre que Me dé su pobreza y Me confíe sus pecados y exponga todas sus debilidades a la luz transformadora de Mi Rostro Eucarístico.

Esto es lo que te pido que hagas, no solo para ti, sino para todos Mis sacerdotes. Estoy a punto de renovar Mi sacerdocio en toda la Iglesia. Purificaré a los hijos de Leví en cumplimiento de la antigua profecía, no a los de un linaje sacerdotal físico, sino a los que han tomado el lugar del antiguo sacerdocio y que son uno Conmigo en el sacerdocio eterno de la Orden de Melquisedec.[3] Yo cambiaré el Rostro del sacerdocio para hacerlo resplandecer con la luz reflejada desde Mi Rostro Eucarístico.

Martes 7 de julio de 2009

Mi Corazón está abierto a tus oraciones y las recibo con agrado porque

---

[1] Inter alia, Deut 7:7; Sal 146(147):10–11; Is 31:3, 40:13–17; Sir 42:18–22; Rom 11:34–36.
[2] Is 66:2.
[3] Mal 3:3; Gén 14:17–20; Sal 109(110):4; Heb 5–7; Luc 22:19; Hech 2:42, 2:46.

Yo soy quien te inspira para hablarme de esta manera. Este es el secreto de la oración que agrada a Mi Corazón, surge de una gracia que ya he plantado en el alma, incluso antes de: venir a Mi presencia, abrir la boca, tomar un lapicero o comenzar a formular palabras. Estas son las oraciones que respondo más fácilmente; estas son las oraciones a las que respondo infaliblemente, porque ellas son el fruto de la obra del Espíritu Santo en tu alma, que te enseñan a orar en perfecta armonía con los deseos y los designios de Mi Sagrado Corazón.

Cede a la oración del Espíritu Santo por quien orarás como debes hacerlo, por cuya gracia tus oraciones se elevan como incienso ante Mi vista.[1] Este fue el secreto de los santos cuando Me buscaron en la oración: poco a poco sus propios modos de oración dieron paso a una forma divina de orar, gracias a los inefables suspiros y gemidos de Mi Espíritu Santo en ellos.[2] Algunos de Mis santos pudieron, de hecho, traducir esta oración dada por el Espíritu en palabras y así la Iglesia se ha enriquecido con un tesoro de oraciones inspiradas por el Espíritu Santo, oraciones que glorifican a Mi Padre, oraciones que tocan Mi Corazón y Me mueven a la compasión.[3]

Ora de esta manera. Entrégate al Espíritu Santo y permite que el Espíritu Santo haga que la oración fluya dentro de ti como una fuente de agua viva.[4] Esta es la oración que florece en adoración en espíritu y verdad.[5] Esta es la oración que la Iglesia ha consagrado y por la gracia del Espíritu Santo se expresa de manera nueva y viva en la celebración de la Sagrada Liturgia. Yo quiero otorgarte este don de oración. Quiero enviarte Mi Espíritu Santo para crear en tu corazón una oración que sea, en todos los sentidos, conforme a la oración de Mi propio Corazón al Padre y a Mi voluntad para tu vida y para tu eternidad. Humíllate entonces en Mi presencia y recibe este don de oración, no como algo humano, no como una habilidad que proviene de tu naturaleza, sino como un don divino y una manifestación del Espíritu Santo en tu natu-

---

[1] Sal 140(141):2; Apoc 5:8, 8:3–4.

[2] Rom 8:26; Luc 10:21; Jn 11:38; Éxod 2:23–25; Sal 6:7 (6:6); Sal 37:9–10 (38:8–9); Ezeq 9:4.

[3] Como leemos a continuación, estos incluirían, de manera prominente, las oraciones de la Sagrada Liturgia. Por lo tanto, la tradición cristiana atribuye elementos del Rito Romano de la Misa a San Dámaso, San León I y San Gregorio I y las anáforas bizantinas a San Juan Crisóstomo, San Basilio el Grande y Santiago. Ciertos santos enriquecieron la liturgia en sus propios tiempos adicionándole la poesía sublime: San Romano el Melodista en el este, Santo Tomás de Aquino en el oeste.

[4] Jn 4:10–14, Jn 7:37–38; Est 11:10; Sal 35:10 (36:9); Prov 18:4; Cant 4:15; Is 58:11; Zac 13:1; Sir 21:16; Apoc 21:6.

[5] Jn 4:23–24.

raleza, incluso en tu quebrantamiento marcado por el pecado y en el pasado, oscurecido por la colusión con el mal.

Ahora Yo te llamo, te traigo a la luz pura de una nueva vida en Mi presencia Eucarística y para llenar tu vida con Mis dones, imparto una gracia de oración mediante la cual aprenderás a abrirte a todo lo que deseo darte. Sé agradecido, entonces y ábrete al Espíritu Santo. Invoca al Espíritu Santo, Señor y Dador de Vida, a través del Inmaculado Corazón de Mi Madre, y tú experimentarás la incomparable alegría de su presencia.

Luego le dije a Nuestro Señor que temía haber sido engañado, seducido, o desviado por mi imaginación al recibir palabras como estas. Esto es lo que respondió:

Mira todo lo que he hecho para que te acerques a Mí, para hacerte vivir en Mi presencia y a la luz de Mi Rostro Eucarístico. Ve los cambios que he forjado en ti y conoce por estas cosas, la verdad de nuestras conversaciones, porque Mi deseo es y sigue siendo, hablar a tu corazón, así como un hombre le habla a su amigo.[1]

Cuando vengan las dudas, deséchalas. Debes saber que te hablo en un lenguaje extraído de tu propia experiencia y de los recursos de tu propia imaginación y mente. El mensaje; sin embargo, es Mío. Soy Yo quien Me estoy comunicando contigo de esta manera para mantenerte firme en Mi amistad divina y para atraerte al santuario de Mi Corazón, allí para adorar y glorificar Conmigo al Padre, Fuente de todos los dones del Cielo. También allí, en Mi Corazón, estás lleno de Mi Espíritu Santo y elevado a una unión con Mi oración sacerdotal que ningún esfuerzo humano puede merecer o producir. Todo esto, como ves, es Mi regalo para ti, un regalo que te ofrezco por Mi amor clemente y misericordioso.

No te rindas ante el temor, la duda y el escrutinio puramente humano de algo que es Mío y que libremente te comunico por amor. Sobre todo, sé agradecido y que Mi paz descienda a tu corazón y te llene con un gozo santo.

Miércoles 8 de julio de 2009

Mi Corazón llora a tantos sacerdotes que no desean acercarse a Mí en el Sacramento de Mi amor. Sus corazones se han enfriado, pero Mi Corazón todavía arde de amor por ellos. Cómo sufro por su frialdad, su indiferencia, su falta de deseo por Mí y por la amistad que les ofrezco.

---

[1] Éxod 33:11; 2 Jn 1:12.

Me hago un mendigo delante de ellos. Les suplico que acepten Mi amistad y que Me den cada día, al menos una hora de su tiempo. Gran parte de su tiempo se desperdicia buscando cosas sin valor, cosas sin importancia y Yo, todo el tiempo espero a que vengan a Mí.

¿Oirán Mi llamado durante este año sacerdotal? ¿Se alejarán de las cosas perecederas que los fascinan y los mantienen esclavizados y se volverán hacia Mí, que los haré verdaderamente felices y les daré lo que ninguna criatura puede?

Mis sacerdotes necesitan una gran revolución, una revolución de amor. He visto la vida de tantos sacerdotes, Yo sé sus sufrimientos. Nada está oculto para Mí. Levantaré una compañía de fieles amigos de Mi Corazón, sacerdotes adoradores de Mi Rostro Eucarístico. Los reuniré como una vez reuní a los Doce en el Cenáculo y les hablaré de Corazón a corazón, como un hombre les habla a los amigos que ha elegido. Sanaré a quienes estén heridos. Yo descansaré a los que estén cansados. Los santificaré a todos, pero solo si prestan atención a Mi súplica, siguiendo el sonido de Mi voz, Me buscan y aprenden a morar en Mi presencia. Así es como renovaré Mi sacerdocio durante este año de gracia.

No pido que Mis sacerdotes vivan todo el día en la Iglesia, como lo hizo Mi fiel siervo Juan Vianney, pero pido a cada sacerdote una hora en Mi presencia, una hora a la luz de Mi Rostro Eucarístico, una hora cerca de Mi Corazón. Déjalos que vengan a Mí y haré por ellos más de lo que puedan pedir o imaginar.[1]

Yo estoy llamando a Mis sacerdotes a Mi compañía. Los estoy presionando para que entren en el cenáculo y allí, estén radiantes a la luz de Mi Rostro. Quiero que escuchen los secretos de Mi Corazón, esos secretos que les he reservado para esta generación y para la alegría de Mi Esposa, la Iglesia, en este año de gracia.

En cuanto a ti, sé el consolador de Mi Corazón Eucarístico. Permanece en Mi presencia. Háblame como el Espíritu Santo te mueva a hablarme. Escúchame y recibe las palabras que te dirijo, palabras que comunican algo del fuego de amor que resplandece en Mi Corazón por ti y por cada sacerdote Mío.

Consuélame, consuélame, porque los Míos Me han rechazado. Consuélame, porque estoy abandonado por los que elegí para Mí mismo, esperando que respondan a Mi amor con amor y a Mi ternura con igual ternura. Tú, al menos, dame toda la ternura de tu corazón y conoce que Mi Corazón está abierto para recibirte y para que seas el santuario del sacerdocio aquí y en el mundo venidero.

---

[1] Efes 3:20–21; Prov 9:4.

Jueves 9 de julio de 2009

Mi Corazón rebosa de amor misericordioso por Mis sacerdotes. No hay uno de ellos por el cual no sufriría otra vez las traiciones más amargas y humillaciones de Mi pasión. Es grande Mi deseo de ver a cada sacerdote Mío, entero, para lo cual con mi preciosa Sangre lo lavaré y lo limpiaré y lo santificaré con el fuego del Espíritu Santo. Todo lo que sufrí una vez—especialmente los sufrimientos de Mi Corazón sacerdotal—permanecen disponibles hasta el final de los tiempos para los sacerdotes de Mi Iglesia, los amigos elegidos de Mi Corazón. Mi sufrimiento sigue siendo para ellos un manantial de curación y de Mis heridas fluye un bálsamo de pureza y amor para ellos. ¡Si tan solo Mis sacerdotes se acercarán a Mí y se aplicarán a sí mismos los méritos y el poder de Mi más amarga pasión y preciosísima Sangre!

Hubo momentos en Mi pasión—los momentos más oscuros de todos—cuando estuve sufriendo particularmente por Mis sacerdotes, ahí sentí que Mi Corazón fue aplastado como en un lagar, bajo un peso de tristeza que ninguna palabra puede describir. Los vi pasar frente a Mí, una procesión aparentemente interminable hasta el final de los tiempos. Vi los pecados de cada uno, las traiciones, sacrilegios y frialdad de corazón. También vi a los que vivieron y caminaron en la luz, estos fueron Mis consuelos y en cada uno de ellos vi la influencia de Mi Madre más pura. Ella los formó para Mí y esto lo seguirá haciendo hasta que el último sacerdote sea ordenado y los Sacramentos que di a Mi Iglesia pasen al resplandor de gloria que ellos significan en el tiempo. Yo miré a los ojos de cada uno de Mis sacerdotes. En algunos vi un amor ardiente y un deseo de complacerme en todas las cosas. En otros vi un espíritu mercenario, una incapacidad para pasar de la necesaria organización de Mi Iglesia a los misterios por los cuales ella salió de Mi Costado herido y recibió el Espíritu Santo en la tercera hora de Pentecostés. En otros, vi una terrible indiferencia, una pérdida de su primer amor, una traición a todo lo que representa Mi sacerdocio. Son estos quienes agregaron una tristeza inconmensurable a los sufrimientos que soporté.[1]

En este año sacerdotal, pido almas sacerdotales que Me consuelen y que compensen lo que aún falta en una parte de Mi sacerdocio. Por la

---

[1] Véase la intención y la oración para el octavo día de la Novena de la Divina Misericordia: "Hoy tráeme a las almas que se han vuelto tibias y sumérgelas en el abismo de Mi misericordia. Estas almas hieren Mi Corazón dolorosamente. Mi alma sufrió el más terrible odio en el Jardín de los Olivos debido a las almas tibias. Ellas fueron la razón por la que clamé: 'Padre, aparta lejos de Mí esta copa, si es Tu voluntad.' Para ellos, la última

frialdad de tantos, pido un amor indiviso y tierno. Por la indiferencia de tantos, pido un fervor santo. Por la irreverencia de tantos, pido una conciencia renovada de Mi divina majestad y de la santidad que corresponde a Mis santuarios.

El tiempo está medido y pasará rápidamente. Que Mis sacerdotes vuelvan a la herida de Mi Costado. Que sigan el faro que brilla desde Mi Rostro Eucarístico para atraerlos a Mi presencia. Yo espero por ellos. Con un gran deseo, Yo deseo su compañía y el consuelo que solo ellos puedan ofrecer a Mi Corazón traspasado.

Viernes 10 de julio de 2009

Avanza con sencillez sin miedo y confiando en Mi Providencia misericordiosa para preparar todas las cosas para un futuro lleno de esperanza. Deja la preparación del futuro completamente en Mis manos. Tu parte es permanecer fiel a la adoración que te he pedido. Al corresponder a tu vocación de ser el sacerdote que adora Mi Rostro Eucarístico y el amigo consolador de Mi Corazón, ya estás participando activamente en la preparación de Mi trabajo aquí en todas sus dimensiones.

Escucha las inspiraciones del Espíritu Santo. Cuando sea el momento de actuar o tomar medidas en una pregunta en particular, nosotros te lo aclararemos. Hasta que tengas esa certeza, conténtate con perseverar en esta vida oculta de adoración. El trabajo es Mío y cumpliré lo que te he prometido. Te enviaré hijos y hermanos. Ya los tengo elegidos y los he llamado y cuando se presenten ante ti, los reconocerás como los hombres que he preparado para que compartan contigo este trabajo para la glorificación de Mi Rostro Eucarístico y la santificación y sanidad de Mis sacerdotes.

La reparación es el corazón de esta obra, adórame por los sacerdotes que no Me adoran, búscame por los que huyen de Mi Rostro, confía en Mí por los que ponen toda su confianza en sí mismos y en los caminos del mundo. Sobre todo, ámame. Ámame por el bien de los sacerdotes Míos cuyos corazones se han enfriado.

Los sacerdotes deben ofrecerse a sí mismos como víctimas de sus hermanos sacerdotes. Así es como tengo la intención de purificar, sanar,

---

esperanza de salvación es correr hacia Mi misericordia. Jesús más compasivo, Tú eres la compasión misma. Traigo almas tibias a la morada de Tu Corazón más compasivo. En este fuego de Tu amor puro, deja que estas almas tibias que, como cadáveres, Te llenan de tan profundo odio, sean incendiadas una vez más" (Texto de los Marianos de la Inmaculada Concepción, http://www.thedivinemercy.org/, consultado el 19 de agosto de 2016).

santificar y restaurar la belleza de la santidad a Mi sacerdocio,[1] asociando sacerdotes víctimas a Mi propio Sacrificio renovado en el altar y tomando la ofrenda de sus sufrimientos como Mía propia, para hacer de ellos corredentores Conmigo, corredentores de los sacerdotes que deben ser traídos de las regiones lejanas del pecado donde Satanás los ha tenido cautivos por demasiado tiempo.[2]

Sábado 11 de julio de 2009

El deseo de Mi Corazón es que Mis sacerdotes Me adoren, apartando tiempo cada día para que permanezcan ante Mi Rostro Eucarístico. Allí los llenaré con todas las gracias necesarias para su sagrado ministerio. Allí les daré las virtudes sin las cuales serían incapaces de mostrar Mi Rostro y Mi Corazón a las almas.

Yo quisiera instar a Mis sacerdotes que vengan de todas partes donde han deambulado y donde el Maligno está a la espera para emboscarlos.[3] Me gustaría que vengan a Mí, porque los espero con un Corazón lleno de amistad divina para cada uno. No habrá reproches tampoco ninguna condenación, sino solo perdón y una gran alegría entre los ángeles del Cielo,[4] porque Mis sacerdotes, por fin, ocupen su lugar en adoración delante de Mis altares.

Haz conocer a Mis sacerdotes este deseo apremiante de Mi Corazón. El tiempo es corto. Renovaré el rostro de Mi sacerdocio llenándolo con el reflejo de Mi propio Rostro Eucarístico. Así será Mi sacerdocio transformado. La Iglesia y el mundo esperan por santos sacerdotes. Y Yo espero santificarlos en el Sacramento de Mi amor.

Domingo 12 de julio de 2009

Piensas que tu incapacidad para orar sin distracciones es un obstáculo para Mi gracia. De ser así, no habría podido santificar a un gran número de los que Mi Iglesia honra como santos. Las distracciones, cuando ellas no entretienen voluntariamente, no son obstáculo para Mi trabajo en un alma. Mi gracia pasa a través de ellas para tocar el centro del alma donde todo está quieto y preparado para Mi toque sanador y santificador. Ven a Mí con un vivo deseo de rendirte a Mí, eso es suficiente. Ven a

---

[1] 1 Cró 16:29; 2 Cró 20:21; Sal 28(29):2; Sal 95(96):9. En la versión de la Biblia de King James, cada uno de estos versos usan la expresión "belleza de santidad."

[2] Col 1:24; Mat 4:16; Luc 10:30–34, 15:13–14; Is 9:2; Ezeq 34:25–31.

[3] Mat 22:9; Luc 14:23; Jer 6:25; Ezeq 21:21; Os 6:9–7:1; 1 Mac 5:4.

[4] Luc 15:10.

Mí por Mi bien, para ofrecerme tu compañía como una expresión de amor agradecido. No necesito nada de ti,[1] el deseo de Mi Corazón es responder a todas tus necesidades con una abundancia de dones espirituales. El deseo de Mi Corazón es atraerte a la unión más cercana Conmigo.

Tráeme tus deseos, tu buena voluntad, un arrepentimiento profundo por todos tus pecados y, sobre todo, una confianza ilimitada en Mi amor misericordioso. Ven a Mí para recibir lo que deseo darte. Cuando recibes de Mí con sencillez y con un corazón agradecido, glorificas Mi misericordia.

No soy exigente en la oración. No te pido nada pesado o difícil de lograr. Te pido que Me ofrezcas la compañía de un amigo cariñoso y el afecto de tu corazón. Te pido que permanezcas en Mi presencia, contento de estar ante Mi Rostro Eucarístico, cerca de Mi Corazón Eucarístico. Una oración hecha con somnolencia y distracción no es menos agradable para Mí que una hecha en consolación y alerta. Tus disposiciones subjetivas no impiden la acción de Mi gracia en tu alma. Aprende, entonces, a confiar en Mí para hacer las cosas que no puedes hacer por ti mismo y permíteme trabajar en ti, en secreto, de una manera perceptible a la mirada de Mi Padre y por la operación de Mi Espíritu Santo.

Jueves 3 de diciembre de 2009

Tu unión Conmigo, Mi amado, tendrá lugar a través de Mi Madre Inmaculada y por las suaves pero continuas funciones del Espíritu Santo en tu alma. Juntos, el Espíritu Santo y Mi Madre Inmaculada se ponen al servicio de las almas que buscan la unión Conmigo. ¿No es esto algo maravilloso? Dios, el Espíritu Santo, la fuente de toda santidad en las criaturas y el Amor sustancial por el cual Mi Padre y Yo somos eternamente uno, se pone totalmente al servicio de una criatura finita y pecadora. Para lograr cumplir una unión Conmigo que es la expresión perfecta en un alma humana, de la unión de Mi alma humana y de Mi divinidad con Mi Padre.

En ese día ustedes conocerán que Yo estoy en Mi Padre, y ustedes en Mí y Yo en ustedes.
JUAN 14:20

---

[1] Sal 15(16):2: "Yo he dicho al Señor, Tú eres mi Dios, por Ti no he necesitado de mis bienes"; Sal 39:7 (40:6); Sal 49(50):8–14; Miq 6:6–7; Is 40:15–17; Hech 17:25.

Y en este trabajo uniendo un alma a Mí, nadie puede tomar el lugar de Mi Madre más pura y amorosa. Ella es la Mediadora de Todas las Gracias y así como nadie puede venir al Padre excepto a través de Mí, así tampoco nadie puede venir a Mí, sino a través de ella en cuyo vientre virginal Yo Me encarné.[1]

¡Si tan solo se conociera mejor el papel de Mi Madre y la grandeza de su trabajo, incluso ahora desde su lugar en el Cielo! Entonces habría una gran primavera de santidad en Mi Iglesia y primero que todo, entre Mis sacerdotes, porque se los he confiado a cada uno de ellos a ella, como la más atenta y compasiva de las Madres. Todos los recursos de su Corazón Inmaculado, lleno de gracia, están al servicio de las almas de Mis Sacerdotes por su gran maternidad.

Los sacerdotes tienen el derecho y el privilegio de invocar a Mi Madre en cada necesidad, prueba, fracaso y pecado, con confianza porque recibirán su ayuda, consuelo, misericordia, curación, alivio y paz. Muy pocos de Mis sacerdotes han entrado en la relación de amor filial y de intimidad esponsal con Mi Santísima Madre que deseo para ellos y de la cual fluirá su santidad como de una fuente pura. En una palabra, esta relación con Mi Madre más pura es el secreto de la santidad sacerdotal. Mis sacerdotes solo tienen que buscar a María, Mi Madre y todo lo demás se les dará en abundancia. Los santos más grandes lo sabían, pero hoy muchos corazones sacerdotales se han vuelto oscuros y fríos, y su relación con Mi Madre, que debe ser una reproducción de Mi propia relación con ella, es casi inexistente. La renovación de la santidad en Mis sacerdotes vendrá como lo he prometido solo cuando se vuelvan pequeños, como niños, y se consagren por completo al Inmaculado Corazón de Mi Madre. Sus corazones necesitan su Corazón. Ese es Mi mensaje hoy. Eso es lo que deseo que Mis sacerdotes aprendan y pongan en práctica. Los que hacen esto avanzarán rápidamente en santidad y su virtud brillará para la alegría de la Iglesia y para la gloria de Mi Padre en el Cielo.

Hoy debes hablar con *N.* sobre el silencio, la humildad, la dulzura, la mansedumbre y la moderación. Al mismo tiempo, consuélalo y aliéntalo. Asegúrale tu amor paternal y anímalo a ir a Mi Madre y abandonarse completamente a su cuidado.

¿No te pedí que nunca hables críticamente de ningún sacerdote? Aférrate a esa resolución y te bendeciré a ti y a todos los sacerdotes por quienes tú te preocupas.

---

[1] La exposición clásica de esta verdad es el *Tratado de la Verdadera Devoción a María* de San Luis María de Montfort.

Martes 8 de diciembre de 2009
Inmaculada Concepción de la Santísima Virgen María

Mi propio Corazón rebosa de amor por ti y Me alegra mucho verte aquí en oración delante de Mí. Confía en Mi Providencia. Todo se desarrollará como Yo lo he prometido y no serás decepcionado en tu esperanza. Soy omnipotente, misericordioso y atento a todas tus oraciones y suspiros. Muy pocos creen en Mi amor personal por cada alma.

13 de diciembre de 2009
Domingo Gaudete

Cuando quieras interceder ante Mí por otro, es suficiente que hagas tu oración tal como viene a ti a través de la inspiración del Espíritu Santo, sabiendo que te escucho y que Mi Corazón está, en todo momento, abierto a tus súplicas. Yo estoy más atento para escuchar tus oraciones de lo que tú podrías estar al hacerlas. Confía en Mí. Cree en Mi amor tierno y fiel por ti. Soy tu amigo y te he elegido para ser el amigo de Mi Corazón Eucarístico. ¿Por qué entonces no escucharía tus oraciones y en Mi sabiduría infinita y amor misericordioso, las responderé como Yo crea que es mejor?

Confía en que Mi respuesta a tus oraciones es siempre la mejor de todas las respuestas posibles y nunca dejes de agradecerme, incluso mientras haces tus peticiones, ya que ninguna oración tuya queda sin respuesta.

Sábado 2 de enero de 2010

No te he pedido que fundes un monasterio, sino que Me adores, que Me ames, que busques Mi Rostro Eucarístico y te acerques a Mi Corazón Eucarístico. Te he pedido que confíes en Mí y que deposites solo en Mí toda tu esperanza y todos tus sueños de felicidad y paz. Búscame, confía en Mí y todo lo demás te será dado por añadidura. Construiré el monasterio piedra por piedra y formaré a los hombres que he elegido para ese lugar[1] Solo tienes que permanecer humilde, pequeño y fiel. Sin Mí, tú no puedes hacer nada, pero Conmigo, ninguna cosa es imposible.[2]

---

[1] 1 Pe 2:4–6.
[2] Job 42:2; Sal 118(119):91; Sab 7:27, 11:23; Jn 15:5; Mat 17:20, 19:26; Mar 9:23, 10:27, 14:36; Luc 1:37.

Sé fiel, entonces, a Mí, no a un proyecto o a un ideal. Yo soy tu todo. Vive solo para Mí. Búscame. Busca Mi Rostro. Toma consuelo cerca de Mi Corazón roto. Mira cómo te amo, incluso hasta aceptar el traspaso de Mi Corazón por la lanza del soldado, incluso hasta derramar las últimas gotas de Mi Sangre y Agua. No hay nada que no haga por ti y esto porque Yo te amo y eres Mío. Solamente permíteme actuar libremente, eligiendo los medios, el día y la hora.

Aquí, en el Sacramento de Mi amor, tienes todo. Aquí tienes todo del Cielo. Aquí tienes al Creador de la Tierra con todo lo que contiene y de todo ser humano que haya visto la luz del día. Soy todo tuyo. Sé todo Mío. Pídeme que te una más y más a Mí, hasta que estés completamente escondido en el secreto de Mi Rostro.

Cuando ores, "Sintonízame a tu corazón," dijo Él:

Estar sintonizado con Mi Corazón es estar en sintonía con Mi voluntad, porque Mi voluntad es todo amor: amor en su origen, amor en su realización, y amor en su recompensa.

Tengo varias comunidades de fervientes benedictinos en Mi Iglesia y Me glorifican según los dones que se les han impartido, pero no tengo en ninguna parte una casa de sacerdotes adoradores que Me acompañen en el Sacramento de Mi amor y que se ofrezcan por sus hermanos sacerdotes. Esto es lo que te pido. Esto es lo que haré a través de ti. Solo tienes que ser fiel, incluso en la medida de tu debilidad. Tu debilidad no es obstáculo para Mí, es más bien, un canal a través del cual te daré Mi gracia en gran abundancia.

El marco benedictino y el compromiso con la liturgia coral protegerán y sostendrán la vida de adoración y el trabajo de los sacerdotes, el trabajo interior de auto ofrecimiento en todas las cosas y las obras exteriores de hospitalidad, consejo espiritual y disponibilidad para los sacerdotes en sus tiempos de necesidad y de oscuridad interior. En el corazón de la vocación que te he dado está el consentimiento a Mi amistad divina, el "sí" a Mi amor misericordioso pronunciado en nombre de todos los sacerdotes a través de tu presencia en adoración ante Mi Rostro Eucarístico.

Así es como purificaré, sanaré y santificaré a Mis sacerdotes, atrayéndolos hacia el resplandor de Mi Rostro Eucarístico y la calidez de Mi Corazón Eucarístico. Ellos olvidan que estoy presente en el Sacramento de Mi amor para ofrecerles todas las cosas buenas que provienen de la amistad, compañía, conversación, alegría, consuelo, hospitalidad, fortaleza y, sobre todo, el amor. Estoy oculto en este Sacramento y Mi Rostro está velado por la especie sacramental; Mi Corazón también está oculto.

Pero Yo estoy presente, Dios verdadero y Hombre verdadero, vivo, veo todo y sé todo. Y estoy ardiendo de deseo de que todos vengan a Mis tabernáculos, pero primero que todos, deseo que se acerquen los sacerdotes que he elegido para ser Mis amigos íntimos, los amigos de Mi Corazón.

Un sacerdote en adoración, que reafirme Mi amistad, no querrá nada y hará grandes progresos en el camino de la santidad. La virtud no es difícil para alguien que permanece en Mi amistad. La amistad de Jesús reservada para Sus sacerdotes, debe ser el tema de tus conversaciones con los sacerdotes y de tu predicación a ellos.

Habla de lo que sabes, de lo que has experimentado, porque ya te he dado innumerables señales de Mi amistad. Te he mostrado que soy tu amado Amigo y que te he elegido para que permanezcas en la amistad de Mi Corazón como lo hizo San Juan, Mi amado discípulo. Un sacerdote que permanece en la amistad de Mi Corazón realizará grandes y maravillosas obras para las almas. Este es el secreto de un sacerdocio fructífero.

Pídele a Mi Madre que te mantenga fiel a Mi amistad divina. Pídele a San Juan que te enseñe el camino de la amistad Conmigo y el gozo en el amor de Mi Corazón.

Los sacerdotes que vienen a adorar Mi Rostro Eucarístico descubrirán rápidamente Mi Corazón donde encontrarán la amistad por la que Yo los creé y los he llamado. La única gran deficiencia entre Mis sacerdotes es que ellos son—muchos de ellos—ignorantes de la ternura, la fuerza y la fidelidad de Mi amistad hacia ellos. ¿Cómo se remediará esta deficiencia? Por adoración ante Mi Rostro Eucarístico. Es por eso por lo que te he llamado a este trabajo y vocación específicos. Comenzará humildemente y de una manera casi oculta, pero Yo te bendeciré a ti y a los que te enviaré y el resplandor de Mi Rostro Eucarístico llegará a un número cada vez mayor de sacerdotes, hasta que Mi sacerdocio brille en ellos con todo el esplendor de Mi propia santidad.

Jueves 7 de enero de 2010
San Raymond de Peñafort

Estoy encantado y consolado por tu presencia cerca de Mí. Esto es lo que te pedí y respondiste a las súplicas de Mi Corazón. Sobre todas las cosas, permanece fiel a tus tiempos de adoración. Invisible e imperceptiblemente, estoy trabajando en tu alma y en las almas de los sacerdotes a quienes representas ante Mi Rostro Eucarístico. Tu adorada presencia delante de Mí Me permite alcanzarlos y tocar incluso a aquellos cuyos corazones están endurecidos contra Mí. Este es tu principal ministerio para Mis sacerdotes. Mientras permanezcas fiel a esta vocación de adoración, reparación y representación de tus hermanos sacerdotes a la vista de Mi Rostro Eucarístico, Yo te bendeciré y derramaré sobre ti los tesoros de misericordia reservados para ti en Mi Sagrado Corazón.

Sin duda, hay muchas maneras de llegar a Mis sacerdotes y ministrarles, pero de todas estas, la adoración Eucarística es la más eficaz y la más fructífera. Mis sacerdotes ya están experimentando el efecto de tu presencia en el Sacramento de Mi amor. Permanece fiel a esto, así salvaré y santificaré a un gran número de sacerdotes. En el Cielo serán para ti una fuente eterna de alegría y acción de gracias.

Viernes 8 de enero de 2010

Esta es la oración que quiero que pronuncies en todas las circunstancias de la vida:

Mi Jesús, solo como Tú quieras,
cuando Tú quieras
y en la manera que Tú desees.
A Ti sea toda la gloria y acción de gracias,
Tú que gobiernas todas las cosas poderosa y dulcemente,
y Quien llenas la Tierra con Tus múltiples misericordias.
Amén.

Ora de esta manera y entonces Me permitirás desplegar Mi gracia y manifestar Mi generosidad en todos los lugares y en todas las circunstancias de tu vida. Deseo acumular bendiciones sobre ti. Solo pido que Me des la libertad de actuar sobre ti, alrededor tuyo y a través de ti, como Yo lo haré.

Si más almas Me dieran esta libertad para actuar lo haría, Mi Iglesia comenzaría a conocer la primavera de santidad que es Mi deseo ardiente para ella. Estas almas, por su total sumisión a todas las disposiciones de Mi Providencia, serán las que inicien Mi reino de paz y santidad en la Tierra.

Mira a Mi Madre más pura, este era su camino y esta era su vida,— nada más que Mi voluntad y la voluntad de Mi Padre, en completa sumisión al Espíritu Santo. Imítala y también traerás Mi presencia a un mundo que espera por Mí.

Sábado 9 de enero de 2010

Hazme el objeto de todos tus deseos y nunca estarás decepcionado. Búscame y Me encontrarás. Pide la gracia de Mi presencia en el santuario interior de tu alma y mantén una conversación Conmigo, porque estoy en ti y tú estás en Mí. Yo soy tu vida y aparte de Mí, todo lo que esta vida terrenal te ofrece es amargo e incapaz de satisfacer tu corazón. Te he creado y te he llamado a vivir en Mi amistad y a desearme en la Tierra hasta que ese anhelo sea satisfecho en el Cielo.

Mientras tanto, durante el tiempo que dure tu exilio terrenal, me tienes en el Sacramento de Mi amor. Ahí tienes Mi Corazón, allí puedes contemplar Mi Rostro, allí puedes escuchar Mi voz, allí puedes disfrutar Mi amistad y vivir en Mi presencia. Realmente no estaba más presente para Mis Apóstoles que lo que Yo estoy para ti en este momento en el Sacramento de Mi amor.[1] ¿Tú crees esto?

Yo respondí: "Sí, Señor, yo creo. Ayuda a mi incredulidad."[2]

Fortaleceré tu fe en Mi presencia real y la haré tan fuerte que el resto de tu vida descansará sobre ella como sobre una roca sólida.[3] Te estoy haciendo el sacerdote adorador de Mi Rostro Eucarístico que Yo tanto he deseado. Permíteme instruirte, moldearte, purificarte e iluminarte en preparación para el trabajo que te he dado para hacer entre Mis sacerdotes. Para que esto suceda, solo debes permanecer en Mi presencia. El trabajo de adoración es también y, antes que nada, Mi trabajo en ti. Cuando estás delante de Mi Rostro Eucarístico y tan cerca de Mi Corazón, Yo actúo en ti y sobre ti. Todo tu ser está sujeto a Mi influencia divina cuando te presentas ante Mí para adorarme.

Es por eso por lo que insisto en la adoración de todos Mis sacerdotes. Es el crisol de su perfección sacerdotal. Es el horno del amor en el que los purifico como el oro en el fuego.[4] Es la cámara nupcial a la que Yo los atraigo a Mi Corazón y les hablo cara a cara, como un esposo a su esposa y como un hombre a su amigo.[5] El vínculo nupcial del sacerdote Conmigo pertenece a la relación entre Mi divinidad y el alma del sacer-

---

[1] La categoría de sustancia no admite grados, una sustancia determinada es o bien lo que es (por ejemplo, un hombre, un caballo, un perro) o no es esa cosa en absoluto, no puede ser mitad hombre, mitad caballo, mitad perro. Esta es la base de la posición provida o bien el embrión es humano o no humano y si es humano, tiene la misma dignidad y merece el mismo honor que cualquier persona humana, independientemente de los accidentes, el tamaño, la forma, color o peso que puedan tener. Del mismo modo, debido a que la *sustancia* de Jesucristo está presente en el Santísimo Sacramento y la sustancia no admite grados, la realidad esencial de Nuestro Señor está allí, ni más ni menos real que lo fue para Sus Apóstoles. Aunque Sus accidentes no se nos aparezcan y nosotros veamos, escuchemos, saboreemos y toquemos los del pan, la misma *Persona*, en Su divinidad y humanidad, está presente en medio de nosotros, bajo el velo sacramental.

[2] Mar 9:24.

[3] Mat 7:24–25; Luc 6:48–49; 1 Cor 3:11; Efes 2:20; 2 Tim 2:19.

[4] Prov 17:3; Sir 2:5; Sab 3:5–7; Job 23:10; Zac 13:9; Mal 3:2–4; 1 Pe 1:7; Apoc 3:18.

[5] Éxod 33:11; Cant 2:4, 7:10; Deut 33:12 (Vul.).

dote. Mi humanidad ofrece al sacerdote una amistad divina,[1] pero esa amistad conduce a la unión del alma con Mi divinidad y a una fecundidad que sobrepasa toda acción y obra del sacerdote que actúa por propia iniciativa.

Consiente Mi amistad y Me desposaré con tu alma.[2] Así tú serás Mío de una manera que excede toda noción puramente humana de unión, incluso la unión entre dos almas en la más pura caridad. Creé tu alma para estos desposorios con Mi divinidad y tu alma no habrá fracasado en alcanzar aquello para lo cual la he creado y aquello para lo que Yo la destiné, si tú Me permites amarte, purificarte y unirme a ti, no solo de amigo a amigo, sino también como el Dios Uno y Tres veces Santo de Su amada criatura. Soy uno con Mi Padre y con el Espíritu Santo y cuando amo un alma y la desposo para Mí, esa alma también está unida y desposada con el Padre y el Espíritu Santo. Aquí, "desposado" no es más que una palabra humana. Estos desposorios místicos no tienen nada carnal o material. Yo hablo de la unión del alma con su Dios, para la realización de aquello por lo cual ella fue creada y el cumplimiento de sus anhelos más verdaderos.

Esposo significa la unión más íntima en el amor, es en este sentido que el alma está desposada por las Personas de la Adorable Trinidad. El Padre; sin embargo, se une al alma como un Padre, el Hijo se une al alma como Esposo y como el Hijo unigénito del Padre, el Espíritu Santo se une al alma como la fructificación y consumación del amor.

Todo esto lo puedes leer en el Cuarto Evangelio de San Juan, al descansar su cabeza sobre Mi Corazón, se le dio una comprensión de todos estos misterios. Él es el patrón y amigo de todos los que buscan la unión perfecta Conmigo y a través de Mí con el Padre, en el Espíritu Santo. Por esta razón, te lo he dado para que sea tú protector e interceda por ti en estos años finales de tu vida sobre la Tierra. Yo deseo que tú seas para Mí otro San Juan y que muchos sacerdotes deban ser llevados a la imitación de San Juan en su amistad Conmigo y en su sublime unión con Mi divinidad.

Lee ahora[3] y entiende.

Yo expresé el temor de ser engañado o de ser presa de mi propia imaginación. Nuestro Señor replicó:

---

[1] Porque es siempre la persona quien actúa, no la naturaleza como tal, esta declaración puede ser entendida para decir: "en Mi humanidad (o según Mi naturaleza humana), Yo, el Hijo de Dios, ofrece al sacerdote una amistad divina. . . ."

[2] Os 2:19–20; Ezeq 16:8; 2 Cor 11:2; Apoc 19:7–9.

[3] El Evangelio de Juan.—*Autor.*

¿Por qué no debería mantener una conversación contigo que eres el amigo de Mi Corazón? Yo hablo de esta manera a muchas almas, pero no todas reconocen Mi voz y muy pocas dan la bienvenida a Mi conversación y reciben Mi amistad como el regalo que se da gratuitamente. Es un placer sostener una conversación con los que amo. Comprende esto: mantengo una conversación contigo porque te amo con un amor infinitamente misericordioso y tierno, y porque puse Mi Corazón sobre ti hace mucho tiempo para hacerte totalmente Mío.

Cuando el Enemigo que Me odia y que odia a todos los que amo, vio que Mi amor te estaba preparando para la unión Conmigo, se puso a corromperte con todos los medios a su disposición. Sucedieron muchas cosas que te pusieron en riesgo y amenazaron el cumplimiento de Mi plan para ti. Mi Madre; sin embargo, sabiendo de Mi amor especial por ti y amando a todos los que amo, intercedió por ti y defendió tu causa hasta que, al fin, Mi infinita misericordia prevaleció sobre la iniquidad del Maligno y sus planes para tu destrucción en el infierno.

Todo esto ha estado sucediendo, visible e invisiblemente, durante tantos años, pero ahora te he llevado al puerto de paz y santidad que Yo he preparado para ti. Esta vida de adoración es tu puerto de salvación, así como será un puerto de salvación para muchos sacerdotes que corren el riesgo de naufragar en las tormentosas aguas de vidas agitadas por el pecado y oscurecidas por las sombras del mal. Agradéceme que te haya traído aquí y ahora comienza a amarme más, deseándome y eligiendo Mi amor sobre todo lo demás. Tú eres Mío.

Domingo 10 de enero de 2010

Solo el amor sana, solo el amor libera, solo el amor redime. Al llevar el amor a las profundidades de Mi Pasión y al poner toda la amargura y el odio del pecado expresado en Mis sufrimientos en contacto con Mi amor, redimí al mundo, expié el pecado y le restauré a Mi Padre la gloria que le deben las criaturas que Él creó para bendecirlo y llenar el mundo con el sonido de sus alabanzas.

La redención es obra del amor. Yo amé frente al odio, amé frente a la muerte, amé incluso en el inframundo, donde los justos de las edades esperaron Mi venida entre ellos. Es por amor que vencí al infierno, por amor es que triunfé sobre la muerte, por amor deshice lo que Satanás, en su envidia, había trazado contra las criaturas a las que amo y las que Mi Padre destinó para la alabanza de Su gloria.[1]

El amor no es un sentimiento, es un acto de la voluntad, un movi-

---

[1] Efes 1:12–14.

miento del corazón, una mirada de esperanza dirigida a Mi Padre, porque donde hay amor, hay confianza y donde hay confianza, la victoria del amor está asegurada.

Lunes 18 de enero de 2010

Trabaja un poco cada día en la transcripción de los cuadernos y luego presenta el texto al obispo N. Él te indicará cuál debe ser el próximo paso. Deseo que Mis palabras y las de Mi Madre lleguen a un gran número de almas sacerdotales para brindarles consuelo, valor y luz. Te he hablado no solo para consolarte y darte la seguridad de Mi amor misericordioso y de Mi amistad, sino también para que, a través de Mis palabras para ti, otros sacerdotes puedan conocer Mi ardiente amor por ellos y Mi deseo de darles la bienvenida al abrazo de Mi divina amistad. Ofrece hoy la Misa del Espíritu Santo por esta intención. Mis palabras para ti continuarán porque deseo instruirte, defenderte y unirte a Mí a través de ellas.

No estés ansioso cuando escuches el sonido de Mi voz en tu corazón. Reconocerás Mis palabras y esto sucederá sin ansiedad o estrés de tu parte. Permanece en paz. Recibirás las palabras que quiero que escuches y las que te doy para el consuelo y edificación de tus hermanos sacerdotes y de los hijos que te doy. Una de las señales de que estas palabras se originan en Mi tierno amor por ti y no en tus propios pensamientos, es que cuando vuelvas a leerlas y las medites, experimentarás la paz y la alegría de Mi presencia.

Cuando tengas que elegir entre preparar una charla o una homilía y pasar tiempo en la compañía de Mi Eucaristía, elije la última. Yo te daré todo lo que necesitarás decir y tu elocuencia será mayor y más convincente que si te hubieras centrado en preparar tus palabras para la ocasión.[1]

Permíteme darte abundantemente. Permíteme hablar a través de ti, actuar a través de ti, sanar a través de ti y bendecir a través de ti. Confía en Mí para brindarte todo lo que necesitas para hacer las cosas que te pido. La fidelidad a la adoración es la llave que desbloqueará para ti todos los tesoros y riquezas infinitas de Mi Corazón.

Martes, 19 de enero, de 2010

El deseo de Mi Corazón es que prefieras primero respetar tu tiempo

---

[1] Sal 88:35 (89:34); Jer 19:2, 23:16, 26:2; Ezeq 3:10, 11:25; Sir 39:8–9; Mat 10:19; Luc 4:22; Jn 3:34, 15:26–27, 16:13, 17:8; Hech 5:20; 1 Pe 4:11.

delante de Mi Rostro Eucarístico y no otras cosas,[1] ya que esta es la esencia del llamado que te he dado. Permanece cerca de Mi Corazón. No te fallaré ni te abandonaré en tu momento de necesidad. Estoy atento a ti en todos los detalles de tu vida y estoy en todo momento, dispuesto a escuchar tus oraciones con bondad y con un inmenso amor de auto entrega.

Permíteme guiarte y dirigir tus pasos. Ven a Mí con tus preguntas, tus perplejidades y tus necesidades. Nada es demasiado pequeño para Mí y nada demasiado grande. Estoy aquí para ti. Espero que compartas Conmigo todo lo que te preocupa y todas las preguntas que surgen en tu corazón.[2] Preocuparse y soñar despiertos es inútil. Lo que te pido es un diálogo Conmigo en el Sacramento de Mi amor y una confianza ilimitada en Mi amorosa amistad.

Tu papel es permanecer oculto y vigilar delante de Mi Rostro Eucarístico, orando en todo momento y recibiendo a los que vienen a ti como Me recibirías a Mí, porque en ellos, soy Yo el que te visita y te espera para que atiendas Mis necesidades.[3] Te envío a N. para que haya otro adorador que vigile delante de Mi Rostro.

Siempre que percibas un conflicto en tus obligaciones y deberes, acércate a Mí y lo resolveré por ti. Aprende a depender de Mí en todas las cosas. Haz que tu primer recurso sea para Mí, porque te espero en todo momento en el Sacramento de Mi amor. Nunca Me molestan o importunan tus solicitudes y tus visitas. Anhelo la compañía de Mis sacerdotes y cada visita de Mis sacerdotes trae alegría y consuelo a Mi Corazón Eucarístico. Mi sagrada humanidad es divinamente sensible a cada marca de amistad y confianza de parte de Mis sacerdotes.

Estás empezando a comprender que te amo con un amor misericordioso que es tierno, fiel, particular y eterno. Te daré la gracia de corresponder a Mi amor por ti con el amor que Yo pondré en tu corazón. Así arderás de amor por Mí y serás capaz de amar a todos a los que amo, así como Yo los amo.

Cree en Mi amor por ti y entra por fe a Mi Costado traspasado. Allí

---

[1] Esto se hace eco de *La Santa Regla* de San Benito, quien dice en el cap. 4: "nihil amori Christi praeponere" ("que nada se prefiera al amor de Cristo"), que se repite con más fuerza en el cap. 72: "Christo omnino nihil praeponant" ("que no prefieran en absoluto nada a Cristo").

[2] Mar 2:8, 9:9; Luc 5:22, 24:38.

[3] Mat 10:40–42, 18:5, 25:31–46; Mar 9:37; Luc 9:48; Jn 13:20; Rom 15:7; Gál 4:12–14. *La Santa Regla* de San Benito dice en cap. 53: "Que todos los invitados que vengan, sean recibidos como Cristo ... que Cristo sea venerado en ellos, porque en efecto Él es recibido en sus personas."

conocerás la altura, la profundidad y la amplitud de Mi amor infinito y allí, unido a Mí por el amor, es decir, por el Espíritu Santo, adorarás al Padre en espíritu y verdad.[1] Mi Corazón es el santuario donde los adoradores verdaderos veneran a Mi Padre como Él desea ser adorado por Sus hijos.

¡Mira cómo te he rodeado de amorosos amigos para ayudarte a permanecer fiel al camino de amor que Yo he abierto delante de ti! Ninguno de Mis amigos corresponde a Mi voluntad aislado de los demás. Estoy formando una comunidad de amigos—de esas almas más cercanas y queridas de Mi Sagrado Corazón—los cuales se apoyarán mutuamente para corresponder a Mi amor y cumplir Mi voluntad tal y como Yo se las muestro. Eres uno de estos amigos, al igual que N. y además hay muchos otros. Permanece fiel a Mi amor por ti y nunca dudes de la amistad de Mi Corazón para ti, Mi amado sacerdote, porque quiero que seas para Mí otro Juan.

El deseo de Mi Corazón es claro. Te he pedido que te sacrifiques en adoración, reparación e intercesión por Mis amados sacerdotes. Haz esto y Me ocuparé de todo lo demás. Primero haz lo que te he pedido hacer. Sigue Mis planes como te los revelo. El tiempo es corto y este trabajo para la santificación de Mis sacerdotes es urgente. Deseo que avance tan pronto como sea posible y haré posible incluso aquellas cosas que, para los hombres, parecen imposibles.[2] Te daré luz suficiente para cada paso.[3] Así crecerás en confianza y fe.

Permíteme construir este monasterio tan querido por Mi Corazón. Permíteme construir este santuario de adoradores donde el resplandor de Mi Rostro Eucarístico sanará a Mis sacerdotes y los restaurará a la pureza. Haré esto, tal y como lo prometí.[4]

En cuanto a ti, permanece humilde y obediente a Mí. Déjame guiarte y dirigirte en todas las cosas. Ven a Mí con cada pregunta, duda y temor, y te responderé con la ternura y la sabiduría de Mi Corazón. Este trabajo se hará de acuerdo con Mi designio, ya que he organizado todas las cosas en Mi sabiduría y solo queda que Mi plan se desarrolle. Tú eres un instrumento en Mis manos traspasadas. Permíteme usarte cuando lo vea oportuno. Sobre todo, sé fiel a la adoración que te he pedido. Es por la adoración que Mi monasterio será construido y es por la adoración que

---

[1] Efes 2:4–6, 3:17–19; 1 Jn 3:16, 4:8; Jn 4:23–24.

[2] Job 42:2; Sal 118(119):91; Sab 7:27, 11:23; Jn 15:5; Mat 17:20, 19:26; Marc 9:23, 10:27, 14:36; Luc 1:37.

[3] Sal 42(43):3; Sal 104(105):39; Sal 118(119):105; Mat 6:8, 7:11; Jn 11:9–10, 12:35–36.

[4] Tes 5:24; Gén 21:1; Jos 21:45; 2 Sam 7:21; Rom 4:20–21; Heb 10:23.

limpiaré, sanaré y santificaré a Mis sacerdotes, los sacerdotes a quienes Mi Corazón ama con amor eterno.

No hay nada de lo que no puedas discutir Conmigo, nada que no puedas traerme al Sacramento de Mi amor. La amistad crece a través de la conversación. Por lo tanto, te he llamado y te he elegido para dialogar Conmigo y para abrir todo lo que hay en ti al resplandor de Mi Rostro Eucarístico.

Viernes 22 de enero de 2010

Quiero que Me consultes sobre todas las cosas, incluso hasta las que parezcan más insignificantes. Estoy contigo en todo momento en cada área de tu vida. Mis ojos están sobre ti y Mi Corazón está abierto, para nunca más ser cerrado.[1] Escúchame cuando busques Mi consejo y hablaré a tu corazón o te revelaré de otra manera lo que es mejor para la gloria de Mi Padre y para la salvación de tu alma y las de muchos a quienes te doy para influenciar, alentar y consolar.

Domingo 24 de enero de 2010

Cuando le pregunté a Nuestro Señor sobre mis debilidades físicas, mis manos hinchadas y mi respiración entrecortada:

Acepta estas cosas y ofrécelas al Padre en unión con mi Pasión para la santificación de los sacerdotes y la sanación de los que has ofendido o herido por tus pecados.

Mi amado Jesús, me uno a Ti, así como San Juan, Tu amado discípulo, estuvo unido a Ti.

> *Permanezcan en Mí y Yo en ustedes. Como la rama no puede dar fruto por sí misma, a menos que permanezca en la vid, tampoco ustedes pueden, a menos que permanezcan en Mí. Yo soy la vid, ustedes las ramas, él que permanece en Mí y Yo en él, da mucho fruto, porque separado de Mí no pueden hacer nada.*
> JUAN 15:4–5

Permanece en Mí, sufre en Mí, ama en Mí y usaré todo lo que hagas y sufras para reparar el mal que has hecho y traer sanación y paz a los que has herido. Confía en Mí con tu pasado y con tu pesada carga de pecado, dame todo lo que tienes: en el momento presente. Ofréceme el pre-

---

[1] 2 Cró 7:15–16; 1 Rey 9:3.

sente y Me ocuparé de reparar tu pasado y preparar tu futuro. Tu futuro es estar unido Conmigo eternamente en el Cielo por medio del mismo amor con el que Me has amado durante estos años restantes en la Tierra.

Martes 26 de enero de 2010

¿No ves cuánto te he estado llamando para que confíes en Mí? La confianza es la llave que abre todos los tesoros de Mi Corazón misericordioso e infinitamente amoroso. Me conmueve un solo acto de confianza en Mi amor misericordioso más que una multitud de buenas obras. El alma que confía en Mí Me permite trabajar libremente en su vida. El alma que confía en Mí, por ese mismo hecho, elimina los obstáculos del orgullo y la autodeterminación que impiden Mi libertad de acción. No hay nada que no haga por el alma que se abandona a Mí en un simple acto de confianza.

> *Haz en mí y a través de mí, oh mi amado Jesús,*
> *todo lo que más deseas encontrar en mí y a través de mí,*
> *para que, a pesar de mis miserias, mis debilidades y aún mis pecados,*
> *mi sacerdocio sea un resplandor del Tuyo*
> *y mi rostro refleje el amor misericordioso que siempre brilla*
>   *en Tu Santo Rostro*
> *para las almas que confían en Ti y se abandonan*
>   *a Tu acción divina.*

Miércoles 27 de enero de 2010

¿Permitirás que sufra en ti, para completar en tu carne y en tu corazón esa parte de Mi Pasión reservada para ti por Mi Padre desde toda la eternidad?[1] Enviaré sobre ti el Espíritu Santo, el consolador, para que puedas sufrir gozosamente y en la paz de una sumisión completa a todos los designios de Mi Corazón sobre tu vida.

Necesito tus sufrimientos y pido por ellos para la renovación de Mi sacerdocio en la Iglesia y por la regeneración espiritual de sacerdotes debilitados por el pecado y esclavos del mal. Por tu sumisión a la voluntad de Mi Padre y por tu humilde participación en Mi Pasión, muchos sacerdotes serán sanados y purificados, y restaurados a la santidad. ¿Quieres darme tu "sí"? ¿Aceptarás este trabajo Mío en ti y a través de ti? Confía.

Mi Jesús, ¿Cómo puedo rechazarte cualquier cosa? Toda mi confianza está en Ti. En Ti está toda mi esperanza. Yo soy todo Tuyo y Tu amistad es mi

---

[1] Col 1:24; Rom 8:17; Mat 25:34; Jn 6:32, 15:2, 17:14–15, 18:11; Gál 6:12–17.

seguridad de la felicidad y de Tu inagotable gracia. Te doy mi sincero "sí." Soy todo Tuyo, amado Jesús, un sacerdote en Tu propio sacerdocio y una víctima Contigo en Tu oblación pura, santa y sin mancha al Padre. Amén.

Mira a Mi Rostro Eucarístico y te fortaleceré en todos tus sufrimientos. No sufrirás como uno derrotado por las fuerzas del mal, sino como uno que ya se ha unido a Mí en el triunfo de Mi resurrección.[1] Yo sufriré en ti, dando un valor muy superior al que se puede medir en términos humanos a todo lo que soportas por amor hacia Mí y por Mis amados sacerdotes.

Mi Corazón latirá en el tuyo y el tuyo en el Mío. Esta es la unión a la que te estoy guiando. Este es el significado último de tu paso en la Tierra. Te estoy preparando ahora para una unión eterna Conmigo en la gloria del Cielo. Allí encontrarás el hogar que he preparado para ti por Mi amor por ti, incluso desde antes del comienzo de los tiempos.[2]

Tus sufrimientos estarán hechos de debilidad, cansancio y dependencia de los demás. Te enviaré sufrimientos físicos, pero también fortaleceré tu corazón y te uniré más y más a Mí en un gozo que trasciende todo sufrimiento y en una fuerza que trasciende toda debilidad. Estarás Conmigo en el altar de la Cruz y tu vida será una continuación y prolongación de Mi Sacrificio en el Calvario ante los ojos de todos. Así serás ese padre en Jesús crucificado que te he elegido para ser, un padre para las almas de muchos sacerdotes, un padre con un corazón traspasado como Mi propio Corazón, y con una fuente de amor siempre fluida para la sanación de almas y la santificación de Mis sacerdotes, Mis amados sacerdotes. ¿Tú Aceptas esto?

Sí, Señor Jesús, acepto todo lo que Tú propongas. Toda mi confianza está en Ti. Toda mi confianza está en la amistad de Tu Corazón para mí.

Mientras descanso en el Santísimo Sacramento:

Siempre te daré fortaleza para que Me adores, para que vengas ante Mi Rostro Eucarístico y cantes Mis alabanzas.

Jueves 28 de enero de 2010

Amado Jesús, Tú conoces en detalle cada una de las preguntas de N. Espero

---

[1] Jn 16:33; Luc 24:26, 46; Hech 5:41–42; Rom 6:3–11, 8:17–21; 2 Cor 2:14, 4:8–18; Col 2:12–15; Fil 3:8–11; 2 Tim 2:12; 1 Pe 4:13, 5:1.

[2] Is 64:4; Mat 25:34; Jn 14:2–3, 17:24; 1 Cor 2:9; Efes 1:3–5; 2 Tim 1:8–9; Apoc 13:8.

Tus respuestas y Te pido que abras mis oídos, mis ojos y mi corazón para percibir todas Tus respuestas, instrucciones y consejos.

Debería haber tres casas para sacerdotes, en referencia a los tres tabernáculos que San Pedro quiso construir en el Monte Tabor porque era "bueno para ellos estar allí."[1]

La Tierra en sí proporcionará ejercicio, refrescamiento y descanso.

Construye la iglesia de acuerdo con lo que te mostraré.[2] Será un templo de adoración a la gloria de Mi Rostro Eucarístico, un santuario de Mi Corazón, una morada para el Espíritu Santo estará bajo la mirada de Mi Padre.

Una vez que el dinero llegue, encontrarás la Tierra y será posible comenzar, porque el tiempo es corto y Mi Corazón anhela la finalización de este templo de adoración y casa de restauración para las almas de Mis sacerdotes. Cuando comiences, completa lo que has iniciado, porque el tiempo es corto y renovaré a Mis sacerdotes, como lo he prometido, a la luz de Mi Rostro Eucarístico, cerca de Mi Corazón Eucarístico. Ellos vendrán y Mi bendición estará sobre este trabajo porque es Mío y lo concebí para ti y para todos Mis sacerdotes en las profundidades de Mi Corazón.

Construye y establece este trabajo Mío para que Mis designios se lleven a cabo con seguridad, paz y sin ansiedad por los cuidados de este mundo, porque este es pasajero, pero la santidad de Mis sacerdotes perdurará para siempre y ellos brillarán, como estrellas en el firmamento de Mi reino.[3]

Esté en paz. Confía en Mi amor infinitamente tierno por ti y en la amistad permanente de Mi Corazón, porque tú eres Mío y Yo soy tuyo y no te abandonaré ni te defraudaré en tus esperanzas.

Señor Jesús, solo Te pido esto, que las almas de los que de algún modo estén relacionados con esta obra Tuya o que colaboren en su realización, puedan ser liberados de todo mal, preservados en santidad y paz, que disfruten de abundantes bendiciones y estén atraídos por el resplandor de Tu Rostro Eucarístico y el fuego del amor que resplandece en Tu Corazón.

Esto y—todavía más—haré por ellos, porque tu felicidad es Mi delicia. Siempre te he amado y continuaré amándote, protegiéndote y atrayéndote hacia Mí, hasta que seas uno Conmigo para siempre en el Cielo. Esté en paz. No tengas miedo. Mi amor por ti está asegurado y Mi mise-

---

[1] Mat 17:4; Mar 9:4; Luc 9:33.
[2] Éxod 25:40; Sab 9:8; Heb 8:5.
[3] Dan 12:3; Sab 3:7; Mat 13:43.

ricordia ha borrado los pecados que aún proyectan una sombra sobre tus recuerdos del pasado.

Te perdono y te sano, como Yo voy a perdonar y sanar a los que fueron atrapados, como tú, en la red del mal por la cual el Enemigo trató de destruirte y arrastrarte después de él, al abismo de la oscuridad y al tormento que es el destino de los que rechazan el amor misericordioso de Mi Corazón. Mi Corazón no condena a nadie al infierno, Mi Corazón se aflige con cada alma que se retira de Mi disposición para perdonarla y recibirla con un abrazo de Mi amor perdonador. Cree en Mi misericordia, confía en Mi misericordia y a través de tu creencia y confianza en la misericordia de Mi Corazón, muchas almas se librarán de los dolores del infierno.

Hay sacerdotes que dudan de Mi amor por ellos, que rechazan creer en la amistad de Mi Corazón para cada uno. Yo cambiaré sus corazones a la luz de Mi Rostro Eucarístico y comenzarán a confiar en Mi amor y Mi misericordia lavará sus almas y renovará en ellos el gozo de su juventud.[1] He dicho esto y lo haré, porque Yo soy fiel.[2]

Sábado 30 de enero de 2010
Aniversario de la muerte del beato
Columba Marmion, O.S.B.

He traído Conmigo a tantos de Mis santos y beatos, a tantos de Mis amigos aquí en el Cielo, dentro de tu vida para ayudarte, para guiarte, para interceder por ti. Tú no siempre estás consciente de su presencia ni de su intensa actividad en tu nombre. Yo doy tareas a Mis santos. Comparto con ellos las ministraciones de Mi amor misericordioso a las almas. Los invito a entrar en la vida de Mis siervos y amigos en la Tierra para educar y guiar a los que amo y he llamado a la Gloria Eterna.

La vida de Mis santos en el Cielo es una de cooperación Conmigo en Mi mediación doble como el Sumo Sacerdote eterno. A través de Mí y Conmigo y en Mí,[3] glorifican y alaban a Mi Padre, y a través de Mí y Conmigo y en Mí, dispensan gracias a las almas e intervienen con un amor perfecto en las vidas de sus hermanas y hermanos que caminan como peregrinos en la Tierra.

He encargado a tantos de Mis santos para que caminen contigo, para

---

[1] Sal 42(43):4; Sal 102(103):5; Is 40:31.

[2] Tes 5:24; Heb 10:23; 1 Jn 1:9; Is 40:5, 49:7, 58:14; Sal 36(37):5.

[3] Un eco de la doxología en la Misa: "Per ipsum, et cum ipso, et in ipso, est tibi Deo Patri omnipotenti, in unitate Spiritus Sancti, omnis honor et gloria per omnia sæcula sæculorum."

que atiendan tus necesidades, para que obtengan para ti las gracias de arrepentimiento, iluminación y unión Conmigo, que Mi Corazón misericordioso tanto desea darte. Algunos de estos santos son conocidos por ti, aunque no todos, ellos te han adoptado, algunos como un hermano, otros como un hijo espiritual. Su interés en todo lo que haces, dices y sufres es continuo y están atentos a ti en todo momento.

Llama a Mis santos. Pide su ayuda camina en su compañía. Invoca a los que te he dado a conocer. Da la bienvenida a los que te daré a conocer. Un día estarás unido a ellos en Mí, en la gloria del Cielo, donde Mi Rostro llenará tu alma con un gozo inefable, el mismo gozo que es el deleite de todos Mis santos[1] y la recompensa de los que buscaron Mi Rostro en la Tierra.

Invoca a los que ya he traído a tu vida y permanece abierto, porque hay otros que te presentaré y a quienes te encomendaré en los años venideros.

Sábado 6 de febrero de 2010

Esté en paz. No hay necesidad de forzarse a escribir o angustiarse si parezco silencioso. Estoy aquí delante de ti. Estás envuelto en Mi amor Eucarístico y en el resplandor de Mi Rostro Eucarístico. ¿Qué más podrías querer? Aquí ya tienes todo lo que tendrás en el Cielo, excepto que aquí tienes el mérito de creer sin ver.[2]

Ámame, cree en Mí, espera en Mí y adórame, confiando en que cumpliré en ti, a Mi manera, todo lo que Mi Corazón desea ver en ti. Yo por el poder de Mi gracia y por la acción interior del Espíritu Santo, te recrearé, en el hombre que quiero que seas, en el sacerdote que corresponderá en todas las cosas a Mi voluntad y los deseos de Mi Sagrado Corazón. No hay necesidad de estar ansioso, no hay necesidad de temer Mi silencio. Más bien, te pido que entres en Mi silencio Eucarístico y Me permitas actuar sobre tu alma a través de ese silencio.

7 de febrero de 2010
Sexagésimo domingo

Te he llamado a la amistad Conmigo. No te fallaré. Te estoy llevando a una unión íntima Conmigo en Mis sufrimientos y en Mi vida Eucarís-

---

[1] El título final bajo el cual la Letanía del Sagrado Corazón se dirige a Nuestro Señor es "Cor Iesu, deliciae Sanctorum omnium."

[2] Jn 20:29; 1 Pe 1:3–9; Heb 11:7–13; Luc 1:45; papa León XIII, Carta Encíclica *Divinum Illud Munus* (9 de mayo, de 1897), §9.

tica. Así como soy la Víctima perpetua y el Sacerdote intercesor en el Sacramento de Mi amor, también tengo la intención de hacerte como a Mí mismo, una Víctima perpetua intercediendo, sacerdote intercesor por el bien de todos Mis sacerdotes. Sufre y ora siempre.[1] Te sostendré con Mi amor y la unción del Espíritu Santo descansará sobre ti en tal abundancia que ya no serás tú quien sufrirás y orarás, sino Yo mismo quien sufriré y oraré en ti. Este es Mi plan para ti. Dime que lo aceptas.

Mi amado Jesús, acepto Tu plan y todos los designios de Tu Corazón en mi vida, solo sostenme con Tu amor, así como Tú estás sosteniendo a N. en su vida como una víctima de amor y de oración.

Lunes 8 de febrero de 2010

Tú sufrirás como Yo sufrí, es decir, con un amor inefable. El amor que te consumirá, sostendrá y descansará en tus sufrimientos es la llama ardiente del amor, es el Espíritu Santo. Mi Sacrificio sobre el madero de la Cruz fue un holocausto de amor consumido en el Espíritu Santo. Esto es lo que quiero para ti, que tú también te conviertas en un holocausto de amor unido a Mí en el altar de la Cruz y consumido en el fuego del Espíritu Santo. El sufrimiento es el combustible del holocausto del amor.

Señor Jesús, si ese es el caso, entonces acepto cualquiera de los sufrimientos que Tú me envíes, para que a través de ellos pueda unirme a Ti en el holocausto del amor que es Tu Cruz.

Esto es lo que quise decir cuando te dije—que serías un padre en Jesús Crucificado. Entrarás en la paternidad de la Cruz que es la misteriosa fecundidad del sufrimiento Conmigo por la vida del mundo[2] y especialmente, por Mis amados sacerdotes. La paternidad del Amor Crucificado fue prefigurada en Abraham cuando, en obediencia a Mi Padre, se preparó para sacrificar a su amado Isaac. La paternidad de Abraham fue rota y se abrió, de alguna manera, cuando él consintió en el sufrimiento que le pidió Mi Padre y ya llenó la Tierra de descendientes.[3] Tú también entrarás en una paternidad más amplia, profunda y de mayor alcance que cualquier cosa que puedas imaginar, al aceptar los sufrimientos que te enviaré, los sufrimientos por los cuales Me uniré a ti.

---

[1] Luc 18:1, 24:53; Hech 10:2; Rom 1:10; 1 Cor 1:4; 2 Cor 4:8–11; Efes 5:20; Fil 1:4, 4:4; Col 1:3; 1 Tes 1:2, 5:16–18; 2 Tes 1:11, 2:12; Heb 13:15; Sal 33:2 (34:1).

[2] Jn 6:52.

[3] Gén 22:1–19.

Como Tú quieras, oh Jesús mío,
cuando quieras
y en la forma que quieras,
porque eres Dios quien gobierna todas las cosas poderosa y
   dulcemente,
y quien llena la Tierra con abundantes misericordias.
Amén.[1]

Martes 9 de febrero de 2010

Nada entregado a Mi Corazón se pierde. Sí, deseas colocar a las personas y las cosas que amas en el lugar más seguro de todos, entrégalos a Mi Sagrado Corazón.

Oh mi amado Jesús,
te entrego a Tu Sagrado Corazón
todo lo que amo.

14 de febrero de 2010
Quincuagésimo domingo

Tu somnolencia de ninguna manera impide Mi acción en tu alma. Si Mi acción dependiera de tu estado de atención, estaría limitado de hecho. Mi acción en tu alma es más profunda que tus estados externos de atención o somnolencia, más profunda que tus pensamientos e imaginaciones. Solo tienes que venir ante Mí con la intención de adorarme y ofrecerte a Mi Corazón y Yo haré todo lo demás.

Lunes 1 de marzo de 2010

Sufre y adora.

El sufrimiento y la adoración son dos expresiones del amor que deseo ver ardiendo en tu corazón. Sufre en amor por Mí y adórame por amor. Es el amor lo que le da valor al sufrimiento en Mis ojos y en los ojos de Mi Padre, y es el amor el que hace que la adoración sea digna de Mí y agradable a Mi Corazón. Esta es tu vocación, sufrir y adorar, siempre en amor. El amor que Me llega a través del sufrimiento es una fuente de gracias para toda la Iglesia. La adoración ofrecida con amor consuela a Mi Corazón Eucarístico y gana un inmenso derramamiento de gracias para la santificación de Mis amados sacerdotes.

---

[1] Para una versión ligeramente diferente de esta oración, ver arriba, bajo 8 de enero de 2010.

El sufrimiento para ti es la humilde aceptación de cada limitación, fatiga, humillación, desilusión y aflicción. Es la aceptación gozosa de la enfermedad y la debilidad. Es la adhesión a todas las manifestaciones de Mi voluntad, especialmente aquellas que eres incapaz de comprender en el momento presente. El sufrimiento ofrecido en amor es precioso a Mi vista.[1] Acepta los sufrimientos que permito y que prepararé para ti; por lo tanto, tú participarás de Mi Pasión a través de la paciencia y cumplirás la misión que te he confiado.

La adoración es el segundo aspecto de tu vocación. En adoración y de ella, como una fuente siempre fluida, recibirás el amor que hace que el sufrimiento sea precioso y te haga como Yo en la hora de Mi Sacrificio en el altar de la Cruz. Cuanto más Me adores, mejor equipado estarás para aceptar el sufrimiento y vivirlo en unión con Mi Pasión, para la renovación de Mi sacerdocio en la Iglesia y para la redención de las almas de los sacerdotes cautivos en las fuerzas de mal.

Escucha el deseo de N. de más adoración, porque te estoy hablando a través de él. Tus miedos son infundados. Verás que se logrará mucho más al utilizar con más libertad y generosidad el carisma de adoración que ya te he dado.

Adórame generosamente, haz la ofrenda de tu tiempo por amor, confiando en Mi poder para lograr lo imposible y verás cosas maravillosas.[2] Adórame con más generosidad y te bendeciré abundantemente. Muéstrame tu disposición a ser de los adoradores que te he estado pidiendo desde hace ya tanto tiempo y te mostraré que soy fiel y que cumpliré todo lo que he prometido, incluso hasta el último detalle.[3]

Es tu falta de adoración a Mí con generosidad y libertad lo que impide Mi trabajo y retrasa la manifestación de Mi gloriosa Providencia entre ustedes. Dame el primer lugar y Yo Me ocuparé de todo lo demás. Tal es Mi promesa para ti y soy fiel a Mis promesas.

Cuando pedí un signo de confirmación:

¿Mis palabras no son suficientes para ti? ¿Por qué dudas de Mis promesas? No Me corresponde a Mí darte señales para probar la verdad de Mis palabras para ti, es tu lugar seguir adelante en obediencia y en fe fiándote de Mis palabras y confiando en el amor infinito de Mi Corazón.

He llamado a N. a esta vida de adoración. Él tiene la gracia de vivirlo con generosidad y fervor. No obstruyas el despliegue de Mis planes para

[1] Sal 115:6 (116:15).
[2] Mat 17:19, 19:26; Mar 10:27; Luc 1:37, 18:27; Sal 71(72):18; Sal 85(86):10.
[3] Is 46:9–10, 55:10–11.

él. Mañana permítele aumentar sus horas de adoración y tú, como un acto de fe y confianza en Mí, haz lo mismo. Tú no estarás decepcionado. Siempre puedes comenzar a preparar tus comidas con anticipación. *N.* te ayudará a hacer el tiempo para más adoración. Solo tienes que preguntarle mucho. Él es capaz de responder generosamente porque he encendido un fuego de amor Eucarístico en su corazón y nada podrá extinguirlo.

Responde generosamente a Mis deseos y te proporcionaré generosamente todas tus necesidades. Eso es suficiente por ahora.

Martes 2 de marzo de 2010

Estoy a punto de llevar a cabo el plan para la renovación de Mi sacerdocio que durante tanto tiempo he tenido dentro de Mi Corazón. Estos días de vergüenza y oscuridad que han venido sobre Mis sacerdotes en tantos países, están a punto de convertirse en días de gloria y luz. Estoy a punto de santificar a Mis sacerdotes con un nuevo derramamiento del Espíritu Santo sobre ellos. Serán santificados como lo fueron Mis Apóstoles en la mañana de Pentecostés. Sus corazones serán incendiados con el fuego divino de la caridad y su fervor no conocerá límites.

Ellos se reunirán alrededor de Mi Madre Inmaculada,[1] quien les instruirá y por su intercesión omnipotente, obtendrá para ellos todos los carismas necesarios para preparar el mundo, este mundo dormido, para Mi regreso en gloria. Te digo esto no para alarmarte o asustar a nadie, sino para darte motivo para una inmensa esperanza y para puro gozo espiritual.

La renovación de Mis sacerdotes será el comienzo de la renovación de Mi Iglesia, pero debe comenzar como se hizo en Pentecostés, con un derramamiento del Espíritu Santo sobre los hombres que he elegido para ser Mis otros Yos en el mundo; para hacer presente Mi Sacrificio y aplicar Mi Sangre a las almas de los pobres pecadores que necesitan perdón y curación. Ellos predicarán Mi palabra con el poder de San Pedro en ese Pentecostés como hace mucho tiempo[2] y al sonido de sus voces, los corazones serán abiertos y abundarán los milagros de la gracia.

Te pido que emprendas este trabajo de adoración porque es la preparación necesaria para todo lo que seguirá. El papa Benedicto XVI, Mi servidor fiel y de confianza, verá los frutos de su año sacerdotal y su corazón se regocijará ante la luz creciente de una nueva santidad sacerdotal en el horizonte oscuro. Tu parte es representar a los sacerdotes del

---

[1] Hech 1:14, 2:1.
[2] Hech 2:14–39.

mundo ante Mi Rostro Eucarístico y permitir que el resplandor de Mi semblante divino te purifique, te sane y te transforme en Mi imagen para el gozo de toda la Iglesia. Lo que Me propongo hacer en ti es lo que deseo hacer en cada sacerdote Mío.

Una vez que los sacerdotes comiencen a ver los cambios forjados en las vidas de sus hermanos sacerdotes al exponerse a Mi Rostro Eucarístico, se verán obligados a admitir que ahí radica el secreto de un sacerdocio renovado y restaurado al lugar de honor y dignidad que le corresponde incluso a los ojos del mundo. El mundo continuará odiando y persiguiendo a Mis sacerdotes,[1] pero nadie podrá negar que sean hombres transformados por una experiencia que trasciende todo lo que es puramente humano. Mis sacerdotes deben dar testimonio de Mí por su pureza, por su caridad, por su fervor y por su brillante santidad.

Quiero que Mis sacerdotes brillen en la oscuridad de la edad presente para atraer a muchas almas de las sombras del pecado hacia el resplandor de Mi Rostro reflejado en los suyos. Es por eso por lo que llamo a todos Mis sacerdotes a llegar a ser adoradores de Mi Rostro Eucarístico. Que vengan a Mí y abran sus ojos al resplandor en el Sacramento de Mi amor; que es la luz de Mi Rostro, y ellos serán el reflejo de Mi Rostro por medio de sus vidas santas y puras.

Cuando le pregunté a Nuestro Señor acerca de más vocaciones:

Confía en Mí en el tiempo de todas las cosas. Una planta debe estar profundamente enraizada antes de poder plantar otra junto a ella.

Estoy vivo en el Sacramento de Mi amor y en todo momento, divinamente activo, haciendo desde Mi lugar sobre el altar todo lo que hice durante Mi estadía en la Tierra. Desde el Sacramento de Mi amor, Yo sano al enfermo, le doy la vista al ciego, hago que el cojo camine, el sordo oiga y el mudo hable. Yo soy el sanador de almas y cuerpos. Los que se acercan a Mí en fe no serán enviados con las manos-vacías.[2] Los que vienen a Mí confiando en Mi amor Eucarístico experimentarán Su poder sanador.

Tráeme a todos los sacerdotes Míos que necesitan sanidad en cuerpo, mente y alma; y los sanaré de acuerdo con Mi perfecta voluntad para cada uno. Anhelo restaurar a Mis sacerdotes a la pureza de la vida y a la integridad. Tú, entonces, represéntalos a todos delante de Mí, para que, a través de tu entrega a Mi amor Eucarístico, Yo pueda tocar y sanar al menos a algunos de ellos. Cada día que adoras Mi Rostro Eucarístico y

[1] Jn 15:18–25; Mat 23:34; Mar 10:30, 14:55; Luc 11:49, 21:12; 1 Tes 2:14–16; Jer 26:8.
[2] Luc 1:53; Sal 106(107):9.

te acercas a Mi Corazón por el bien de Mis amados sacerdotes, prometo liberar, sanar y santificar a algunos de ellos. Por eso es por lo cual te pido que seas generoso y fiel en la vocación que te he dado. Tu fidelidad significa liberación del pecado, curación y santidad para una gran multitud de sacerdotes. Confía en estas promesas Mías. Las cumpliré porque soy fiel, e incluso el mundo se verá obligado a ver que amo a Mis sacerdotes y que Yo los estoy santificando.

El ataque a Mi sacerdocio que parece extenderse y crecer, está de hecho, en sus etapas finales. Es un embate satánico y diabólico contra Mi Esposa, la Iglesia, un intento de destruirla atacando a los más heridos de sus ministros en sus debilidades carnales, pero desharé la destrucción que han forjado y causaré que Mis sacerdotes y Mi Esposa, la Iglesia, recuperen una gloriosa santidad que confundirá a Mis enemigos y será el comienzo de una nueva era de santos, mártires y profetas.

Esta primavera de santidad en Mis sacerdotes y en Mi Iglesia se obtuvo por la intercesión del Doloroso e Inmaculado Corazón de Mi dulce Madre. Ella intercede incesantemente por sus hijos sacerdotes y su intercesión ha obtenido una victoria sobre los poderes de las tinieblas que confundirán a los incrédulos y traerá alegría a todos Mis santos.

Miércoles 3 de marzo de 2010

Todavía no entiendes el valor y el significado de lo que estás haciendo cuando permaneces en adoración ante Mi Rostro Eucarístico. Ahí estás participando en un trabajo divino, en una obra de gracia. Estás delante de Mí como un vaso vacío para ser llenado del poder y la dulzura del Espíritu Santo, para que las almas puedan beber de Mi amor y bebiendo, vean que Mi amor es más dulce que cualquier deleite terrenal.

Estás ante Mí como el intercesor en cuya alma el Espíritu Santo está gimiendo con gemidos inefables[1] y [tú estás] obteniendo de Mi Padre, a través de Mí, todo lo que el Padre desea dar a Mis sacerdotes en este mundo y en el próximo.

Tú eres el reparador que se abre a recibir el amor que tantos muchos otros ignoran, rechazan o tratan con indiferencia, frialdad y desdén. Al ofrecerte a Mí en una adoración de reparación, consuelas Mi Corazón Eucarístico, el cual arde con amor y con tantos deseos de llenar almas con Mi tierna misericordia.

Cuando estás delante de Mí, eres el amigo privilegiado de Mi Corazón, haciéndome compañía en Mi soledad y permitiéndome compartir

---

[1] Rom 8:26.

contigo Mis penas, Mi dolor por el pecado y Mis designios por un sacerdocio hecho puro y radiante de santidad.

Cuando estás delante de Mí, tú eres junto a Mí, una víctima de amor, entregada y obligada a permanecer en tu lugar delante del altar sin más deseos o planes que amar, adorar, hacer reparación y representar a todos los sacerdotes en una oración simple, confidente y que cambia la vida.

Cuando estás en adoración ante Mi Rostro Eucarístico, no estás ocioso, estás trabajando de una manera mucho más eficaz que cualquier empresa humana pudiera hacerlo.[1] Este es tu trabajo y este es Mi trabajo en ti. Este es un trabajo que muchos criticarán y no entenderán. Estás aquí en una colaboración divinamente activa Conmigo, tú desde el Sacramento de Mi amor, continúas Mi mediación sacerdotal ante el Padre en nombre de los pobres pecadores.

Nunca dudes sobre el valor de tus horas de adoración. Esto es lo que te he pedido que hagas y Yo sacaré de tu presencia en el santuario, un gran bien y una superabundancia de gracias para Mis sacerdotes. Ahora, dándome la mejor parte del día, estás empezando a darte cuenta por lo que te llamé aquí y para lo cual te he apartado desde hace mucho tiempo.

Viernes 5 de marzo de 2010

Oh, mi amado Jesús, muéstrame cómo quieres que pase esta hora en Tu presencia.

Te dejo libre. No necesitas hacer nada. No necesitas decir nada. Todo lo que deseo es que estés presente, centrado en Mi presencia y permitiéndome actuar en tu alma.

Lunes 8 de marzo de 2010

Me agradaste orando la Coronilla de Reparación[2] y ofreciendo Mi preciosa Sangre a Mi Padre para la purificación y santificación de Mis sacerdotes. Recibí esa oración y la llevé ante Mi Padre, abundantes gracias cayeron sobre los sacerdotes de Mi Iglesia en respuesta a esa simple oración. Estoy satisfecho con cada esfuerzo sin importar cuán humilde o sencillo sea. De hecho, prefiero las oraciones del corazón humilde y simple,[3] la oración hecha sin pretensiones, con fe, con esperanza y con

---

[1] Ver Robert Hugh Benson, "En la Capilla del Convento," contenido en la colección: *La Luz invisible* (1903).

[2] Para la Coronilla de Reparación o la Ofrenda de la Preciosa Sangre para los Sacerdotes, ver Apéndice I, p. 273.

[3] Sal 39:18 (40:17); Sal 101:18 (102:17); Is 66:2; Jdt 9:16; Sir 3:19–21.

caridad. Escucharé las oraciones de los que rezan esta coronilla y Mis sacerdotes experimentarán sus frutos en sus vidas.

Aprende de Mis santos. Estúdialos. Recibe sus enseñanzas. Inspírate en su amistad Conmigo. Pero no trates de imitarlos.[1] Cada uno de Mis amigos llega a la unión Conmigo por el camino trazado para él por el Espíritu Santo. Incluso cuando dos caminos pueden parecer similares, debes saber que no son idénticos. Todos estos caminos convergen en la unión Conmigo, a la luz de Mi Rostro y todos conducen a la puerta abierta de Mi Sagrado Corazón.

El tuyo es el camino de la adoración. Te he llamado a permanecer delante de Mi Rostro Eucarístico y a que hagas posible que otros también vengan a lo mismo, para que sigan esa misma vocación. Incluso cuando muchas almas son llamadas a la misma forma de vida, cada alma tiene su secreto de amor, una forma de experimentar Mi amistad más íntimamente, que no se puede compartir con nadie más.

Mi amor es un amor personal. Amo a cada alma que he creado como si esa alma fuera la única alma en el universo y adapto Mi amor infinito a las sensibilidades y necesidades particulares de esa alma con toda la sabiduría y la ternura de Mi Divino Corazón.[2]

Confía en el camino que he abierto delante de ti y sé fiel. *N.* es el primero de una familia de hijos que crecerá y florecerá en el resplandor de Mi Rostro Eucarístico.

Permite que Mi amor dirija todas las cosas. Permanece pequeño y humilde. Prefiere permanecer en segundo plano, permitiéndome dirigir y determinar el curso de los acontecimientos y el crecimiento de este trabajo Mío. Mientras más fiel seas para adorarme en el Sacramento de Mi amor, más seré fiel contigo al manifestar las maravillas de Mi Providencia.

Tu fatiga y tus distracciones en la adoración no son un impedimento para Mi acción en lo más profundo de tu alma. Te he asegurado esto antes. Ven delante de Mí y permanece ante Mí, aun cuando sientas que tu adoración no es más que una lucha y un fracaso para permanecer atento en amor y enfocado en Mi Rostro Eucarístico.

Aquí, tus sentimientos no tienen importancia. Lo que importa a Mi

---

[1] Como queda claro en el contexto circundante, "imitar" aquí significa "copiar" en lugar de "emular." Porque, como dice San Pablo, "sed imitadores de mí, como lo soy de Cristo" (1 Cor 11: 1; véase 1 Cor 4:16, Hebreos 6:12), enseñándonos así, que debemos esforzarnos por emular a los santos sin tratar de imitarlos o suponer que el camino por el cual el Señor los condujo es el mismo por el cual Él tiene la intención de guiarnos.

[2] Gál 2:20; Cant 7:10; Rom 14:7; Jn 4:2–42, 10:3–4; Éxod 33:17; Is 40:26–31, 43:1–2.

vista es tu humildad y tu disposición para soportar distracciones, fatiga e incluso somnolencia mientras Me adoras desde el corazón de tu corazón. Comprende que incluso cuando sientas que tu adoración ha sido una pérdida de tiempo, en Mi plan es algo fructífero y Me complace. No veo las cosas como tú las ves ni mido su valor como tú lo mides.[1]

Viernes 12 de marzo de 2010

Escúchame y escribe, porque Mi tiempo ha llegado. Estoy cerca de cumplir Mi plan para ti y para los que te he enviado. Mi Rostro Eucarístico brillará en esta nueva hora de construcción y de trabajo para Mi gloria y para la santificación de Mis sacerdotes.

Tu lugar está delante de Mí, adorándome y consolando Mi Corazón, Mi Corazón que Se aflige tanto por los pecados y las traiciones de Mis amados sacerdotes. Los que están en alianza con la oscuridad pueden decidir volver a Mí y comenzar a vivir a la luz de Mi semblante, aún no es demasiado tarde para ellos. Mi Corazón los espera. La herida en Mi Costado es una puerta abierta y estoy listo para darles la bienvenida a los lazos más cercanos de una amistad restaurada e incluso más íntima por el trabajo de Mi misericordia en sus almas.

Muchos de Mis sacerdotes son extraños para Mí. Se paran en el altar para representarme ante Mi Padre y ante Mi Cuerpo, la Iglesia y en sus corazones no hay amor por Mí. Se han vuelto fríos hacia Mí y han dado su amor a las cosas pasajeras y a los afectos que violan su sagrada promesa de vivir solo para Mí y de mantenerse puros como los esposos de Mi Iglesia y como los amigos más cercanos de Mi Corazón. ¡Soy traicionado por los Míos! Hay tantos sacerdotes que se han colocado fuera de la compañía de Mis amigos y consoladores, y se han hecho Mis torturadores y se cuentan entre los que más dolorosamente Me han herido.

Los recibiré de vuelta. Espero su regreso. Yo amo a todos Mis sacerdotes con un amor indefectible. Nada de lo que han hecho puede impedir que Mi Corazón los ame y al amarlos haré todas las cosas por ellos, los lavaré en Mi Sangre, los sanaré, los restauraré en la compañía de los que Me aman y Me consolarán y estarán seguros dentro del santuario de Mi Costado herido.

¿Pensaste que te había abandonado? Nuestras conversaciones continuarán. Cree en Mí y quiero que sepas que, en todo momento, Mi Corazón anhela compartir contigo tus secretos de amor, de dolor y de misericordia.

---

[1] Is 55:8–9.

Sábado 13 de marzo de 2010

Tú consuelas Mi Corazón Eucarístico dándome signos de tu amistad, de todo esto, lo que más Me consuela es tu presencia ante Mi Rostro Eucarístico. Hay muchas maneras de expresar la amistad y de responder al amor del amigo, pero la más satisfactoria para el corazón es el simple acto de compañía, de presencia, de estar juntos. La experiencia te ha enseñado esto en las relaciones humanas, pero aún no lo has aplicado a tu relación Conmigo tan generosamente como deseo. Ven a Mí, quédate Conmigo. Búscame en el Sacramento de Mi amor y permaneciendo Conmigo, adórame con ternura y dame la amistad y el afecto de tu corazón.

Lo que te pido, amado Mío y lo que pido a todos Mis sacerdotes, no es difícil ni es imposible para los débiles, los enfermos y los que están confinados en casa. Si no puedes presentarte ante Mi Rostro Eucarístico, puedes ser transportado espiritualmente por un acto de deseo que viene de lo más profundo del alma. Pídeme que te transporte ante los tabernáculos del mundo donde estoy más olvidado, descuidado e incluso despreciado. Yo transportaré tu alma a Mi presencia y recibiré de ti, adoración y de tu amor, el consuelo que espero de Mis amigos.

Tú tienes el privilegio y la alegría de vivir Conmigo bajo el mismo techo. ¿Entiendes lo que esto significa? ¿Reconoces la similitud de la vida de Mi Inmaculada Madre y de San José con la tuya? ¿No quieres aquí, aprovechar en todas formas y en cada momento Mi presencia? Cultiva esta adhesión adoradora a Mi presencia sacramental. Haz que todo en esta casa y en tu propia vida adquiera una referencia habitual y espontánea a Mí. Muéstrame que estás agradecido por Mi presencia Sacramental al venir a Mí con frecuencia, al incluirme en todos los aspectos de la vida diaria y al consultarme sobre todas las cosas. No Me trates como a un invitado en la casa que permanece lejano y distante en un salón formal, con quien no te atreves a compartir la vida como realmente es. Más bien, integra Mi presencia Eucarística en cada detalle de tu vida.

Mi Rostro Eucarístico irradia desde el tabernáculo y desde la custodia, hacia cada rincón y grieta de esta casa. Este es Mi deseo por las casas de Mis queridos sacerdotes también. Quiero santificar sus casas parroquiales y transformar sus hogares en santuarios de adoración y amor. Alienta a los sacerdotes que están considerando organizar un oratorio con Mi presencia Eucarística en sus hogares. Los bendeciré. Los atraeré más íntimamente a la gracia de Mi divina amistad. Cambiaré sus hábitos y purificaré la atmósfera en la cual viven y trabajan. Como resultado, crecerán en santidad y las almas se beneficiarán de su nueva intimidad con Mi Corazón Eucarístico.

No es suficiente reservar Mi verdadero Cuerpo en el tabernáculo. ¿En cuántas casas religiosas estoy sacramentalmente presente y, sin embargo, Me dejan solo prestando poca atención a Mi permanente presencia real? Haz reparaciones por este descuido, frialdad y falta de gratitud hacia el Sacramento de Mi amor en las tan llamadas casas religiosas. Estas casas parroquiales donde estoy descuidado y tratado con frialdad están al borde de un gran colapso. Esas casas no permanecerán. Ya no puedo soportar más tiempo el maltrato al cual estoy sometido en tales lugares. Se han convertido en lugares de negocios como las residencias mundanas llenas de comodidades y Yo, quedo abandonado bajo sus propios techos.

Las casas religiosas donde soy amado, honrado y adorado florecerán. El resplandor de Mi Rostro Eucarístico será su luz y el fuego del amor ardiendo en Mi Corazón Eucarístico será su calidez. Las almas se sentirán atraídas por estas casas y de entre estas, llamaré a muchas almas para que sean Mis amigas, Mis consoladoras e incluso Mis Esposas.

La renovación de la vida religiosa seguirá a la renovación Eucarística de Mi sacerdocio. Los santos sacerdotes fomentarán las vocaciones a una forma sagrada de vida consagrada, una en la cual Yo esté en el corazón de todas las cosas, dando vida a todos[1] y atrayendo a todos a Mi costado herido y a la fuente de las aguas vivas.[2]

Sí, mucho de lo que te estoy diciendo necesita alcanzar a otras almas. Has esto con prudencia y en obediencia a tu padre, el obispo. Él leerá y comprenderá que esta pequeña luz no debe ocultarse debajo de una canasta. Debe ser protegido y pasado cuidadosamente de mano en mano para que más almas puedan regocijarse en Mi calidez y en la luz de Mi Rostro.

Haz lo que puedas, te ayudaré, y lo que haré se logrará. Solo sé paciente, fiel, y cree en Mi amor por ti.

Lunes 15 de marzo de 2010

Mi amor por ti es inmutable. Es fiel y es tan fuerte como tierno. Nunca te abandonaré y nunca debes dudar de que te haya elegido para que seas un amigo privilegiado de Mi Corazón y esto a pesar de los pecados con los que tanto Me afligiste y heriste a Mis pequeñas almas.[3] Todo esto

---

[1] Deut 32:39; 1 Sam 2:6–7; Neh 9:6; Is 38:16; Job 5:18; Jn 3:16, 5:21, 6:33, 6:52; Hech 17:25–28; 2 Pe 1:3; 1 Jn 5:11.

[2] Jn 4:10–14, 7:38; Apoc 21:6; Núm 20:6 (Vul.); Cant 4:15; Jer 17:13–14; Zac 14:8.

[3] Para el Señor Jesús, todas las almas son Sus "pequeños." Cuando "uno de Sus hermanos" es ofendido, Su Corazón siente como una ofensa hecha a Sí mismo.—*Autor.*

está perdonado, el pasado ha sido consumido en el fuego de Mi amor misericordioso. Ahora, solo tienes que regocijarte en el amor con el que he convertido tu vida en un acto de adoración y de obediencia a Mis designios. Confía en el amor de Mi Corazón por ti. Avanza con confianza y con paz, porque estoy contigo y tú eres Mío y Mi amor nunca te fallará.

Martes 16 de marzo de 2010

Acepto la renovación de tu ofrenda. Es bueno que renueves la ofrenda de ti hacia Mí, es una necesidad de amor. La amada se ofrece una y otra vez a su amante y así debes ofrecerte una y otra vez al amor de Mi Corazón, para vivir en un estado constante de ofrecimiento y de apertura a Mi amor por ti.

Sí, te llamo a una vida de reparación. Muy pocas almas entienden que una criatura puede consolar a su Dios y que Dios desee el consuelo de una criatura, incluso de una criatura creada a su imagen y semejanza. Como Dios, Yo soy amor y la fuente de todo amor. La vida de la Santísima Trinidad es una circulación de amor viviente que es perfecta, completa y absolutamente suficiente para Sí misma. Pero este mismo amor fue derramado en Mi creación y, al crear al hombre, Me di a Mí mismo un ser capaz de recibir Mi amor y de responder a este con un amor como el Mío. El hombre no puede contener el amor, pero puede ser contenido por este y elevado a su corriente de vida, compartiendo la vida de la Santísima Trinidad por medio de la unión Conmigo y por el don del Espíritu Santo. Así Mi Padre ve en cada alma unida a Mí por gracia, el único objeto de Su amor eterno y el reflejo de Mi Rostro.

Entre estos hermanos Míos, hijos del Padre eterno, sellados con el don del Espíritu Santo, elijo a algunos en quienes deseo reproducir Mi sacerdocio Víctima. Los que Yo elijo, son para beber de Mi cáliz y ascender Conmigo al altar de la Cruz ofreciendo Mi Sacrificio día tras día en la forma sacramental que dejé a Mi Iglesia la noche anterior a Mi sufrimiento. Estos sacerdotes Míos también son los amigos, a quienes elijo para entrar en el dolor de Mi Corazón y consolarme a través de las edades.

Cuando Mi amor es rechazado, cuando el regalo de Mi Cuerpo y Sangre no se discierne,[1] cuando no es recibido dignamente y adorado por corazones amorosos y agradecidos, sufro una aflicción divina. Es decir, Soy herido en Mi amor, herido en Mi Corazón. Espero que Mis queridos sacerdotes Me consuelen y que compensen la frialdad, la cruel

[1] 1 Cor 11:29.

indiferencia, la ingratitud y la irreverencia que sufro, oculto en el Sacramento de Mi amor.

Hay un consuelo que solo Mis sacerdotes que moran en la Tierra, en el valle de la sombra de la muerte,[1] pueden ofrecerme. Solo los que viven para el altar y desde el altar pueden darme el amor consolador y adorador que Me libera del dolor que constriñe Mi Sagrado Corazón. Este es un misterio, un misterio de amor, que Yo, que soy todo glorioso y la fuente de la gloria y la bienaventuranza del Cielo, sin embargo, sufro los efectos de la negativa del hombre a responder con amor a Mi amor Eucarístico.

Pido a Mis sacerdotes que se ofrezcan como víctimas de adoración y reparación a Mi ofendido e indignado amor Eucarístico. Pronto Mi Iglesia cantará la liturgia de los Reproches del Viernes Santo que expresa tan bien las penas de Mi Corazón y Mis quejas contra Mi pueblo. ¿Quién se acercará para ofrecerme un beso, no de traición, sino de amor fiel y de consuelo?[2] Este es el privilegio, ante todo, de Mis amados sacerdotes. Te he elegido para vivir esta misteriosa vocación de adoración y reparación. No es difícil llevar a cabo lo que te he pedido. Dame tu presencia. Ofréceme tu compañía. Permanece en el resplandor de Mi Rostro Eucarístico. Ofrécete a Mi Corazón Eucarístico para ser amado, transformado y usado como un instrumento de amor y de sanación para Mis sacerdotes, tus hermanos.

Sábado 20 de marzo de 2010

Mis palabras para ti son diariamente un regalo de Mi Sagrado Corazón a tu corazón que sigue teniendo tanta necesidad de asegurar Mi amor por ti. No dejaré de hablarte, pero debes continuar dispuesto a escuchar Mi voz, manteniendo la confianza y adorándome en el resplandor de Mi Rostro Eucarístico. Todavía tengo mucho que revelarte, así como tienes que discutir Conmigo las luchas, las tristezas, las alegrías y las gracias de cada día. Trátame, entonces, como tu mejor amigo, como tu compañero amoroso y fiel, incluso en este valle de lágrimas, porque estoy contigo siempre en el Sacramento de Mi amor. Allí te estoy esperando y allí Me encontrarás. Allí también descubrirás que Mi Corazón arde de amor por ti y que nada puede separarte del amor de Mi Sagrado Corazón.[3]

---

[1] Sal 22(23):4.

[2] Inter alia, Gén 45:15, 50:1; Éxod 4:27, 18:7; 1 Sam 20:41; 2 Sam 20:9; Prov 7:13, 27:6; Cant 1:1; Mat 26:48–50; Mar 14:44–45; Luc 7:38, 22:47–48; Hech 20:37–38; Rom 16:16; 1 Cor 16:20; 2 Cor 13:12; 1 Tes 5:26; 1 Pe 5:14.

[3] Rom 8:35–39.

Confía en el amor de Mi Corazón por ti y ofrécete como víctima de Mi amor misericordioso. Al hacer esto, te abrirás a Mi amor y recibirás en abundancia los dones y gracias que, en Mi misericordia, he reservado para ti durante tanto tiempo. Ahora estás listo para recibir las gracias y los dones que anhelo darte. Solo tienes que venir ante Mí y rendirte a Mi amor Eucarístico. Este es el amor que irradia de Mi presencia real, atrayendo almas hacia Mi Rostro Eucarístico y hacia Mi Corazón traspasado. Entrégate a ese amor y a todo lo que deseo hacer en ti y a través de ti.

Mi amado Jesús, me entrego al amor de Tu Corazón por mí y me ofrezco a Ti como víctima de adoración y reparación por todos quienes he herido u ofendido, para que ellos puedan ser sanados y restaurados a Tu amistad dentro de Tu Iglesia y por todos Tus sacerdotes, especialmente por los que todavía están revolcándose en los pecados y ciegos a la dulce luz de Tu Rostro.

Mi Jesús, me entrego como una víctima de amor por Ti, que Te entregaste como Víctima de amor por mí. Deseo no tener voluntad aparte de Tu voluntad, que es la expresión perfecta del amor de Tu Corazón por mí y por todos Tus sacerdotes. Me ofrezco a Ti también para todas las intenciones del papa Benedicto XVI. Te pido que lo fortalezcas y consueles, y lo consagro al Corazón Inmaculado de Tu Madre.

Purificaré y renovaré Mi Iglesia en Irlanda, pero primero necesito de todos Mis sacerdotes, una conversión de vida y un retorno a la oración sincera y de corazón, con su presencia delante de Mi Sacramento del amor, todos los días. Allí se encontrarán Conmigo y les hablaré. Allí sanaré sus heridas, los separaré del pecado y los consolaré. Allí los santificaré y los fortaleceré para su misión como sacerdotes y víctimas en una sociedad que se ha alejado de Mi Cruz.

Quiero que Mis sacerdotes vayan en peregrinación a Knock. Donde Mi Madre los espera. En ese lugar se les darán abundantes gracias. También recuperarán la alegría de su juventud y la pureza e inocencia que hace brillar a Mi Iglesia en un mundo amenazado por la oscuridad.

Que Mis sacerdotes en Irlanda vayan a los pies de Mi Madre Inmaculada en Knock. Que busquen la compañía de San José y de San Juan. Y que se laven en Mi preciosa Sangre, porque Yo soy el Cordero Víctima, la perpetua Víctima, el Sacerdote que se ofrece y la ofrenda de propiciación. Mi preciosa Sangre debe lavar a los sacerdotes de Irlanda desde el primero hasta el último, comenzando con Mis obispos. Solo entonces un nuevo día amanecerá para la Iglesia en Irlanda que he amado por mucho tiempo y amo con un amor eterno.

Lunes 22 de marzo de 2010
Fiesta del tránsito de San Benito (transferida)

Cuando vienes a Mi presencia para adorarme y preferirme a las otras cosas que te solicitan atención y hacen reclamar tu tiempo, soy consolado y glorificado. La prueba de la amistad es la elección del amigo sobre todo lo demás. Quiero que Me prefieras a Mí, que Me des el tiempo que podría ser dado a otras personas y cosas. Al hacerlo, Me mostrarás tu amor y Me ofrecerás el consuelo de una verdadera amistad.

Yo pediré este amor preferencial a todos Mis sacerdotes. La amistad, para que prosperé, debe practicarse. Esta es una verdad de la amistad Conmigo como de las amistades humanas. Yo espero por la compañía de Mis sacerdotes. Con ellos tengo en común Mi sacerdocio—y Mi victimismo. Esto es lo que hace que la amistad de Mis sacerdotes sea tan preciosa para Mi Sagrado Corazón. Con ellos, también, comparto la alegría más pura, que es vivir en la presencia de Mi Madre Inmaculada y de experimentar su cuidado materno en todas las circunstancias de la vida sacerdotal. Dado que la amistad se basa en valiosas cosas que se tienen en común, Mi amistad con Mis sacerdotes no se parece a la que tengo con otras almas. Entre más de Mis sacerdotes vengan a Mí y permanezcan en Mi presencia, más puedo compartir con ellos los secretos y los tesoros reservados para ellos en Mi Sagrado Corazón.

Los sacerdotes, sí, incluso Mis sacerdotes, a veces temen encontrarse silenciosos y solos en Mi presencia. Cuando vienen a adorarme y ofrecerme el consuelo de su compañía, no necesito que Me hablen, es suficiente que permanezcan en el resplandor de Mi Rostro Eucarístico, permitiendo que sus corazones se acerquen a Mi Corazón Eucarístico. Los que hayan experimentado este movimiento en su corazón hacia Mi Corazón Eucarístico sabrán de lo que hablo. Las palabras no son siempre necesarias. El compromiso del corazón, por otro lado, es indispensable.

El cansancio y la fatiga no son un obstáculo para un tiempo fructífero de adoración. Ellos son incidentales, lo que importa es el deseo de buscar Mi Rostro Eucarístico y permanecer en Mi compañía.

Para los que Me aman, el tiempo en Mi presencia pasa rápidamente, acumulando inmensos tesoros de mérito para las almas. Los méritos de tu adoración, los considero como pertenecientes a Mis sacerdotes más necesitados y más quebrantados. ¿No es ese el significado de la oración con la cual comienzas tu adoración?

No verás en esta vida el bien hecho a las almas de Mis amados sacerdotes por tu fidelidad a la adoración, pero en el Cielo se te revelará y esta revelación te causará un inmenso aumento del deleite en Mi presencia.

La adoración es el primer deber propio a esta forma específica de vida benedictina. Se fiel y florecerás. Esto te lo prometo hoy. Sé el adorador de Mi Rostro Eucarístico y atrae a su resplandor a otras almas, que te enviaré.

11 de abril de 2010
Domingo de la Divina Misericordia

Hoy Mi divina misericordia fluye como un río, corriendo hacia las almas de Mis sacerdotes que la recibirán. Al ponerte delante de Mi Rostro Eucarístico, abres tu alma a las abundantes corrientes de misericordia Divina que brotan de Mi Costado herido. Recibe Mi misericordia para el bien de todos Mis sacerdotes y por el bien de quienes ahora la rechazan, para que la reciban a la hora de su muerte.

Nada aflige más a Mi Corazón que la muerte de un sacerdote fuera de Mi gracia. Persigo a Mis sacerdotes—incluso a los más pecaminosos y endurecidos entre ellos—incluso en el momento de la muerte, les doy esa última oportunidad de aceptar Mi misericordia perdonadora, y todavía hay algunos que la rechazan, y así Me condenan a sufrir nuevamente el dolor que invadió Mi Corazón cuando Judas se negó a volverse a Mí y confiar en Mi misericordia.

Amo a todos Mis sacerdotes. Incluso los que están hundidos profundamente en el pecado y el vicio, ellos siguen siendo los amigos privilegiados de Mi Corazón, amigos que Me han abandonado, a Mí que soy su única esperanza, amigos que Me han traicionado, amigos que han roto Mi divino Corazón con un dolor que sobrepasa todas las penas humanas. Los amo a todos, ellos solo tienen que volver a Mí, confiando en Mi misericordia y creyendo en el amor de Mi Corazón por ellos y Mi Corazón será su refugio y su hospicio.

Todos los días los sacerdotes mueren y algunos de ellos son salvados solo en el último momento por una intervención misericordiosa de Mi Madre Inmaculada o por los sacrificios y oraciones de una pequeña alma conocida solo por Mí y por Mi Madre.

Ora por los sacerdotes que están muriendo. Ora por los que enfrentarán una muerte repentina. La muerte de un sacerdote Mío está destinada a ser un cruce hacia el santuario del Cielo donde, marcado con el carácter indeleble de Mi propio sacerdocio, participará para siempre en Mi glorificación al Padre y en Mi propio amor por la Iglesia, Mi Esposa. Los sacerdotes que están a punto de morir en estado de pecado pueden salvarse, incluso *in extremis*, siempre que se arrojen ellos, arrepentidos y afligidos, a la misericordia purificadora de Mi Corazón.

Vive cada día como si fueras a morir. Entra cada noche en paz Conmigo y con todos los hombres.[1] Cede y renuncia a todo apego al pecado, a la enemistad y a toda colusión con el mal. Prepárate para morir como víctima de amor ofrecido sobre el altar de Mi Sagrado Corazón. Así harás de tu muerte un acto final de oblación sacerdotal.

Miércoles 14 de abril de 2010

Sí, estoy aquí para ti, así como estoy aquí, en el Sacramento de Mi amistad divina, esperando a todos Mis sacerdotes. Yo anhelo su compañía. Quiero que ellos Me ofrezcan el regalo de su tiempo. Quiero que descansen en Mi presencia y descubran lo que Mi Corazón Eucarístico desea darles.

¿Dónde están Mis sacerdotes? ¿Por qué Me dejan solo en miles de tabernáculos en todo el mundo? ¿Por qué tantos de Mis sacerdotes se apresuran a Mi lado sin detenerse nunca a quedarse en el resplandor sanador y fortalecedor de Mi Rostro Eucarístico? ¿Por qué tantos de Mis sacerdotes son indiferentes a la amistad que Yo tengo reservada para ellos en el Sacramento que instituí para estar cerca de ellos y tenerlos cerca de Mí?

Mis sacerdotes son los compañeros y amigos elegidos de Mi Corazón. Así como experimento gozo cuando vienen ante Mi Rostro Eucarístico, así también experimento dolor cuando pasan cerca de Mí sin detenerse o Me abandonan en el Sacramento de Mi amor. Si tan solo Mis sacerdotes regresaran a Mí en el Sacramento del Altar, si solamente ellos Me dieran sus corazones empezando a ofrecerme el Sacrificio de su tiempo, ¿Qué milagros de gracia no trabajaría en ellos, para ellos y a través de ellos? Mi sacerdocio será purificado, sanado y santificado cuando, uno por uno, de Mis sacerdotes vuelvan a Mí y descubran el gozo y la restauración que se experimenta al permanecer ante Mi Rostro Eucarístico, cerca de Mi Corazón, que es la fuente de la amistad divina.

Jueves 15 de abril de 2010

Yo que estoy aquí delante de ti, soy la Palabra. Ningún libro, por muy bellamente escrito que este, puede hablarte a tu corazón como Yo lo hago, porque Yo soy la Sabiduría eterna, el Amor infinito y la Belleza no creada en diálogo con tu alma. Mis palabras no son como las palabras de los hombres, Mis palabras superan incluso las palabras de Mis santos, aunque frecuentemente hablo a través de ellos y continúo tocando almas a través de sus escritos. Mis palabras son como flechas de fuego

[1] Mar 9:50; Luc 2:29; 1 Tes 5:13; 2 Pe 3:14; Efes 4:26; Sal 4; Sir 10:6, 28:7.

que se clavan en el corazón y lo hieren para inflamarlo y sanarlo con amor divino.[1]

Hazte vulnerable a Mis palabras. Déjame que te hable de tal manera que te hiera y traspase con amor divino. Cuando vienes delante de Mí y Me esperas en silencio, en efecto, tú Me estás permitiendo herirte con una palabra interior y prenderte fuego con una comunicación de amor divino, cuando y en la forma que Yo lo elija. Espera, entonces, que te hable, te consuele y te ilumine, pero también que te hiera.[2] A menos que te hiera de esta manera, serás incapaz de resistir los ataques del Enemigo y de dar testimonio de Mí en medio de la oscuridad y la tribulación.

En la batalla espiritual que está por venir, solo los heridos por Mí saldrán victoriosos. Es por eso por lo que llamo a todos Mis sacerdotes a buscar y aceptar las heridas sanadoras de Mi amor. Los que se mantienen en vigilia delante de Mi Rostro Eucarístico estarán entre los primeros en ser heridos. Te he llamado a la adoración porque deseo herirte no una vez, sino una y otra vez, hasta que esté todo tu ser herido, y de esa manera purificado, ardiendo con el fuego de Mi amor. ¡Ojalá tu alma fuera herida tantas veces como Yo fui herido en Mi Cuerpo por amor a ti en el combate de Mi más amarga Pasión! Permíteme, entonces, traspasarte por completo hasta que, herido por el amor divino, estés completamente santificado y hecho para Mis propósitos y designios.

Esto no solo lo deseo para ti, sino para todos Mis sacerdotes. Quiero herir a cada uno una y otra vez con Mi amor ardiente para purificar todo el orden sacerdotal en Mi amada Iglesia y presentarlo a los ojos del mundo como un sacerdocio víctima hecho santo en el holocausto del amor divino.

Hasta que Mis obispos y sacerdotes Me permitan herirlos con las flechas ardientes de Mi amor divino, sus propias heridas, heridas de pecado, continuarán enconándose y propagando una infección llena de inmundicia, de corrupción e impureza en la Iglesia. Que cada uno Me ruegue que lo hiera, pues al herir a Mis amados sacerdotes, Yo los sanaré y al sanarlos, los santificaré y al santificarlos, ofreceré gloria a Mi Padre y llenaré el mundo con el resplandor de Mi propio Rostro y el amor de Mi propio Corazón.

Esto, en verdad, es quien tú eres, un pecador que se sostuvo firme al abrazo de Mi divina amistad. Cuando te retiro esta gracia de la conversación Conmigo por un tiempo, es para que no la confundas con el

---

[1] Cant 4:9; Sal 37:3 (38:2); Sal 76:18 (77:17); Is 49:2.

[2] Prov 20:30, 27:6; Job 5:18; Jer 30:12–17, 33:6–8; Zac 13:6; Heb 12:6; Apoc 3:19; Luc 10:34.

producto de tus propias imaginaciones y también para que no te acostumbres a Mis palabras y así, poco a poco, fracases y no las tomes en serio y no las atesores. Te hablo para que puedas compartir Mis palabras cuando se presente la ocasión para hacerlo. Comparte Mis palabras humildemente sin pensar en ti. Permanece oculto en Mí, te ocultare de las observaciones de los hombres en el secreto de Mi Rostro, preparé para ti un lugar secreto en lo profundo dentro de Mi santuario de Mi Costado traspasado.[1] Allí puedes ir a permanecer oculto y en silencio, compartiendo Mis palabras libremente y sin el temor a ser notado o alabado.

Pídeme que te oculte en Mis heridas. Hay un lugar para ti en cada una de Mis cinco heridas; cada uno de ellas representa un refugio contra las tentaciones que te amenazan y las trampas colocadas por el diablo, quien te atraparía y se alegraría de verte caer.

La herida en Mi diestra es tu refugio de los pecados de la desobediencia y la voluntad propia. Refúgiate allí cuando sientas la tentación de tomar el camino que es fácil y amplio.

La herida en Mi mano izquierda es tu refugio de los pecados del egoísmo, de dirigir todas las cosas a ti y captar la atención de los demás, tratando de tomar lo que tu mano derecha Me ha dado.

La herida en Mi pie derecho es tu refugio de los pecados de inconstancia. Refúgiate allí cuando sientas la tentación de ser inconsistente y cuando vaciles en tus propósitos de amarme sobre todas las cosas y ponerme primero en tus afectos y deseos.

La herida en Mi pie izquierdo es tu refugio contra los pecados de la pereza y del letargo espiritual. Refúgiate allí cuando sientas la tentación de abandonar la lucha y consentir a la desesperación y el desaliento.

Finalmente, la herida en Mi Costado es tu refugio de todo amor falso y de todo engaño carnal que promete dulzura, pero en lugar de eso da amargura y muerte.[2] Refúgiate en Mi Costado traspasado cuando sientas la tentación de buscar el amor en cualquier criatura. Te he creado para Mi amor y este amor puede satisfacer los deseos de tu corazón. Entra, entonces, en la herida en Mi Costado y penetra incluso en Mi Corazón, bebe profundamente de las fuentes del amor que solo estas descansarán y deleitarán tu alma y te lavarán en preparación para la boda de tu alma Conmigo; porque Yo soy el Esposo de tu alma, tu Salvador de todo lo que te puede contaminar y tu Dios. Yo soy amor y misericordia ahora y por los siglos de los siglos.

---

[1] Col 3:3; Sal 26(27):5 (Vul.); Is 45:3, 49:2; 1 Pe 3:4; Apoc 2:17.

[2] Inter alia, Mr 4:19; Rom 1:26–32, 6:16–23, 7:5, 8:1–13; Gál 5:13–24, 6:8; Efes 2:3; 1 Pe 1:11; 2 Pe 2:17–22; 1 Jn 2:15–17; Judas.

Domingo 2 de mayo de 2010

Habla de Mi Madre Inmaculada, de su humildad, su obediencia, su silencio, su pureza y su amor leal por Mí. Habla de su deleite en alabar y agradecer a Mi Padre por la superabundancia de gracias que prodiga sobre ella. Habla también de su oblación Conmigo en el Calvario y de su participación mística en Mi sacerdocio.

Mi Madre es el modelo brillante de cada monje, monja y oblato. Ella es el molde en el cual los monjes se forman según el plan de Mi Padre para cada uno. Para crecer en santidad, uno debe entrar en el Corazón de la Virgen y esconderse uno mismo, por así decirlo, en su vientre virginal. Así nace uno de nuevo a la vida de perfección que deseo ver en cada miembro de Mi Cuerpo místico. Mi Santísima Madre es indispensable para la vida en Mí, Conmigo y a través de Mí. Quien busca la unión Conmigo encontrará esa unión ciertamente más segura y más dulce, yendo primero a Mi Madre y consagrándose sin reservas y para siempre a su Inmaculado Corazón.[1]

Viernes 7 de mayo de 2010

Mi Corazón es ambos, amoroso y generoso. Soy generoso con Mis amigos, con los que confían en Mi amor por ellos y con los que se acercan a Mí, confiados en Mi bondad y esperando recibir cosas buenas del tesoro de Mi Sagrado Corazón.

Tal es Mi amor por ti. Que te amo con un amor tierno y fiel, con un amor misericordioso y redentor. No hay nada que no haría por ti, porque eres Mío y he puesto Mi Corazón sobre ti, haciéndote Mi amigo y Mi sacerdote para siempre.

Muchas almas hacen poco o ningún progreso en la santidad que deseo para ellas porque no confían en Mi gracia. Intentan cambiar a sí mismos haciendo uso de medios puramente humanos y olvidan que soy todopoderoso, misericordioso y listo en todo momento para sanar y santificar a los que se confían, con sus debilidades y pecados, a Mi más amoroso Corazón. No pido la perfección de los que he elegido para ser Mis amigos, solo que Me den su imperfección y la carga de sus pecados y Me permitan hacer por ellos lo que, son incapaces de hacer.

¿Yo no dije a Mis Apóstoles la noche anterior a Mi sufrimiento: "Sin Mí, ustedes no pueden hacer nada"?[2] ¿Por qué esta palabra Mía es tan frecuentemente olvidada? Es una palabra de inmenso poder para la

---

[1] Para una exposición completa de las verdades aquí indicadas, ver *El Tratado de la Verdadera Devoción a María*, de San Luis María de Montfort.
[2] Jn 15:5.

curación y la liberación de las almas porque, entendida correctamente, les obliga a correr hacia Mí en cada necesidad de cuerpo, mente o espíritu y Me permite ser su Salvador, su Médico y su Dios.

No Me disgusté en estos pocos días pasados. Necesitabas descansar de muchas maneras y te proporcioné la oportunidad de tomar el descanso y el refrescamiento que necesitas. No soy tan exigente contigo como tú lo eres contigo mismo. Solo te pido que te apegues a Mí y no prefieras nada a Mi amor[1] y que soportes pacientemente las enfermedades del cuerpo, la mente y el espíritu con que he permitido debilitarte y humillarte ante Mi vista.

Cuando Me ofreces tus limitaciones físicas y tus debilidades para la santificación y sanidad de Mis sacerdotes, inmediatamente uso esa ofrenda, y Mis sacerdotes experimentan el efecto de tu ofrenda porque es un acto de amor y este no conoce los límites impuestos por el tiempo y el espacio o incluso por la muerte misma.[2]

Nunca pienses que he retirado de ti el don de nuestras conversaciones. Estoy dispuesto en todo momento a recibirte en Mi presencia, a recibir todo lo que desees darme o decirme y a hablarte de Corazón a corazón, cara a cara, como un hombre le habla a su amigo.[3] Ya te dije esto antes, pero olvidas fácilmente Mis palabras y Mis promesas para ti. Llama al Espíritu Santo para que mantengas vivas en tu corazón Mis palabras y Mis promesas, y para que las recuerdes en tus horas de necesidad.

Domingo 16 de mayo de 2010

Cuando tengo algo que decirte, nada puede interferir con la palabra que te daré, aparte de tu propia falta de preparación o negativa a escuchar Mi voz interior. Esta es la voz que es interior para ti, pero viene de Mí. Es la expresión del deseo de Mi Corazón para ti y de las cosas que compartiré contigo, de Corazón a corazón, como un hombre le habla a su amigo.[4] Permanece, entonces, abierto, al sonido de Mi voz y no dejes que nada te engañe y te haga pensar que te he abandonado o que nuestras conversaciones han llegado a su fin. Tengo tanto que decirte que el resto de tu vida terrenal no será suficiente para escucharlo todo, pero de todos modos escucharás todo lo que quiero que oigas y todo lo demás quedará claro para ti en el paraíso.

---

[1] Deut 4:4, 10:20, 13:4, 30:20; Jos 22:5, 23:8; Sal 72(73):28; Véase *La Santa Regla* de San Benito, capítulos 4 y 72.
[2] Cant 8:6; 1 Cor 13:7–8.
[3] Éxod 33:11; 2 Jn 1:12.
[4] Ibid.

Sí, Yo he unido tu corazón al corazón de Mi siervo Benedicto XVI desde el comienzo de su pontificado. Escucha bien todas sus enseñanzas. Recíbelas y hazlas conocer, porque él es Mi mensajero y Mi sacerdote víctima en medio de un mundo que cierra los oídos a Mi palabra y que todavía se burla del misterio de la Cruz. Pronto le daré al mundo una señal que convertirá muchos corazones. Muchos otros permanecerán cerrados y en su negativa a escuchar y ser sanados de los estragos del pecado, serán como corazones convertidos en piedra e incapaces de responder a Mi amor redentor.[1]

Esta es Mi tristeza, que tantos, incluso dentro de Mi Iglesia y en los rangos del clero, Mis elegidos y Mis amigos, han endurecido sus corazones contra Mí y para Mi inmensa pena, morirán en sus pecados.[2]

En cuanto a ti, estudia bien las palabras de Mi siervo Benedicto XVI y úsalas en tu predicación a los sacerdotes y en tu ministerio para transmitirlas a los que interceden y se ofrecen por Mis sacerdotes. Verás cuán cerca te he unido al Santo Padre. Da tu vida por su vida. Ofrécete tú por sus intenciones. Apóyalo escuchando bien y llevando a cabo todo lo que él desea para la Iglesia y para los sacerdotes. El alma del Santo Padre es, en muchos sentidos, no muy diferente a la tuya. Ambos han recibido una penetrante inteligencia de la Sagrada Liturgia, de Mis misterios celebrados para la vida de la Iglesia y para la salvación del mundo, y ambos han sido guiados por el Espíritu Santo hacia una unión más profunda e íntima con Mi Madre Inmaculada. Para ambos, Mi Santo Rostro es una luz que brilla en la oscuridad y la belleza que ha cautivado sus almas y las ha llenado con un santo deseo de unión Conmigo. Y sobre Mi Rostro, ambos están aprendiendo a leer los secretos de Mi Corazón. El Santo Padre siente que hay almas unidas a él, almas que interceden y, ofrecen sus sufrimientos por él. De hecho, lo he rodeado de una legión de tales almas, ya que sin sus auto oblaciones efectivas y constantes oraciones, él vacilaría bajo el peso de su cargo y experimentaría un sufrimiento demasiado pesado para cargarlo.

Dile a N. que todos sus sufrimientos y pruebas son preciosos ante Mi vista, y que, habiéndolos pesado en el equilibrio del Amor Crucificado, encontré que tenían un valor mayor que el oro más fino. Con esta ofrenda suya, haré maravillas de amor misericordioso en las almas de muchos sacerdotes. Ella no debe temer al futuro ni a lo que le depara, porque siempre estoy con ella y todo lo que le preocupa es Mi propio

---

[1] Éxod 8:15; 1 Sam 6:6; 2 Rey 17:14; Prov 28:14; Dan 5:17–21; Sab 17:20–21; Rom 2:1–6; 1 Pe 2:7–8.
[2] Jn 8:12–30.

asunto. La protegeré y proveeré, y en Mi amoroso cuidado, ella y N. no necesitarán nada.

Escribe también a N. y dile que el amor de Mi Corazón por él está en un horno ardiendo y que Yo he aceptado su holocausto de sufrimientos y de oración. Dile que es Mi sacerdote víctima, Me ofrezco al Padre en él y por él, así se convierte por Mí en una ofrenda digna de la majestad divina y un fragante incienso consumido sobre el altar de un amor ardiente.

Continúa ofreciéndome tus debilidades y sufrimientos. Ellos también son preciosos a Mi vista y nada de lo que Me das está perdido. Por el contrario, uniré tu ofrenda a Mi propio Sacrificio y así se convierte en parte de la intercesión sacerdotal que se eleva incesantemente desde Mi Corazón traspasado al Padre.

Mi Madre se deleita en este pequeño monasterio donde la aman y honran. Cuanto más le muestres el agradecimiento y el afecto tierno que se le debe a ella por todos sus hijos, más se mostrará a sí misma como una Madre,[1] llena de bondad amorosa y siempre lista para intervenir y actuar a tu favor. Ama a Mi Madre y todo lo demás te será dado por añadidura.[2] Ámala con un amor sin límites, porque así Yo también la amo y Mi voluntad es que Mi amor por ella debe ser continuado en los corazones de todos Mis sacerdotes hasta el fin de los tiempos.

Yo hablo a las almas no solo por medio de palabras interiores, sino también por las sugerencias que vienen del Espíritu Santo y por los acontecimientos y circunstancias ordenadas por Mi más amorosa Providencia; para permitir que las almas se eleven por encima de las consideraciones terrenales que las mantienen esclavizadas a las cosas de la Tierra[3] y para que estén más estrechamente unidas a Mí, que deseo el amor de ellas con todo su corazón, toda su mente y toda su fuerza.[4]

Nada escapa al alcance de Mi Providencia y ordeno todas las cosas dulce y poderosamente por el bien de las almas y la gloria de Mi Padre.[5] Solo tienes que aceptar todo lo que quiero y todo lo que permito, con un corazón de confianza, con un corazón que reconoce en todas las cosas, el trabajo del amor divino y las expresiones de Mi infinita misericordia.

---

[1] Véase verso 4 del himno *Ave Maris Stella*: "Monstra te esse matrem" ("Muéstrate Madre").

[2] Mat 6:33; Luc 12:31.

[3] Fil 3:18–20; Col 3:1–7.

[4] Mat 22:37; Mar 12:29–33; Luc 10:27.

[5] Sab 8:1; Rom 8:28.

Martes 25 de mayo de 2010

Tienes razón en confiar en Mi bondad misericordiosa, porque soy fiel a Mis amigos y a todo lo que les prometo, que puedo darles. Solo te pido que no te canses de esperar en Mí. Tu forma humana de calcular las cosas y medir el tiempo no corresponde con Mi propia percepción simple de todos los tiempos y edades en un eterno ahora. Tus oraciones ahora no estarán sin efecto en las edades que vendrán y la oración de muchos que Me oraron en el pasado te están sirviendo ahora. Mi Corazón no Se cierra ni Mi brazo extendido se acorta a tus peticiones.[1] Continúa honrando y adorando Mi preciosa Sangre, recurre a Mis cinco heridas gloriosas y, sobre todo, confía en el amor de Mi Sagrado Corazón por ti. Nada Me conmueve tanto como un alma que confía en Mí y cuenta solo Conmigo.

Jueves 27 de mayo de 2010

No hay necesidad de que te sientas temeroso y ansioso. Todo sucederá como lo prometí, pero de acuerdo con Mi plan perfecto y en el momento que he elegido, el mejor momento posible para ti y para todos los interesados. Continúa confiando en Mí y dime a menudo que toda tu confianza está en la bondad misericordiosa de Mi Corazón. No te fallaré ni te dejaré abierto a las influencias destructivas que buscan socavar este trabajo que es Mío. Te escogí a ti, el más quebrantado y enfermo-pecador de todos Mis sacerdotes, para llenar tu pobreza con Mis dones y para mostrar Mi poder en tu debilidad.[2] Tu alma estaba marcada por profundas heridas, las heridas infligidas por la impureza y por el pecado a una edad tan tierna. Podrías haber seguido por el camino del mal preparado para ti por Satanás y sus instrumentos, pero Mi Madre intervino para salvarte y ella obtuvo de Mí que pudieras llevar a cabo esta obra de adoración, reparación y servicio a Mis amados sacerdotes.

La obra comenzará lentamente y encontrará toda clase de oposición, crítica y resistencia, pero prevalecerá el amor misericordioso de Mi Corazón y la luz de Mi Rostro Eucarístico brillará en lugares reclamados por los poderes de la oscuridad. Continúa confiando en Mí y tienes que recurrir a Mi Madre, a San José y a San Juan, porque te los he dado para que te cuiden, protejan y obtengan para ti una abundancia de tesoros de Mi Corazón Eucarístico.

---

[1] Is 50:2, 59:1.
[2] Sal 34(35):10; Sal 71(72):13; Sal 80:11 (81:10); Jl 3:10; Sab 9:5–6; Rom 5:6; 1 Cor 1:25–27, 4:10; 2 Cor 11:29–30, 12:5–10, 13:3–4; 1 Tim 1:15.

Viernes 28 de mayo de 2010

Yo recibo tus peticiones y tus oraciones y las llevo a Mi Sagrado Corazón, el horno ardiente de la caridad[1] y el manantial de cada gracia y bendición.[2] Cada oración recibida en Mi Corazón se cumple maravillosamente, porque Mi Corazón no puede permanecer indiferente a las oraciones ofrecidas en confianza, humildad y fe.

Sábado 29 de mayo de 2010

Mi Corazón te habla para que puedas transmitir Mis palabras en los corazones de muchos otros, los que te enviaré y los que te envío cuando predicas. Mientras permanezcas fiel en vigilar Mi Rostro Eucarístico, te daré Mis palabras y Me ocuparé de que permanezcan en el tesoro de tu alma, para que se extiendan y se ofrezcan a otras almas en el día y la hora previstos por Mi Providencia.[3]

Tu preparación más efectiva para la predicación que te pido es tu tiempo en Mi presencia. Allí te rodeo y sumerjo en Mi amor. Cualquier palabra pronunciada desde esta inmersión en Mi amor será sumamente efectiva. De esta manera, Yo, a través de ti, tocaré las almas, las sanaré, las iluminaré y las haré arder con amor, por Mi amor.

Sé fiel a tus tiempos de adoración. Busca Mi Rostro Eucarístico, porque nunca dejo de buscar el tuyo. Este es el Misterio de Mi amistad divina, que Yo, el Dios infinito y todo santo, busque el rostro de una criatura pecaminosa, ame verla y disfrute viendo que se vuelve hacia Mí. Amén. Este es el deseo de Mi Corazón, ver los rostros de todos Mis sacerdotes vueltos hacia Mi Rostro Eucarístico y elevados en adoración para recibir el reflejo de Mi Rostro y la huella de cada sentimiento y movimiento de Mi Sagrado Corazón.

Martes 1 de junio de 2010

Me ofrecí al Padre desde el altar del Corazón Doloroso e Inmaculado de Mi Madre. Ella aceptó, consintió en cargar todo el peso de Mi Sacrificio, para ser el mismo lugar desde donde ardió Mi holocausto de amor. Ella, a su vez, se ofreció a sí misma Conmigo al Padre desde el Altar de Mi

---

[1] *Fornax ardens caritatis:* de la Letanía del Sagrado Corazón de Jesús.

[2] Un eco de las *Supplices te rogamus* del Canon Romano: "Humildemente Te suplicamos, Dios Todopoderoso... para que nosotros que recibimos el Cuerpo y la Sangre más sagrados de Tu Hijo al participar en este altar podamos ser llenos de toda gracia y bendición celestial."

[3] Mat 12:35, 13:52; Luc 6:45; Job 23:12; Prov 2:1–5; Is 45:3; Tob 4:7–10.

Sagrado Corazón. Allí se inmoló a sí misma, convirtiéndose en una sola víctima Conmigo para la redención del mundo. Su ofrenda fue incendiada en Mi holocausto por el descenso del Espíritu Santo. Así, nuestros dos Corazones se convierten en dos altares, allí se elevó la dulce fragancia de una sola ofrenda, Mi oblación sobre el altar de su Corazón y la suya sobre el altar del Mío. Esto, en efecto, es lo que significa cuando, usando otro idioma, hablas de Mi Madre como Corredentora. Nuestros dos Corazones formados, para un solo holocausto de amor en el Espíritu Santo.

Jueves 26 de agosto de 2010

Hay tantos tabernáculos en la Tierra donde estoy, para todos los intentos y propósitos, como enterrado, escondido, olvidado y fuera de la vista. Mi divino resplandor se ve disminuido porque hay muy pocos adoradores que actúen como receptores de Mi radiante amor Eucarístico, para extender Mi resplandor por el espacio y en el universo de las almas.

Donde hay fe en Mi presencia real, habrá adoración y donde hay adoración, también habrá un resplandor eficaz de Mi presencia, atrayendo almas a Mi Corazón Eucarístico y rodeándolas, incluso a distancia, con la influencia sanadora de Mi Rostro Eucarístico.

En los lugares donde estoy expuesto sobre el altar para recibir la adoración, la reparación y la compañía de Mis amigos y, ante todo, de Mis sacerdotes,—Mi resplandor es poderoso y fuerte. La fe, la adoración y el amor actúan como receptores, así se extrae Mi poder y se hace efectivo, invisible pero real, en el espacio y en el tiempo. Lo mismo sucedió con Mi humanidad sagrada durante Mi vida en la Tierra: la fe y el amor de Mis amigos sacaron a relucir la virtud de Mi divinidad y un resplandor invisible actuó en las almas y sobre ellos, trayendo sanación, santidad y muchas gracias de conversión.

Cuando Me adoran en un lugar, Mi acción oculta sobre las almas aumenta maravillosamente. El lugar donde soy adorado se convierte en un centro radiante desde el cual el amor, la luz y la vida se difunden en un mundo atrapado por el odio, la oscuridad y la muerte.

Las capillas de adoración no son simplemente refugios para los devotos. Son los centros radiantes y pulsantes de una intensa actividad divina que va más allá de las paredes del lugar donde Me adoran y penetra a los hogares, las escuelas y los hospitales, para llegar incluso a esos lugares oscuros y fríos en donde las almas son esclavizadas a Satán, para penetrar los corazones, sanar la enfermedad y llamar a casa a los que han vagado lejos de Mí.

Por estas razones, la obra de adoración perpetua o incluso de prolongada adoración diaria, es intensamente apostólica y sobrenaturalmente eficaz. ¡Ojalá Mis obispos entendieran esto! No dudarían en implementar la solicitud que les llegó desde Roma desde hace tres años.[1] Pero, por desgracia, ellos confían en los esquemas humanos, en los planes ideados por los sabios mundanos y en los programas elaborados según principios humanos miopes. Y así ellos van y continuarán yendo del fracaso al fracaso y de la desilusión a la desilusión.

Yo no he establecido obispos sobre Mi rebaño para gobernar, enseñar y santificar a partir de sus habilidades personales y haciendo uso de la sabiduría de este mundo perecedero. Los he puesto como luces sobre un candelabro para que brillen en cada lugar oscuro[2] y los he equipado con dones sobrenaturales y poder divino para lograr aquello para lo que los elegí y los coloqué sobre Mi Iglesia. ¡Ay de los obispos que confían en soluciones puramente humanas a los problemas que acosan a Mi Iglesia! Quedarán terriblemente decepcionados y muchas almas caerán porque han sido negligentes para tomar las armas sobrenaturales que Yo he preparado en este tiempo de combate espiritual.[3]

Mi presencia en el Santísimo Sacramento, predicada, confesada y rodeada de adoración, amor y sincera reparación, es el único y más grande remedio para los males que afligen a Mi Iglesia y para las penas que pesan tanto sobre Mis sacerdotes. Mis caminos no son tus caminos[4] no actúo de acuerdo con los principios del éxito mundano. Actúo en la realidad silenciosa, humilde y oculta de Mi presencia Eucarística. Adórame y el resplandor de Mi Rostro Eucarístico comenzará a cambiar la faz de la Tierra,[5] mientras tú Me adoras sanas a Mis sacerdotes, llamas a los pecadores al hogar de Mi Corazón y animas a los corazones de los que están cansados y tristes (como los discípulos en el camino a

---

[1] Véase papa Benedicto XVI, Exhortación Apostólica Postsinodal *Sacramentum Caritatis* (22 de febrero de 2007), §67; Congregación para el Clero, *Carta para la Santificación del Clero* (8 de diciembre de 2007). El último documento contiene el mandato: "Estamos pidiendo, por lo tanto, a todos los diocesanos ordinarios que capten de manera particular el carácter insustituible del ministerio ordenado en la vida de la Iglesia, junto con la urgencia de una acción común en apoyo al sacerdocio ministerial, para que asuman un papel activo y promuevan—en las diversas partes del Pueblo de Dios que se les confía— cenáculos verdaderos y propios en los que los clérigos, religiosos y laicos, unidos entre sí en el espíritu de la verdadera comunión, puedan dedicarse a la oración, en forma de adoración Eucarística continua, en un espíritu de auténtica y genuina reparación y purificación."

[2] Mat 5:14–16; Mar 4:21; Luc 11:33–36; Apoc 2:5, 4:5; 2 Pe 1:19; Sal 131(132):17.

[3] Efes 6:13–17; Rom 13:12–14; 2 Cor 6:4–10, 10:3–5; 1 Tes 5:8; Sal 149:6; Cant 3:8; Luc 11:21–22, 22:36–38; Heb 4:12; Jer 50:25; Sir 46:1–3; Sab 5:18–22.

[4] Is 55:8–9; Ezeq 18:25–32.

[5] Sal 103(104):30.

Emaús[1]) con una chispa de vitalidad divina y con el fuego de Mi amor Eucarístico.

Te hablo de esta manera no solo por ti, amado amigo de Mi Corazón, sino también por los que recibirán estas palabras, las meditarán y sacarán de ellas la inspiración para amarme más generosamente, más fructíferamente y más alegremente. Te hablo por el bien de Mis sacerdotes. Estarás asombrado de la recepción que será dada a estas palabras Mías. Muchas almas de sacerdotes serán vivificadas y consoladas por ellas. Muchos sacerdotes serán movidos a pasar tiempo en el resplandor de Mi Rostro Eucarístico y a permanecer cerca de Mi Corazón traspasado. Este es Mi deseo para ellos. Yo quiero atraer a todos Mis sacerdotes al resplandor de Mi Rostro y al santuario de Mi Corazón abierto.

Sábado 19 de febrero de 2011
Después de la primera víspera del septuagésimo domingo

No es por privilegios, gracias especiales o experiencias místicas que las almas son perfeccionadas en amor, es por una total adhesión a Mi voluntad, y por una real muerte a todo lo que no es Mi voluntad. Esta vida tuya pasará rápidamente. Al final, tú tomarás consuelo en una sola cosa en el "Sí" que habrás dicho a Mi amor por ti y en tu adhesión a Mi voluntad, ya que se habrá desarrollado minuto a minuto, hora por hora y día a día en tu vida.

Dime, entonces, que Mi voluntad, es tu voluntad. Dime que todo lo que está fuera de Mi voluntad para ti es solo basura.[2] Pídeme que limpie tu vida de la basura acumulada de tantos años. Pídeme que te haga limpio de corazón y pobre de espíritu.[3] No busques nada más aparte de lo que Mi Corazón desea que tengas. Pide solo lo que Mi Corazón desea darte. Ahí está tu paz. Ahí está tu alegría. Ahí radica la salvación y la gloria.

Tus planes, tus deseos y tus ansiedades no son más que soplos de humo arrastradas por el viento. Solo Mi voluntad permanece. Solo lo que te daré será tu felicidad. Busca entonces Mi voluntad y confía en Mí para darte lo que buscas. Las almas que persiguen el arco iris pasan por los tesoros que he puesto bajo sus pies, dejándolos atrás por perseguir un futuro que no es y que no llegará a existir. Este es un ejercicio agota-

---

[1] Luc 24:13–33.
[2] Fil 3:8–26; Deut 7:25.
[3] Mat 5:8, 5:3; Sal 50:12 (51:10); Prov 20:9.

dor para ti y para muchas almas como tú, que encantadas por un ideal, no pueden ver Mi obra y el esplendor de Mi voluntad para ellos, revelado en el presente.

Vive, entonces, en el momento presente. Elige ser fiel a Mí en las pequeñas cosas que te doy y pido de ti minuto a minuto, hora a hora y día a día.[1] Es una tontería poner tus esperanzas y gastar tu energía en un bien imaginario, cuando el verdadero bien que te ofrezco está aquí y ahora.

No está prohibido soñar o imaginar un futuro que piensas que te hará feliz—te doy tu imaginación y no Me ofende cuando la usas. Sin embargo, el bien imaginado se convierte en un mal; cuando te saca de tu energía, cuando te drena de la vitalidad que tienes que ofrecerme en Sacrificio siendo fiel a la realidad que está aquí y ahora, y cuando usas tu imaginación para huir de la obediencia y la sumisión a Mí en las circunstancias y en los lugares donde te he puesto en ese momento.

Planea para el futuro viviendo en el presente. Abre tu corazón a Mi voz todos los días y aférrate a las más pequeñas manifestaciones de Mi voluntad. Renuncia a todo lo que brota de tus propios deseos e imaginaciones y di "Sí" a todo lo que brota de Mi Corazón más amoroso y misericordioso. Ahí está tu paz, tu alegría y tu salvación.

Te hablo todos los días. Estoy trabajando en ti y a tu alrededor. Eres Mi sacerdote y te usaré para hablar a Mi pueblo palabras de consuelo, de luz y de vida. Tú eres Mi sacerdote y en ti estoy delante de Mi Padre, abogando por los pecadores y glorificando Su infinita misericordia. Sé justo eso, Mi sacerdote mediador y permíteme que te use como Yo tenga a bien. En virtud de tu sacerdocio—Mi sacerdocio grabado indeleblemente en tu alma—estás en Mí y estoy en ti, en todo momento trayendo a Dios a los hombres y los hombres a Dios. En el altar, esta mediación sacerdotal alcanza el más alto grado, que es Mi muerte en la Cruz, Mi propio Sacrificio sacerdotal en el Calvario.

¿No es esto suficiente para ti y para todos los sacerdotes Míos? ¡Ay del sacerdote que busca obras aparte de esta única obra, la gran obra de amor que es la Cruz, renovada en el altar durante el Santo Sacrificio de la Misa!

Hoy fui Yo quien te inspiró a responder a N., diciendo que tendrías adoración de 5 a 7. Me gustaría que hagas esto. Será un tiempo de gracia especial para ti y de consuelo para Mi Corazón Eucarístico. Escucha la inspiración que te doy a través de tu ángel guardián y prosperarás en todo lo que hagas.

---

[1] Luc 12:42–44, 16:10, 19:17; Mat 24:45–46, 25:20–23, Sir 19:1.

13 de marzo de 2011
Primer domingo de Cuaresma

Predica el amor de Mi Padre que está en el Cielo. Haz que Su amor sea conocido por todos los que te escuchen, predica durante estos días santos de Cuaresma. Cuán poco conocido es el amor de Mi Padre, cuán poco conocido es la inmensa compasión de Su Corazón por los pecadores. Si las almas conocieran el amor de Mi Padre, correrían a lanzarse a Sus pies y Él, siendo todo amor, los levantaría para que se sostuvieran en Su abrazo. De los que profesan conocer a Mi Padre, muchos le temen y se mantienen a distancia de Él, mientras que Él, siendo todo Padre, anhela el deseo divino de tener a Sus hijos cerca de Su Corazón.

Predica a Mi Padre. Da a conocer la tierna compasión de Su Corazón por todos Sus hijos. Enseña a las almas que Su Majestad, aunque es infinita y hace que hasta el más puro de los ángeles tiemble ante Su vista, se somete al movimiento paternal de Su Corazón cada vez que se trata de unir un alma a Sí mismo.[1] Habla de la mansedumbre de Mi Padre y de la dulzura de Su fortaleza. Solo los que no conocen a Mi Padre, le temen y no pueden confiarse a Él.

Abandónate a Mi Padre, ponte en Su guardia y enséñales a otras almas a hacer lo mismo. El mundo necesita escuchar el Evangelio de Mi Padre. Fue para darlo a conocer a los hombres que Me hice hombre y Mi alegría es ver a los hombres ganados para Mi Padre porque Me han escuchado y han creído en Mí. Él que Me ve, ve al Padre, el Padre y Yo somos uno.[2]

Martes 15 de marzo de 2011

Escúchame, Mi amigo, Mi hermano, Mi adorador y Mi sacerdote. Quien no ha conocido las alegrías y la seguridad en el amor a la filiación divina no puede recibir la gracia de la paternidad sobrenatural. Uno aprende a ser padre siendo un hijo e incluso en la perfección de la paternidad espiritual, uno sigue siendo un niño pequeño, un hijo amado de Mi Padre, lleno de confianza en Su Providencia y listo, en todo momento, para abrazar Su voluntad tal y como se desarrolla.

Muchos de Mis sacerdotes están retrasados en el ejercicio de su paternidad espiritual porque están heridos en su identidad como hijos. Estoy a punto de sanar a muchos de Mis queridos sacerdotes que llevan en el fondo de sus almas, las heridas de una filiación que no se desarrolló

---

[1] Os 11:8–9; Jer 31:18–20; Is 49:14–16; Benedicto XVI, Carta Encíclica *Deus Caritas Est* (25 de diciembre del 2005), §10.

[2] Jn 14:9, 10:30.

como Yo hubiera querido que se desarrollara a causa de los pecados de los padres y esto durante muchas generaciones.

Deseo llenar Mi Iglesia con padres espirituales, sanando a un gran número de hijos heridos entre Mis sacerdotes. Deseo la reconciliación de los hijos con sus padres y de los padres con sus hijos.[1] A través de esta reconciliación, las heridas infligidas a las almas de Mis sacerdotes serán sanadas, liberándolas para entrar completamente en Mi amor por el Padre, en Mi obediencia al Padre, en Mi glorificación del Padre.

Los que serán sanados de esta manera llegarán a ser padres de almas, participando en la ternura y fortaleza del Padre eterno y compartiendo la paternidad que los Apóstoles reconocieron en Mí, mientras Yo vivía entre ellos, en la carne, sobre la Tierra. Yo revelé la paternidad de Dios a Mis Apóstoles y los agracié con un nuevo nacimiento en Mi propia filiación divina. Así se hicieron capaces de una paternidad sobrenatural que aún hoy genera vida en Mi Iglesia.[2]

¡Oh, Mis sacerdotes, los llamo a Mí en el Sacramento de Mi amor! Allí los sanaré de esas heridas infantiles que han perjudicado su respuesta a Mi Padre por demasiado tiempo. Los liberaré para que entren en la gracia y el misterio de Mi propia filiación y descubrirán, cada uno por sí mismo, lo que significa ser "un hijo en el Hijo." Este es Mi deseo. Este es Mi plan para ustedes. Permítanme sanar sus almas. Quiero restaurarlos a la seguridad y la alegría de la filiación divina. Los llamo a la paternidad en Mi Iglesia y a un cuidado fuerte y tierno por las almas.

Lunes 21 de marzo de 2011
Tránsito de nuestro santo padre San Benito

Permíteme guiarte en el camino de la total dependencia filial de Mi Padre en todas las cosas y para todas las cosas. Esta será la expresión de Mi vida filial en ti. Quiero que mires al Padre en cada necesidad, confía en el Él en cada adversidad, depende de Él en cada debilidad. Así glorificarás a Mi Padre y así Yo lo glorificaré en ti.[3]

La bondad y el amor de Mi Padre permanecen ocultos de tantas almas. No han entendido que Yo vine al mundo para revelar a Mi Padre, que es todo amor y para atraer almas hacia Él en confianza filial y en la alegría del abandono a Su bondad. Ama a nuestro Padre. Confía en nuestro Padre. Depende de nuestro Padre en cada debilidad.

En el corazón del evangelio está la revelación de Dios como un Padre

---

[1] Mal 4:6; Luc 1:17; Sir 48:10.

[2] Cor 4:15, 3:5–9; Fil 2:22; Filem 1:10; 1 Tes 2:11; Efes 3:14–15.

[3] Jn 14:13–14.

que acaricia a Sus hijos y los ama tanto que Él Me envió a Mí, Su Hijo unigénito, al mundo para sufrir y morir.[1] Ama a Mi Padre y abre tu corazón a la inmensidad de Su amor por ti. Así te convertirás para Él, en Mí, un hijo amado en quien Él se deleita.[2]

Viernes 29 de abril de 2011

Mi Corazón siente lástima por los que recomiendas a Mi amor misericordioso. No hay límite para Mi bondad misericordiosa. Las almas que dudan de Mi misericordia o me tienen como un juez severo, Me temen y con eso entristecen Mi Corazón más amoroso. Lo que quiero de las almas es su confianza en Mí y su confianza en Mi bondad misericordiosa. Acepta Mi amor misericordioso, acéptalo por los que se niegan a aceptarlo, por los que se alejan de Mí para ir en busca de comodidades falsas y maestros engañosos.[3]

Demasiados sacerdotes han perdido la confianza en Mi misericordia y por esta razón, no pueden inspirar confianza en Mi misericordia en las almas que se les han confiado. No pueden hablar convincentemente de Mi divina misericordia sin haberla experimentado primero.

Espero a Mis sacerdotes en el Sacramento de Mi amor. Quiero que Se acerquen a Mí para que experimenten Mi misericordia. Entonces los haré canales y heraldos de Mi misericordia en un mundo que necesita la divina misericordia más que cualquier otra cosa.

Domingo 10 de julio de 2011
Después de las primeras vísperas
de nuestro santo padre San Benito

Hace mucho tiempo, en Mi amor por ti y en Mi infinita sabiduría, establecí tu alma en una relación especial con Mi siervo San Benito. Te di a él como un hijo y te lo di a ti como padre. Él te ha seguido fielmente, incluso en esos momentos en los que te apartaste de sus enseñanzas y te alejaste de su cuidado paternal por ti.

Ahora, eres un padre que comparte la paternidad de almas de San Benito. Quiero unirte aún más a él estrechamente para que sus virtudes puedan florecer en ti y para que puedas comunicarles a tus hijos una parte del espíritu que has recibido de él.[4] Te daré una visión penetrante

[1] Jn 3:16; 1 Jn 4:9.
[2] Mat 3:17, 17:5; Mar 1:11, 9:7; Luc 3:22, 9:35; 2 Pe 1:17.
[3] Mat 23:8; 1 Tim 1:6–7; 2 Tim 4:3–4; Gál 2:4; Heb 5:12; 2 Pe 2:1–3; 1 Jn 4:1; Apoc 2:2.
[4] Núm 11:25; 2 Rey 2:9–15.

de la sabiduría de la Santa Regla, no para que saques gloria de ella, sino para que puedas cambiar tu vida y avanzar día a día en una conformidad más profunda con la herencia espiritual que he otorgado sobre ti a través de San Benito.

San Benito tuvo la gracia de una profunda unión Conmigo en los adorables misterios de Mi Cuerpo y Sangre. Él vivió desde el altar y para el altar. Su adoración en Mi presencia se llenó con una profunda reverencia por Mi divina majestad y para San Benito, la adoración fue la escuela de la humildad, la del victimismo y del sacrificio.

Sin agregar nada fantasioso a los rasgos sobrios de su existencia, debes comprender que toda su vida fue profundamente Eucarística. Él no podía concebir un día sin compartir el pan diario del Corazón puro que es Mi Cuerpo entregado para ustedes. En el Sacramento de Mi caridad divina vio el patrón de la vida monástica, una vida muerta para el pecado y oculta al mundo,[1] una vida en unión con Mi sacerdocio y con Mi Sacrificio, el mismo Sacrificio que renuevo sobre los altares de Mi Iglesia a través del ministerio de Mis sacerdotes.

A Catherine-Mectilde de Bar[2] le fue dada una visión de la calidad Eucarística de la vida benedictina y ella la transmitió en sus escritos para que otros y ahora tú y los hijos que te he dado, puedan vivir lo que ella entendió y es tan deseado para ser compartido.

El monje es una víctima inmolada Conmigo para la gloria de Mi Padre y por la reconciliación y la curación de los pecadores. Eres una víctima inmolada para la alabanza de la gloria de Mi Padre[3] y para las afrentas a esa gloria perpetradas por sacerdotes, a quienes elegí y amo incluso ahora. Ofrécete tú por ellos, y para todos ellos. Toma su lugar delante de Mí. Deja que la luz de Mi Rostro Eucarístico penetre en tu alma para que pueda usarte para dar luz a los sacerdotes que viven en las tinieblas exteriores y en compañía de los condenados.

Esta es la oscuridad de la que te salvé por la intercesión de San Benito y de una multitud de otros santos que Yo te ha dado, ellos obtuvieron para ti la gracia de vivir en Mi luz; a pesar de los intentos del Maligno

---

[1] 1 Rom 6:2–4, 6:10–11; Col 3:3.

[2] Catherine-Mectilde de Bar (31 de diciembre de 1614–6 de abril de 1698), una guía espiritual y escritora de la talla de Santa Gertrudis la Grande y Santa Teresa de Ávila, sentó las bases en 1653 de una rama de la familia benedictina dedicada a la adoración perpetua del Santísimo Sacramento, en un espíritu de reparación y alabanza incesante. Su espiritualidad profunda, centrada en la Santa Misa, el Divino Oficio y la devoción Eucarística se anticipan antes de varios siglos a la enseñanza de Joseph Ratzinger/Benedicto XVI. Las escrituras fervientes e instructivas de la madre Mectilde merecen ser conocidas mucho mejor.

[3] Efes 1:12–14.

de ganarte para la oscuridad y arrastrarte a los horrores del infierno. Por medio de tu adoración, agradéceme y responde al amor misericordioso de Mi Corazón por ti con todo el amor de tu corazón. Así haré tu corazón puro y capaz de verme un día cara a cara en la luz.[1]

Permanece cerca de Mí y Yo te uniré a Mi propia adoración del Padre.

Permanece cerca de Mí y Yo te uniré a Mi intercesión sacerdotal por las almas.

Permanece cerca de Mí y te daré la paz que el mundo no puede dar.[2]

Permanece cerca de Mí, para que pueda ocultarme en ti y ocultarte en Mi Sagrado Corazón.

Adórame en Mi silencio y te haré silencio.

Adórame en Mi soledad y te separaré de todos excepto de Mí mismo.

Lunes 11 de julio de 2011
Después de las segundas vísperas
de nuestro santo padre San Benito

Adórame en Mi humildad y te haré humilde.

Adórame en Mi obediencia y te haré obediente.

Adórame en Mi oración al Padre y comenzaré a orar a Mi Padre en ti.

Adórame en Mi amor misericordioso por los pecadores y salvaré a los pecadores a través de ti.

Adórame en Mi debilidad y en Mi pobreza, y te haré fuerte en Mi gracia y rico en bendiciones celestiales.[3]

Adórame y viviré en ti.

Adórame y en la hora de tu muerte te llevaré a Mí y te mostraré la belleza de Mi Rostro revelada en gloria.

Domingo 7 de agosto de 2011

Mi Corazón arde de amor por ti y por los hermanos que te he dado. Sí, también son tus hijos, porque los he encomendado a tu cuidado pater-

---

[1] Mat 5:8; 1 Cor 13:12–13; Col 1:11–14.

[2] Jn 14:27, 16:33, 20:19–22; Rom 1:7, 5:1, 8:6, 14:17, 15:13; Efes 2:14–17; Fil 4:7; Col 1:20, 3:15; 2 Tim 3:1–5.

[3] Un eco del Canon Romano: "Supplices te rogamus . . . ut quotquot, ex hac altaris participatione sacrosanctum Filii tui Corpus et Sanguinem sumpserimus, omni benedictione caelesti et gratia repleamur" (Humildemente Te suplicamos . . . que todos los que recibamos el Cuerpo y la Sangre más sagrados de Tu Hijo participando de todo esto desde este altar podamos ser llenados con toda bendición y gracia celestial). Véase 1 Cor 1:5; 2 Cor 8:9; Efes 1:7–8, 2:4–7, 3:8; Fil 4:19; Col 1:27; Sant 2:5; Apoc 2:9, 3:18; Mat 8:20; Luc 9:58; Is 52:13–53:12.

nal y te pido que los ames con ternura paternal. No seas débil al amarlos ni al temer desafiarlos a la conversión de la vida y al crecimiento en santidad. Te doy a ti y a ellos todas las gracias necesarias para seguir adelante y llevar el fruto que durará por el bien de Mis amados sacerdotes y por la santidad de Mi Esposa la Iglesia, incluso frente a sus enemigos.

El papel que tu juegas en el desarrollo de Mi plan puede parecer insignificante y sin valor, pero Yo te digo que nada de lo que es dicho y hecho en este pequeño monasterio está sin valor ante Mis ojos, ya que he aceptado tu ofrecimiento y el de los que se unirán a ustedes para la regeneración de un sacerdocio marcado por la belleza de santidad[1] y por una configuración verdadera a Mí en el misterio de Mi auto ofrecimiento al Padre.

N. también se cuenta entre ustedes. Él es en todo sentido, una parte tan importante de este pequeño monasterio como ustedes que están aquí delante de Mí ahora. Sus sufrimientos pesan mucho en la balanza del lado del amor, de la reparación, de la acción de gracias y para la alabanza de Mi gloria. Recibo su ofrenda voluntaria junto con la tuya y Me agrada que pronuncies su nombre en el altar mientras ofreces Mi Santo Sacrificio.

Todas estas cosas son parte de Mi plan perfecto para la purificación y la renovación de los sacerdotes de Mi Iglesia. Habrá una inmensa ola de gracia invadiendo los corazones de todos Mis sacerdotes y fluyendo en un poderoso torrente desde Mi Corazón Eucarístico, especialmente en los lugares donde Mi verdadera presencia es confesada y donde soy adorado y amado en el Sacramento de Mi amor.

Sé fiel entonces, a la misión que te he dado. Para ser fiel, solo necesitas confiar en Mí y confiar en los recursos infinitos de Mi gracia.

Martes 9 de agosto de 2011

Mis pensamientos no son tus pensamientos ni Mis caminos son tus caminos.[2] Sin embargo, dentro de poco verás lo que he preparado para ti y tu corazón se regocijará.[3] Entonces verás que todo estará bien y avanzarás en paz, lleno de confianza en Mi amor providencial por ti. No hay necesidad de asustarse o apresurarse en situaciones que solo tienen

---

[1] 1 Cró 16:29; 2 Cró 20:21; Sal 28(29):2; Sal 95(96):9. En la versión de la Biblia de King James, cada uno de los versos usan la expresión "belleza de santidad."

[2] Is 55:8–9.

[3] Jn 14:2–3 y 16:16–22; 1 Cor 2:9.

la apariencia de soluciones. Espera a que Yo actúe.[1] Muéstrame que confías en Mí y en la hora deseada por Mi amor hacia ti, verás Mi plan desplegarse.

Ora mucho a Mi Madre, la Reina de Irlanda y la Dama de Knock, para que puedas estar listo para entrar en Mi plan cuando llegue el momento.

Lunes 22 de agosto de 2011

Nada en tu vida es más importante que el tiempo que pasas en adoración ante Mi Rostro Eucarístico. Tu energía y tu capacidad para hacer otras cosas de manera eficiente y en el debido orden crecerán en proporción al tiempo que te consagras solo a Mí.

Anhelo el regalo de tu amor en respuesta a Mi amor y por tu presencia a Mi presencia sacramental. ¿Cuánto tiempo debo rogarte por tu tiempo, tu amor y tu compañía? Yo estoy aquí para ti, permanece aquí para Mí. Permíteme llenarte incluso mientras te vacías delante de Mí. Soy todo Tuyo, sé todo Mío. Prefiere nada en absoluto a Mi amor Eucarístico.[2] Ven delante de Mí dando gracias.[3]

Martes 23 de agosto de 2011

Adórame siempre y en todo lugar con un simple movimiento de tu corazón. Considera eso, donde sea que estés, veo y conozco el deseo de tu corazón.[4] Desea adorarme siempre y quiero que sepas que acepto ese deseo tuyo con gran deleite.

Ven a Mí tan frecuentemente como tú puedas. Usa cada oportunidad para venir delante de Mí en el Sacramento de Mi amor. No hay necesidad de calcular la cantidad de tiempo que Me das en el transcurso de un día. Si tu corazón está siempre en un estado de adoración, encontrarás tu camino a Mi tabernáculo con frecuencia y permanecerás en Mi presencia voluntariamente y con gratitud.

Permíteme guiarte e instruirte en la vida de adoración a la que te he llamado. El Espíritu Santo será tu guía infalible y el maestro de tu adoración.

---

[1] Sal 26(27):14; Sal 36(37):9; Prov 20:22; Is 8:17, 30:18, 49:23, 64:4; Lam 3:24–26; Miq 7:7; Hab 2:3; Rom 8:25; Sir 2:3, 2:7, 36:16.

[2] Véase *La Santa Regla* de San Benito, capítulos 4 y 72.

[3] Sal 94(95):2; Sal 99(100):4; Luc 17:16; Col 1:12, 3:17; Tob 2:14, 11:7.

[4] San Benito dice esto en *La Santa Regla* en los capítulos 4, 7, y 19.

Sábado 27 de agosto de 2011

Has experimentado cómo te respondo cuando vienes a Mí con tus preguntas y dificultades. Estoy, en todo momento, disponible para ti y atento a tus oraciones. Háblame libremente de todas las cosas que te preocupan y pesan sobre tu corazón. Pregúntame lo que sea que tú sientas que necesitas saber y busca Mi gentil guía en todas las cosas.

Si Me retraso en responderte, es para que confíes en Mí para revelar la respuesta que buscas en las personas que te rodean o se comunican contigo, en eventos, en circunstancias y en esos signos apenas perceptibles de Mi Providencia por los cuales Yo comunico Mi amor a las pequeñas almas.

Nunca te abstengas de conversar Conmigo. Cada conversación incluye tanto preguntas como respuestas. Háblame con confianza y sin temor a ser malentendido o juzgado. Conozco tus pensamientos más íntimos y las preguntas que Me presentas en el Sacramento de Mi amor son claramente conocidas por Mí. No obstante, deseo mantener una conversación contigo porque te he elegido para que seas Mi amigo y para que permanezcas en amor, cerca de Mi Corazón.

Jueves 1 de septiembre de 2011

Si permaneces cerca de Mí, permaneciendo a la luz de Mi Rostro Eucarístico y cerca de Mi Corazón Eucarístico, no permitiré que te engañes en las palabras que escuches de Mí, ni te permitiré desviar a otros. Solo debes preferir Mi compañía a cualquiera otra, el amor de Mi Corazón al amor de cualquier otro y el sonido de Mi voz en el silencio de tu alma a cualquier otro.

Te he llamado para que seas para Mí otro Juan y esta vocación tuya sigue siendo Mi plan para ti. Solo tienes que permanecer cerca de Mí, buscarme antes que a todo lo demás y no pongas nada en absoluto delante de Mi amor por ti y el amor que he puesto en tu corazón para amarme a cambio.[1]

Ámame de esta manera no solo por ti, sino por todos tus hermanos sacerdotes cuyos corazones se han vuelto indiferentes y fríos. Ámame por ellos. Toma su lugar delante de Mi Rostro Eucarístico. Persevera en amarme y en adorarme por esos pobres sacerdotes Míos que ya no Me aman y que nunca Me adoran. Ellos son muchos y la tristeza de Mi Corazón sobre tales sacerdotes es un dolor que ningún lenguaje humano puede describir, porque es un dolor divino, es el duelo de un

---

[1] Véase *La Santa Regla* de San Benito, capítulos 4 y 72.

Corazón divino. Es el dolor de un amor infinito rechazado una y otra vez por criaturas finitas que se han vuelto ciegas en la terrible oscuridad del espíritu.

Ámame entonces y consuela Mi Corazón adorándome por ellos. Cuando te vea delante de Mí, los veré y al verlos, Me conmoveré para mostrarles piedad y muchos de los que están lejos de Mí, volverán a Mis tabernáculos[1] y muchos de los que han despreciado Mi amistad divina, se rendirán al final, al abrazo de Mi misericordia. Haz tu parte y cumpliré todo lo que he prometido.

Lunes 5 de septiembre de 2011

No hay necesidad de que fuerces tu oración, como si fuera algo que viniera de tu propia elaboración. Es suficiente con que permanezcas Conmigo, contento de estar en Mi presencia, como Yo estoy contento de estar en la tuya.

Adórame y confía en Mí para restaurar tu energía, tu salud y tu alegría en Mi servicio. Los que Me adoran saben que Mi presencia renueva el alma y el cuerpo. Experimenta esto, como ya lo hiciste hoy y enseña a otros a encontrar en Mi presencia el descanso por el que anhelan la paz que el mundo no puede dar, la alegría que renueva el corazón y la fuerza para seguirme en Mis sufrimientos, incluso a lo largo en el camino de la Cruz.

Adorarme es demostrarme que toda tu esperanza está en Mí. Adorarme es mostrarme que no cuentas contigo ni con los demás, sino solo Conmigo.[2] Adorarme es darme la libertad de actuar dentro de ti y sobre ti, de tal manera que te pueda unir totalmente a Mí, como Me has pedido que lo haga, Mi Corazón a tu corazón, Mi Alma a tu alma, Mi Cuerpo a tu cuerpo, Mi Sangre a tu sangre.

El trabajo de adoración es poco comprendido, incluso por los que dicen ser Mis adoradores. No hay necesidad de llenar el tiempo de adoración con pensamientos y palabras, como si todo dependiera de que hagas algo. Es suficiente hablarme como el Espíritu Santo te da para hablar, escucharme con el oído de tu corazón[3] y morar a la luz de Mi Rostro por los que languidecen en la oscuridad del pecado y en el rechazo de Mi amor, Mi verdad y Mi vida.

No hay trabajo más precioso que este. En Mi presencia, estás minis-

---

[1] Inter alia, Neh 1:9; Is 19:22, 44:22; Jer 3:12–14, 24:7; Os 2:7, 6:1.

[2] Jer 17:5; Sal 39:5 (40:4); Sal 59:13 (60:11); Sal 145:2 (146:3); 2 Cró 14:11; Jdt 9:7; Prov 3:5; Is 31:1.

[3] Véase San Benito, *La Santa Regla*, Prólogo.

trando a las almas en todo tiempo y lugar. En Mi presencia, te estoy usando para lograr todo lo que Mi Corazón desea comunicar a las almas y, ante todo, a Mis sacerdotes. No te he llamado para construir o para organizar ni te he llamado para hablar mucho, ni tampoco te he llamado para que aparezcas mucho ante los ojos de los hombres. Te he llamado a una vida tan oculta como es Mi vida en el Sacramento de Mi amor.

Consiente estar oculto. Déjame ocultarte como tú Me ocultas en el tabernáculo. Mi Corazón es tu tabernáculo y tú eres Mi Hostia.

Esto te pido que lo compartas con los hermanos, porque hasta ahora has guardado la luz que te he dado debajo de un canasto, no has permitido que la llama de esta vocación ilumine a todos en la casa.[1] Es hora de que hables con claridad, confiando en Mi fidelidad y en Mi poder para sanar viejas heridas, para cambiar corazones y atraerme almas a Mí por amor.

Te estoy usando para ayudar a las hermanas y generar en ellas la vida que quiero para ellas. Tú eres el amigo del Esposo, amigo Mío y Yo soy el Esposo, el Cordero a quien ellas van a dar sus vidas en un voto.[2] Tú desaparecerás y ellas permanecerán. Tú les hablarás en Mi nombre y entonces te ocultaré en el secreto de Mi Rostro. Te daré palabras y luego te daré silencio en Mi presencia.

Martes 6 de septiembre de 2011

Todavía tienes demasiado miedo en tu oración, demasiado apegado a ti mismo, a tus propias ideas y palabras. El amor perfecto arroja nuestro miedo.[3] Sé pequeño y pobre en Mi presencia y abandónate a Mi amor transformador, al amor que se irradia desde Mi presencia Eucarística.

Miércoles 7 de septiembre de 2011

Cuando intercedas por otro, hazlo con una confianza ilimitada en Mi amor por esa alma. Al mismo tiempo, renuncia a todos los deseos de ver el resultado de tu intercesión como tú lo imaginarías o desearías que fuera. Permíteme recibir tu oración y responder a ella en las formas que correspondan a Mi infinita sabiduría, a Mi amor y a Mi perfecta voluntad para la persona que traes delante de Mi Rostro Eucarístico.

No vengas a Mí con soluciones, ven a Mí solo con tus problemas y

---

[1] Mat 5:15–16; Mar 4:21; Luc 11:33–36.
[2] Jn 3:29–30; Mat 9:15, 25:1–13; Mar 2:19–20; Luc 5:34–35; Apoc 19:7, 21:9.
[3] 1 Jn 4:18.

permíteme brindarte las soluciones. Yo no necesito tus soluciones, pero cuando Me traes problemas, sufrimientos, preguntas y necesidades, soy glorificado por tu confianza en Mi amor misericordioso.[1]

Tráeme tus preguntas, tus problemas y tus miedos y los atenderé, para Mí la oscuridad misma no es oscura y la noche brilla como el día.[2] No hay situación ni sufrimiento tan pesado que no pueda hacer que sea liviano de llevar e incluso, si tal es Mi voluntad, eliminarlo por completo de los que están aplastados bajo su peso.[3]

Ora a Mí con confianza y abandono, y no con un deseo secreto de forzar Mi mano y obtener de Mí solo lo que tienes a la vista.

Pide y recibirás.[4] Solamente pregunta con fe confiada, creyendo que todo lo que te daré es lo mejor para ti y lo más glorioso para Mí y para Mi Padre. Busca y encontrarás. Sí, busca, pero permíteme guiarte al objeto de tu búsqueda. Busca Mi Rostro y todo lo demás te será dado.[5]

Hay almas tan apegadas a lo que creen que debo darles en respuesta a sus oraciones, que cuando les doy lo que es mejor para ellos y lo más glorioso para Mí y para Mi Padre, ellos no lo ven. Esto se debe a que ellos no interceden ni preguntan al Espíritu Santo. En cambio, oran sobre la base de su oscuridad, ceguera y estrechez de sus propias percepciones, lo que limita lo que puedo hacer por ellos y usan su oración como un intento de controlar Mi omnipotencia amorosa.

Cuando pidas, hazlo con un completo abandono a Mi sabiduría, Mi amor y Mi perfecta voluntad. Ora de esta manera y comenzarás a ver maravillas que superan todo lo que puedas imaginar.

Cuán desafortunados son los que vienen a Mí proponiendo sus propias soluciones, cuando todo lo que necesitan hacer es llevarme sus problemas, sus necesidades y peticiones. Cuando intercedas por alguien que está enfermo, es suficiente que Me digas: "Señor, aquel a quien amas está enfermo."[6] Deja todo lo demás en Mi Corazón más amoroso. Si pides un alivio o sanación, hazlo con tanta confianza en Mi amor que tu fe está lista para abrazar Mi respuesta a tu oración en la forma que sea.

Sí, Yo te estoy enseñando como interceder delante de Mi Rostro Eucarístico y como presentar almas a Mi Corazón Eucarístico, es porque

[1] Jn 14:13–14, 17:10; 2 Tes 1:10–12; 2 Mac 3:30.
[2] Sal 138(139):12.
[3] Núm 11:14–17; Sal 54:23 (55:22); Sal 80:7 (81:6); Is 9:4; Mat 11:30; 1 Cor 10:13; 2 Cor 4:16–17; 1 Jn 5:3–5.
[4] Mat 7:7, 21:22; Luc 11:9; Jn 16:24; 1 Jn 3:21–22; Sal 12:6 (13:5); Sal 36(37):3–5; Prov 3:5–8.
[5] Mat 7:7–11; Luc 11:9–13; Hech 17:26–28; Deut 4:29; Jer 29:13–14; Sab 6:12–16; Sir 32:14.
[6] Jn 11:3.

Yo quiero que intercedas mucho, para pedir valientemente y para obtener grandes cosas de Mi amor omnipotente. Si estás orando bien, es decir, orando como te enseño a orar, actúa con valentía y confianza,[1] porque estoy contigo y no te abandonaré y Mi bendición descansará sobre todo lo que hagas con un corazón puro, para Mi gloria y la gloria de Mi Padre.

Jueves 15 de septiembre de 2011
Los siete dolores de la Santísima Virgen María

Sí, mi amado hijito, la octava pena de mi materno e Inmaculado Corazón es que mi Hijo está tan ofendido en el Sacramento de Su amor. Esta pena mía perdurará hasta el final de los tiempos, cuando la verdadera presencia de mi Hijo en el Santísimo Sacramento dé paso a la visión de Su majestad divina. Entonces la fe dará paso a la visión y la esperanza a la pertenencia. Así el amor será seguro y eterno para todos los que hayan muerto en el abrazo de Su amistad divina.

Hasta entonces, quiero que sepas cuanto mi Corazón materno sufre y lamenta la irreverencia, la frialdad y la ingratitud de tantas almas hacia el Sacramento del amor eterno de mi Hijo. Es en este Sacramento que Él ama a los Suyos, amándolos hasta el final[2]—hasta el final de cada posibilidad creada y hasta el fin de este mundo transitorio. Su amor Eucarístico sobrepasa todas las leyes de la naturaleza perecedera; no hay mayor milagro en la faz de la Tierra que la presencia real de mi Hijo en el Sacramento del Altar. Todavía así, es abandonado, descuidado y entregado a los pecadores para ser traicionado una y otra vez—y por Sus propios escogidos, Sus amados sacerdotes, los hombres que Él escogió para ser el consuelo y la alegría de Su Corazón. Esta es la octava pena de mi propio Corazón; la traición y el descuido de mi Hijo en la Sagrada Eucaristía.

¿Cómo es traicionado? Sus sacerdotes, mis propios hijos, lo traicionan cuando fallan en darlo a conocer, cuando al no enseñar el misterio de Su presencia real, dejan las almas en la oscuridad de la ignorancia sin fuego ni luz.[3] Traicionan a mi Hijo cuando, con su ejemplo, desalientan a dar reverencia, a la adoración y a dar una amorosa atención a Su presencia. Lo traicionan cuando ofrecen indignamente el Santo Sacrificio de la Misa y cuando lo entregan a pecadores que no tienen la intención

---

[1] Sal 26(27):14; Sal 30:25 (31:24); Deut 31:6; 1 Cró 19:13, 22:13, 28:20; 2 Cró 32:7; 1 Mac 2:64; 1 Cor 16:13.

[2] Jn 13:1; Luc 22:15.

[3] Mat 6:23; Luc 1:78–79, 11:34–36; Jn 12:35, 12:46; Hech 26:16–18; 2 Cor 4:6; Efes 4:18, 5:8–11; 2 Tim 4:1–5; Tit 2:15; 1 Pe 1:14–16; 1 Jn 1:6; Sab 14:22.

de darle a Él sus corazones y buscar Su misericordia y perdón por sus pecados. Lo traicionan cuando lo dejan solo en iglesias cerradas y cuando hacen que sea difícil o imposible para las almas acercarse a sus tabernáculos y descansar en el resplandor de Su Rostro Eucarístico. Lo traicionan cuando dejan que sus iglesias se conviertan en lugares de ruido y charla mundana, y cuando no hacen nada para recordar a las almas al misterio viviente de Su amor, es decir, Su presencia en el tabernáculo.[1]

¿Te cuento más sobre esta octava pena de mi Corazón? Es cuando carecen de generosidad, cuando no responden al amor con amor, cuando no son generosos para estar con Él, que está presente en la Sagrada Eucaristía por amor a ustedes. No solo te hablo a ti, sino a todos mis hijos sacerdotes y a todas las almas consagradas que viven con mi Hijo bajo el mismo techo y, sin embargo, lo tratan con frialdad, despreocupadamente o con una formalidad distante.

Esta es también la octava pena de mi Corazón, que el Santo Sacrificio de la Misa se celebra rápidamente, con poca reverencia sin acción de gracias y con toda la atención prestada, no a mi Hijo, el Cordero, sino más bien, a la presencia humana de Su ministro, quien, al llamar la atención hacia sí mismo, le quita a Dios lo que le pertenece correctamente solo a Dios: la atención amorosa de cada corazón durante los Santos Misterios.[2]

¿Qué más debo decirte? ¿No te entristeces por esta octava pena de mi Corazón, compuesta de muchos dolores repetidos una y otra y otra vez? Aflígete conmigo hoy y consuela mi Inmaculado y materno Corazón adorando a mi Hijo, el Bendito fruto de mi vientre y dándole todo lo que eres en una inmolación de amor.

Viernes 16 de septiembre de 2011

Tú, adórame y todo lo demás te será dado por añadidura.[3] Busca Mi Rostro y permanece cerca de Mi Corazón. Este es el trabajo de tu vida, no escribir mucho ni ser publicado ni hablar mucho a los ojos de los hombres ni aparecer entre los ricos y poderosos, sino elegir el silencio, abraza todo lo que es humilde, entra en Mi ocultación y en Mi humildad Eucarística.

---

[1] Is 56:7; Jer 11:15, 23:11; Ezeq 23:39, 44:7; Mat 21:12–13; Mar 11:15–17; Luc 19:45–46.

[2] Cró 16:24–29; Sal 122(123):2; Ecl 5:1; Mal 1:6–7; 2 Mac 9:12; Mat 22:21; Mar 12:17; Luc 20:25; Rom 12:1–3; 1 Tes 1:9–10; Heb 5:1, 12:28–29; Sant 4:5–10.

[3] Mat 6:33.

Allí permaneceré para ti para que Me ames, ámame por los que no Me aman, especialmente por Mis pobres sacerdotes cegados por las atracciones del mundo y los engaños del Maligno y adórame, en reparación por los que han establecido falsos dioses y espera solo en Mí, en reparación por los que confían en sus propias fuerzas.

Lo tuyo es alabarme por los que nunca Me alaban y agradecerme por los que nunca Me agradecen. Lo tuyo es mantener una vigilia de fe delante del Sacramento de Mi amor, hasta que caigan los velos y te llame a verme cara a cara eternamente.

Vive ahora en este mundo como alguien completamente muerto para él.[1] Permanece sin ser tocado por sus intereses y sin mancha por su corrupción.[2] Ocúltate en Mí hasta que pase la tempestad,[3] porque solo en Mí está tu paz[4] y estar cerca de Mí es tu única felicidad en este valle de lágrimas y contiendas.[5]

Confía en Mí y continúa adorándome. Permanece en Mi compañía y Yo trabajaré cosas más allá de tu imaginación. Sigue las indicaciones de Mi Providencia como las percibas y confía más en Mí y en Mi amor por ti más que en ti mismo.

Martes 20 de septiembre de 2011

Obsérvame en el Sacramento de Mi amor. La Hostia Sagrada que ves es silenciosa, quieta, humilde, pobre y oculta. Imítame en el Sacramento de Mi amor. Permanece como Yo callado, quieto, humilde, pobre y oculto. Ocúltate en Mí como estoy oculto en el tabernáculo y como estoy oculto bajo la apariencia de la Hostia Sagrada.

Fuera de Mí no hay nada para ti y Conmigo, en Mi presencia, tienes todo lo que tu corazón desea.[6] No mires fuera de Mí para nada que satisfaga los deseos de tu corazón. En vez de eso, ocúltate en Mí, como Me oculto por amor a ti en el Santísimo Sacramento del Altar.

¡Cómo amo las almas ocultas! En ellos veo un reflejo de la oculta vida de Mi Madre y de San José, Mi padre adoptivo en la Tierra.

---

[1] Rom 6; Col 3:3; Jn 17:14; 2 Cor 10:3; Gál 2:20, 5:24, 6:14.

[2] 1 Jn 2:15–17; Efes 1:4; Col 1:22; 2 Cor 7:2–3; Sant 1:27; 2 Pe 1:3–4, 3:14.

[3] Sal 30:21 (31:20); Sal 56:2 (57:1); Is 26:20.

[4] Sal 4:9–10 (4:8–9); Sal 84:9 (85:8); Is 57:19; Bar 3:13; Ezeq 37:26–28; Luc 2:29, 19:42; Jn 16:33.

[5] Sal 64:5 (65:4); Sal 72(73):28; Deut 30:20; Fil 1:21–23.

[6] Deut 4:39; 1 Sam 2:2; Is 45:18–22; Mar 12:32; Hech 4:12; Bar 3:36 (3:35); Sal 33:11 (34:10).

La ocultación es la virtud de los que Me adoran ocultos en el Sacramento de Mi amor. Soy un Dios[1] oculto, pero Me revelo cara a cara con los que se ocultan en Mí.

Retírate más y más de la vista de los hombres. Busca pasar desapercibido. Ocúltate en Mí y Conmigo en el seno de Mi Padre. Descansa en Mí y quédate contento de permanecer donde tú no seas visto, conocido o alabado. Haz el trabajo que te encomiendo y luego quédate contento con desaparecer, una vez que hayas guiado a las almas a la contemplación de Mi Rostro Eucarístico y al amor de Mi Corazón Eucarístico.

La gracia de la ocultación y el silencio no es dada a todos, pero es la gracia por la cual marco a las almas destinadas a una vida Eucarística, a una vida de adoración en la cual se asemejan a Mí, ocultas en el Sacramento de Mi amor. Esto no ocurre todo de una vez, sino que sucederá a todos los que dan su consentimiento a la obra de Mi amor en sus almas y a los que son fieles a la adoración de Mi Rostro oculto, Mi Rostro Eucarístico. Esta ocultación no se puede imponer desde afuera ni puede ser enseñada como uno enseñaría una habilidad. Es Mi regalo y la realización de Mi semejanza en las almas que he llamado a una vida de adoración Eucarística.

Mira cuán oculto estoy en los Evangelios. Incluso cuando Me revelo, permanezco oculto. Solo el Padre Me conoce y los que el Padre da el conocimiento de Mi ocultación.[2]

Jueves 22 de septiembre de 2011

Soy un Dios oculto[3] y los que llamo para adorarme deben ocultarse en Mí, ocultos a los ojos del mundo e incluso de sí mismos,[4] teniendo una mirada pura fija solo en Mí, así como Mi mirada pura y filial se fija en Mi Padre en el Cielo. Aprende lo que significa estar oculto, es estar libre de preocupaciones de las opiniones de otros y de lo que el mundo pueda decir de ti o de Mí.[5] Es vivir solo para Mí, incluso como Yo vivo para el Padre.

Ocúltate en Mí como estoy oculto en la gloria de Mi Padre. Ocúltate

---

[1] Is 45:15; Éxod 20:21; Deut 5:22; 1Rey 8:12; Sal 17:10–12 (Sal 18:9–11); Sal 96(97):2; Sir 45:5.

[2] Mat 11:27; Luc 10:22–23; Jn 6:44–46, 17:1–8.

[3] Is 45:15; Éxod 20:21; Deut 5:22; 1 Rey 8:12; Sal 17:10–12 (Sal 18:9–11); Sal 96(97):2; Sir 45:5.

[4] 1 Cor 2:2, 4:3–4; Col 3:3.

[5] Éxod 23:2; Sal 111(112):6–7; Prov 14:7; Ecl 9:17, 10:12–14; Sir 9:15; Mar 4:19; Jn 14:31; Rom 14:1; Gál 6:14–17; 1 Jn 4:5.

en Mí como Yo estoy oculto en la brillante nube del Espíritu Santo.[1] Ocúltate en Mí, ya que estoy escondido en las especies sagradas. Ocúltate en Mi Corazón como estoy oculto en los tabernáculos del mundo, invisible, desconocido y olvidado por los hombres.

Te llamo a esta vida oculta porque soy el Dios oculto y porque Mi vida Eucarística en medio de ti es una vida oculta. Los que serían Mis adoradores deben consentir en vivir en Mi tabernáculo, ocultos Conmigo y al mismo tiempo, amando como Yo amo, amando al Padre como Yo lo amo, amando a las almas como Yo las amo, sufriendo frialdad, rechazo, malentendidos y abandono Conmigo y para Mí.

Comprende estas cosas y habrás comenzado a comprender la vida Eucarística a la que te llamo más y más. A excepción de esas almas a las que llamo a esta vida de adoración, a otros tal ocultación les parecerá insensata e inhumana, pero actuará como fermento sobre toda la masa de pasta hasta que se eleve y convierta en un pan perfecto apto para Mi oblación.[2] Es una chispa de luz que se mantiene encendida para un mundo sumergido en la oscuridad. Es una gota de dulzura divina en un mar de amargura y miseria.[3] Es una presencia de amor en un mundo donde el amor está ausente.

Ama Mi escondite y escóndete en Mí. Retírate de todo lo que solicite tu atención, tu energía y tu tiempo en el secreto de Mi Rostro Eucarístico. Allí te mostraré la mejor manera de hacer las cosas que te pido que hagas. Allí te daré una paz en la que nadie te perturbará ni te quitará.[4] Allí te usaré para la santificación de Mis sacerdotes y para el consuelo de Mi Iglesia.

¿Tú quieres esto?

Sí, Señor Jesús, porque Tú preguntas esto de mí. Lo consiento con todo mi corazón y quiero todo lo que quieras para mí.

¿Aceptas separarte de los que amas, de los que te conocen y de los que te aman, para perderlo todo, y salvarme a Mí y Mi amor?

Sí, Señor Jesús, consiento en perder todo salvo a Ti, porque al tenerte, no

---

[1] Mat 17:5; Luc 9:34–35; Hech 1:9; Éxod 16:10, 24:15–18, 33:9–10; Job 37:15; Ezeq 1:28, 10:4; Sir 24:4.

[2] Mat 13:33; Luc 13:21.

[3] Véase La intención para el tercer día de la Novena de la Divina Misericordia: "Hoy trae a Mí todos las almas devotas y fieles y sumérgelas a ellas en el océano de Mi misericordia. Estas son almas que Me traen consolación en el camino de la Cruz. Ellas son la gota de consolación en medio de un océano de amargura."

[4] Jn 14:27, 16:22; Is 26:3, 32:17, 54:10; Ezeq 37:26.

perderé nada y amándote seré amado por Ti y en ese amor encuentro la
perfecta felicidad y la gracia de amar a los demás como Tú me has amado.

¿Aceptas desaparecer de los ojos del mundo y vivir oculto en Mí como
estoy oculto en Mis tabernáculos?

Sí, Señor Jesús, acepto la vida Eucarística oculta a la que me llamas y no
deseo nada más.

Debes saber entonces, que hoy acepto tu "Sí" a Mis planes para ti. Debido a que Me has dado tu consentimiento, te doy Mi consentimiento.
Vive de aquí en adelante como Mi adorador oculto en Mí, oculto Conmigo. No busques otra forma de vida. Tu vida está ahora oculta en Mí
en el Sacramento de Mi amor y en la gloria del Padre.[1] Te prometo
alegría en el secreto de Mi Rostro y una dulzura interminable que es el
sabor del maná oculto, una dulzura no es de este mundo, sino del próximo, una dulzura que doy como anticipo del Cielo a los que beben el
amargo cáliz de Mis soledades Eucarísticas en la Tierra.[2/3]

Esta es la perfección de la vida a la que te he llamado. El tiempo es
corto. Entra en la vida que he preparado para ti. Deja ir todo lo demás.
Nuestra vida es una, tu vida en Mí y Mi vida en ti, en el misterio de la
ocultación que glorifica a Mi Padre y edifica Mi Iglesia.

23 de septiembre de 2011
Viernes de témporas
San Pío de Pietrelcina

Mi camino es uno de dulzura, misericordia y compasión. Ofrezco Mi
Cruz a las almas, pero nunca la impongo y cuando un alma comienza a
decir "Sí" a las dulces y terribles exigencias de Mi amor, coloco Mi Cruz
sobre sus hombros y luego la ayudo a llevarla paso a paso, aumentando
su peso solo cuando esa alma crece en amor y en la fortaleza que proviene del Espíritu Santo.

Las conversiones que son súbitas y excesivas no son Mi manera habitual de dirigir almas en el camino de la santidad. Prefiero ver que las
almas avanzan con pequeños pasos a lo largo de un camino de infancia

---

[1] Col 3:3–4; Rom 5:2; Mar 16:19; 1 Tim 3:16.

[2] Hay muchas soledades como hay muchos tabernáculos olvidados sobre la Tierra.—
Autor.

[3] Apoc 2:17; Éxod 16:31; Deut 8:3; Neh 9:20; Sal 77(78):24; Jn 6:31–33, 57–59; Sal
30:20 (31:19); Sab 16:20; Mat 20:22–23, 26:39, 27:34; Mar 10:38–39, 14:36, 15:23; Luc
22:42; Jn 18:11; Sal 59:5 (60:3); Is 5:2, 63:2–3; Jer 23:9.

espiritual,[1] confiando en Mí para llevarlas al Calvario y a la plenitud de gozo en Mi presencia y en la de Mi Padre.[2]

De esta manera, no es menos exigente que el camino elevado por el cual, por razones que solo Yo conozco, llevo a otras almas. El pequeño camino, marcado por pequeños pasos, es, no obstante, la manera que prefiero, porque perfecciona las almas rápidamente en la imagen de Mi propia pequeñez, Mi pobreza y abandono a la voluntad del Padre.[3]

Enseña esta pequeña manera a las almas y muchos se beneficiarán de su enseñanza. Pero, antes que nada, practícalo tú, obedeciendo Mis inspiraciones en pequeñas cosas y haciendo todas las cosas por amor a Mí, que deseo perfeccionarte en una sola cosa, el amor. Esta pequeña manera se adapta mejor a los que llamo Mis adoradores y consoladores de Mi Corazón Eucarístico. Así un alma es llevada en el camino de Mis virtudes Eucarísticas, aquellas que ves cuando contemplas Mi Rostro Eucarístico: ocultación, pequeñez, quietud, silencio, pobreza, paz, constancia y un amor radiante que alegra los corazones de los que vienen en el círculo de su influencia.

Esto es lo que deseo para Mis sacerdotes, no una santidad que sea excesiva en sus demandas y duras en sus exigencias, pero sí una que es completamente infantil, pacífica y humilde. Esta es la imitación de Mi vida Eucarística y es esto lo que quiero para ti y de ti.

Te hablo, Mi amado sacerdote y el amigo de Mi Corazón, para que entres en la imitación de lo que ves cuando contemplas Mi Rostro Eucarístico, silencio, ocultación, paz, quietud, pobreza y un amor que es radiante, pero sin grandes destellos que cegarían el alma. Tú, comienza a practicar todas estas cosas y las perfeccionaré en ti hasta que te conviertas en lo que soy en el Sacramento de Mi amor, una Hostia radiante oculta en el tabernáculo para salvar almas y glorificar a Mi Padre aquí en la Tierra hasta la hora final.

Las palabras que te doy son para tu instrucción, para tu consuelo y para la conversión de tu corazón en amor, pero no son solo para ti. Otros las leerán y ellos también serán movidos al arrepentimiento. Ellos serán consolados y comenzarán a buscar Mi Rostro y acercarse a Mi Corazón en el Sacramento de Mi amor.

---

[1] Sal 130(131); Sab 12:2; Prov 13:11; Mat 18:3–4; Mar 10:15–16; Luc 18:17.

[2] Sal 15(16):11; Sal 20:7 (21:6); Jn 15:11, 17:13.

[3] Fil 2:5–8. Como dice Santo Tomás de Aquino en el Prólogo del *Compendium theologiae*: "Restaurar al hombre, que había sido humillado por el pecado, a las alturas de la gloria divina, la Palabra del Padre eterno, aunque contenía todas las cosas dentro de Su inmensidad, deseó hacerse pequeño y lo hizo, no dejando de lado Su grandeza, sino llevándose a Sí mismo nuestra pequeñez."

25 de septiembre de 2011
Decimoquinto domingo después de Pentecostés

La respuesta para ti está en los escritos de Mi servidora Mectilde, a quien he confiado tu futuro de una manera especial. Hasta ahora, no era el momento adecuado ni estabas listo para recibir su enseñanza y entrar en la vida oculta de adoración y reparación a la que siempre te he destinado. Ahora tú podrás avanzar, iluminado y fortalecido por una gran compañía de amigos celestiales, que ven el desarrollo de Mi plan para ti y que se maravillan de Mi misericordia, Mi sabiduría y Mi amorosa Providencia.

No temas y deja que cesen todas tus preguntas, porque ahora te mostraré claramente la vida a la que te estoy llamando y a quienes te enviaré. No es la vida que tú planeaste ni es el fruto de tus reflexiones o la realización de tus sueños. Es más bien, el fruto de Mi amor tierno por ti, la manifestación de Mi Providencia infalible y la realización de Mi voluntad perfecta para tu vida.

Me adorarás con un gran amor y al adorarme con gran amor, repararás tus propios pecados y los de todos tus hermanos sacerdotes, que, como tú, cayeron por un momento y otros aún caen en la oscuridad del pecado, lejos de Mi Rostro Eucarístico y lejos del fuego del amor que siempre arde por ellos en Mi Corazón Eucarístico. Esta es tu vocación y es en esencia, simple y pura. Es permanecer en amor y en adoración ante Mi Rostro, haciendo reparación en el Sacramento de Mi amor.

Podría haberte llamado a muchas otras obras y a la realización de otros proyectos para Mi gloria y el bien de las almas, pero este es el trabajo que Mi Corazón prefiere para ti. Esta es la vida oculta de adoración en el amor y la reparación que te pido. Esta es la vida a la que te llamo. Esta es la vida que estoy cerca de hacer posible para ti de una manera que corresponde a Mi poder, a Mi Providencia y a Mi tierno amor por ti y por Mis sacerdotes.

No hay necesidad de temer o estar ansioso por los detalles, ya que he puesto todo esto en la mano de Mi Madre la más pura y ella está a punto de mostrarte la delicadeza y la atención de su Corazón materno. Fue ella quien Me pidió este trabajo y lo obtuvo para ti. Ella lo está haciendo y ella te proveerá recursos infinitos que son suyos por la voluntad de Mi Padre y por la operación del Espíritu Santo, su divino Esposo. Todos los que vean este trabajo reconocerán su mano en él y se verán obligados a reconocer que Mi Madre ha actuado por su amor por Mí, por ti y por todos sus hijos sacerdotes.

Adorarás y harás reparación y esto en la escuela de Mi esposa y doncella Mectilde de Bar y como ella, darás lugar a una escuela de adoración y reparación en Mi Iglesia, una que Mi Corazón ha anhelado y por la cual Yo he esperado hasta ahora. No hay necesidad de preocuparse por la elaboración de detalles que, en cualquier caso, están más allá de lo que puedes cumplir.

Solo te pido que te sumerjas en las escrituras de la madre Mectilde. Las llenaré de una dulzura penetrante especial y ellas deleitarán y perforarán tu alma. Y luego te pediré que Me adores fielmente. Haz que Mi verdadera presencia sacramental sea el centro de tu vida, tu único tesoro aquí abajo, la perla por la cual debes vender todo lo demás[1] y el anticipo de la gloria que ya he preparado para ti en el Cielo.

Hasta ahora no has estado listo para entrar en tu vocación. Pero ahora, la hora de su cumplimiento está cerca. Entra al cenáculo donde te espero y permanece allí en adoración, descansando sobre Mi Corazón y contemplando Mi Rostro Eucarístico. Allí harás reparación y por medio de esta, una gran cantidad de sacerdotes encontrarán el camino de regreso a Mis tabernáculos y ellos también comenzarán a perseverar en la oración con Mi Madre,[2] adorando Mi Rostro Eucarístico y probando la dulzura misericordiosa del amor de Mi Corazón por ellos.

Acepta estas cosas como te las hablo y dame tu "Sí," tu consentimiento a todo lo que Mi Corazón guarda para ti. Di con Mi Madre Inmaculada: "Hágase en Mí según Tu palabra,"[3] y se hará así.

Hágase en mí según Tu palabra. Señor Jesús, acepto Tu plan. Doy mi libre y pleno consentimiento a Tu voluntad. Estoy dispuesto a abandonar todo lo demás y dejar todo lo demás atrás. Soy Tu siervo y por Tu infinita misericordia, el amigo de Tu Corazón. Amén.

Lunes 26 de septiembre de 2011
Santos Cosme y Damián, médicos y mártires

El carisma Mectildiano[4] se convertirá para la vida benedictina en lo que el carisma Teresiano fue para la reforma del Carmelo. Hasta ahora, el trabajo de Mi servidora y víctima-esposa Mectilde ha quedado incompleto, por eso llamo a un complemento sacerdotal en los monasterios de hombres dedicados exclusivamente a Mi adoración y a la reparación, Yo vivo y espero por el regreso de todos Mis sacerdotes al Sacramento de Mi amor.

[1] Mat 13:44–46, 19:21; Luc 12:21; Col 2:3; Deut 33:18–19; Sir 6:14–16.
[2] Hech 1:14; Mat 2:11; Jn 2:1, 19:27.
[3] Luc 1:38.
[4] Ver p. 180, pie de página 2.

He aquí que ha llegado la hora para el cumplimiento de este deseo de Mi Corazón y para la realización de esa parte de lo que le di a la Madre Mectilde, que hasta ahora ha permanecido escondida como un grano de trigo enterrado en la tierra.[1] Eres el brote tierno que atraviesa un suelo rocoso y comienza a estirarse hacia la luz de Mi Rostro Eucarístico. Este pequeño brote es el trabajo de Mi Madre y será el objeto de toda su solicitud y atención materna.

Sumérgete en los escritos de Mi servidora Mectilde. Te hablaré a través de ellos y te mostraré que el carisma dado a ella está a punto de florecer nuevamente para la alegría de Mi Iglesia y para el bien de un gran número de almas, especialmente las de Mis sacerdotes.

Comienza con lo que tienes a mano y el resto te será proporcionado. Lo esencial es recibir con el corazón abierto la misión que le di a la Madre Mectilde y reflexionarla en Mi presencia, ya que estoy a punto de renovarla en tu alma para el bien de muchos.

Te he preparado para este trabajo y te he llamado para que lo realices. Avanza con humildad, pero con confianza y audacia. Di solo lo que se necesita decir, pero vive la plenitud de esta vocación con generosidad y vigor. Te daré salud y fortaleza, incluso en tu debilidad y podrás llevar a buen término esta misión que hace mucho tiempo reservé para ti. No solo tú has sido llamado a esta vida, vendrán otros, porque he preparado y colocado dentro de sus corazones, la misma visión y el mismo deseo, pero tú serás su padre y serás su pastor, dirígelos a los verdes pastos que te mostraré.

Destierra cada duda y vacilación. No hay tiempo para la incertidumbre y el miedo. La hora ha llegado. Avanza, confiando en Mi amor por ti y en la cercanía de Mi Madre Inmaculada, quien atenderá cada detalle de esta obra para la gloria de Mi Padre y para la alegría de Mi Esposa, la Iglesia.

Comprende que el carisma Mectildiano es a la vez, sacerdotal y victimal. Como tal, contiene en sí mismo las semillas de un gran avivamiento de santidad entre Mis sacerdotes y la renovación en Mi Iglesia de la obra de reparación para y por los sacerdotes en el centro de su existencia; el cual es Mi Santísimo Sacramento del Altar. Hasta que los sacerdotes regresen a Mis tabernáculos en adoración, llorando por sus propios pecados y por los pecados del pueblo, amándome y ofreciéndome sus corazones quebrantados, toda la Iglesia continuará languideciendo.

¿Ves ahora por qué este trabajo se ha mantenido oculto en Mi provi-

---

[1] Jn 12:24; 1 Cor 15:37–38.

dencia hasta ahora? Sé Mectildiano y Benedictino, que significa, sé adorador y víctima, ofrecidos cada hora a Mí en el Sacramento de Mi amor.

Miércoles 28 de septiembre de 2011

El deseo de Mi Corazón es verte estable en forma segura en un hogar permanente donde, estés libre de las incertidumbres y las luchas de una situación que incluso en esta vida, es provisional, donde podrás por fin dedicarte sin restricciones y libre de miedos, a la única cosa a la que te he llamado. Hay poderes de las tinieblas que trabajan en contra del cumplimiento de Mi plan, pero Yo prevaleceré y te estableceré en el lugar que he preparado para ti y este será un triunfo de Mi amor misericordioso en los corazones de muchos.

El tiempo está muy cerca para tu partida, de hecho, este mismo día entenderás mejor lo que debes hacer. Avanza con valentía,[1] confiando en Mí y sin sentirte afectado por las sombras que parecen amenazar Mi trabajo.

Te doy a San Vicente[2] para preparar el camino. Te doy a Santa Teresa para mover los corazones y las voluntades de los que, por su palabra, abrirán el camino delante de ti. Te doy a la madre Mectilde y al abad Marmion para que te instruyan en la vida de ocultación y alabanza a la que te llamo por el bien de Mis sacerdotes y de Mi Iglesia. Te doy Mis ángeles para mantener una protección sobre ti y para preservarte de las tramas e intrigas del Enemigo invisible de tu alma y de las almas de todos los sacerdotes. Te doy a la madre Yvonne-Aimée como una cercana amiga y compañera íntima. Ella te recordará su pequeña invocación[3] y te animará a actuar con coraje en Mis intereses.

Y te doy Mi propia Purísima Madre, la Inmaculada Reina de Irlanda, que apareció en Knock y que llora e intercede por sus hijos en Irlanda, pero sobre todo por sus hijos sacerdotes, que han perdido el camino en una Tierra de tinieblas y de peligros espirituales a cada paso. Ella es la Madre del Cordero y del Pastor. Ella guiará a todos sus hijos sacerdotes que acudan a ella en humilde oración, especialmente en la oración del Rosario, tan agradable a su Corazón y ella guiará a Mis sacerdotes a los

---

[1] Sal 26(27):14; Sal 30:25 (31:24); Deut 31:6; 1 Cró 19:13, 22:13, 28:20; 2 Cró 32:7; 1 Mac 2:64; 1 Cor 16:13.

[2] San Vicente de Paul, él que ayudó a la madre Mectilde de Bar cuando ella y sus hijas estuvieron sin hogar después de que huyeron de la guerra en Lorraine.

[3] "Oh Jesús, Rey de Amor, yo pongo mi confianza en Tu bondad misericordiosa." Ver p. 11, pie de pagina 1.

verdes pastos que Yo he preparado para ellos, donde descansarán en seguridad y beberán profundamente de las aguas de la paz.[1]

Ahora he retirado el velo acerca de lo que intento hacer por ti. Sé valiente, y no permitas que los pequeños reveses que son inevitables en cualquier trabajo emprendido para Mi gloria te desanimen o te hagan cuestionar todo. Estoy contigo. No temas.

Sábado 1 de octubre de 2011
Santa Teresa del Niño Jesús y de la Santa Faz

Santa Teresa me habló así.

Este llamado que has recibido, mi hermanito, es amor en el corazón de la Iglesia,[2] amor que adora, hace reparación y que acompaña con Amor en el Sacramento del amor.

No te desanimes. Sé valiente. Ten confianza y sigue adelante. El Señor está contigo como un poderoso guerrero que toma tu causa[3] y yo, por mi parte, te acompañaré desde aquí hasta la casa que el Señor ha reservado para ti y que yo misma estoy dejándola lista para ti y para tus hijos; de modo que, en esta Tierra de Irlanda, donde todavía hoy soy muy amada, este trabajo de amor y de reparación al Amor en el corazón de la Iglesia, florezca.

Te conozco y te he estado siguiendo durante mucho tiempo y durante muchos años. Continuaremos nuestra amistad ahora, pero será más clara y más evidente. Vamos a trabajar juntos por las almas de los sacerdotes y les daremos a los sacerdotes el sabor del Amor, para que puedan arder en este y extender el fuego del amor a su alrededor y en toda la Iglesia.[4]

Sí, es grandioso este trabajo de amor por los sacerdotes, pero tu parte será adorar por los que no adoran y representar a tus hermanos, especialmente al más débil entre ellos y a los que se han caído de su dignidad sacerdotal; adorar delante de la Eucaristía y del tan misericordioso y compasivo Rostro de Jesús, que espera el regreso de todos los que Él ha elegido para compartir la gloria de su sacerdocio.

---

[1] Sal 22(23); Cant 2:16, 6:3; Jl 2:21–23.

[2] Véase Santa Teresa de Lisieux, *Story of a Soul*, 3rd ed., trans. John Clarke, O.C.D. (Washington, DC: ICS Publications, 1996), 194: "Oh Jesús, mi Amor . . . Mi *vocación*, por fin la he encontrado. . . . ¡MI VOCACÍON ES EL AMOR! Sí, he encontrado mi lugar en la Iglesia y eres Tú, oh mi Dios, quien me ha dado este lugar, en el corazón de la Iglesia, mi Madre, seré *Amor*. Así seré todo y así mi sueño se realizará."

[3] Éxod 15:3; Is 42:13; Jer 20:11; Deut 4:34; Sir 46:5–6.

[4] Luc 12:35, 12:49, 24:32; Jn 5:35; Is 62:1; Jer 20:9; Sir 48:1.

Sé fiel y valiente. No tienes nada que temer. Avanza y cree en el amor, porque eres muy amado y nada será capaz de arrebatarte el amor, el cual te posee y te ha marcado con su sello.[1]

Miércoles 5 de octubre de 2011
Santa Faustina y el beato Bartolo Longo

Avanza con confianza en Mí y confía en el amor eterno de Mi Corazón por ti. Eres precioso ante Mi vista, porque he puesto Mi Corazón sobre ti y te he rescatado de las trampas que fueron colocadas para la ruina de tu vida en este mundo y en el próximo. Yo he impedido que caigas en el hoyo profundo que te excavaron los enemigos de tu alma, los que Me odian y aborrecen Mi sacerdocio, Mi Iglesia y Mi Sangre. Esto fue obtenido por Mi Madre y por la multitud de santos en el Cielo que te han seguido a través de tu vida y han intercedido por ti Conmigo y con Mi Padre, con una amistad tierna y solícita.

No estás solo en esta gran empresa. Permanece pequeño y ocúltate en Mi tabernáculo, es decir, en Mi Costado abierto. Allí te purificaré en el fuego de Mi amor y te prepararé para el trabajo para el que te he destinado.

Jueves 6 de octubre de 2011
San Bruno

Un alma nunca necesita tener miedo de encontrarse con Mi mirada, porque ante Mis ojos no hay más que misericordia y amor.

Los que se apartan de Mi mirada, los que temen el encuentro Conmigo cara a cara, son los que se alejan de Mi amor.

Yo te llamo a una vida de adoración para que puedas contemplar Mi Rostro y leer en el todo el amor de Mi Sagrado Corazón por los pobres pecadores y especialmente por Mis sacerdotes. Cuando un alma busca Mi mirada, Mi Corazón se conmueve para mostrarle una inmensa piedad, para sacarla del pecado en el que ha caído, para vendar sus heridas[2] y restaurarla a la alegría de la amistad con Mi Corazón.

Cuando un sacerdote comienza a evitar mirar Mi Rostro, ha comenzado a alejarse del amor misericordioso de Mi Corazón. Así comenzará, poco a poco, a perder la confianza en Mi misericordia, para consentir el pecado y para descender a la oscuridad de una vida desde la cual he sido exiliado.

[1] Cant 8:6; Sal 134(135):4; Rom 8:35–39.
[2] Sal 146(147):3; Is 61:1; Jer 33:6; Ezeq 34:16; Os 6:1.

Mírame por los que se apartan de Mí. Busca Mi Rostro por los que evitan Mi mirada divina. Acepta Mi amistad por los que la rechazan. Permanece Conmigo por los que huyen de Mi presencia. Esta es la reparación que te pido. Ofrécete a Mí como lo hizo la pequeña Teresa,[1] así Me permitirás que te amé libremente y a través de ti, Mi amor misericordioso triunfará incluso en las almas de los pecadores endurecidos.

El "Sí," incluso de un alma por Mi amor misericordioso, es de inmenso beneficio para una multitud de almas que temen decirlo o que están endurecidas en el rechazo de Mi amor.

Domingo 9 de octubre de 2011

Sí, necesitas ser varonil y decidido a llevar a cabo Mi voluntad, la voluntad que te he mostrado y que Mi siervo N. te ha confirmado en Mi nombre. El Enemigo intentará derrotarte insinuando temores imaginarios y jugando con tus inseguridades y tus pecados pasados. Envíalo lejos en el poder de Mi nombre[2] y entra en la brecha por el bien de Mis sacerdotes, porque Yo estoy contigo. Toma tu lugar allí en Irlanda, te ubicaré en el corazón de la Iglesia para adorarme y para hacer la reparación inspirada por el amor.

Tu lugar en este trabajo ya está preparado. Ve y toma posesión de la Tierra que te estoy dando,[3] porque Yo haré ahí un lugar de bendición y de sanación para muchas almas. Los sacerdotes serán atraídos allí para experimentar el resplandor de Mi Rostro Eucarístico y en ese resplandor, sus corazones se convertirán a Mí y prenderán fuego con fervor y amor.

No es momento de dudar, porque ha llegado la hora. Ve con fe y con total confianza en Mí y no temas nada. Defenderé esta obra como la niña de Mis ojos y la rodearé con un muro y una muralla de protección angelical.[4] Verás que la obra es mía, pero tú eres Mi instrumento elegido por Mi Madre, de modo que Mi gracia y Mi misericordia puedan ser glorificadas en un final que ya había sido marcado por los poderes de oscuridad como terrible. Pero ellos han sido derrotados y su plan ha sido frustrado. Mi amor triunfará en tu corazón y en tu vida, y tu sacerdocio habrá sido para muchas almas, un medio para encontrarme en el

---

[1] Véase Santa Teresa de Lisieux, "Acto de Oblación al Amor Misericordioso," en *Historia de un Alma*, 276–77.

[2] Mar 16:17; Luc 10:17; Fil 2:9–11.

[3] Deut 9:23, 11:31; Jos 1:11, 18:3.

[4] Deut 32:10; Sal 16:8 (17:7); Zac 2:8; Éxod 14:19, 23:20; Sal 33:8 (34:7); Sal 90(91):11; Is 63:9; Dan 6:22.

Sacramento de Mi amor y una fuerza para la sanación de Mis sacerdotes más quebrantados y heridos.

Para que esto suceda solo tienes que dar tu consentimiento y lo has dado, y es aceptado en la Corte del Cielo y ahora se llevará a cabo Mi plan de misericordia y amor.

Permanece en Mi presencia. Busca Mi Rostro Eucarístico. Esto es lo que te pido por encima y antes que todo lo demás. Te entrego Mi Corazón Eucarístico, como compromiso de Mi fidelidad y como tu refugio seguro en cada tentación y prueba. Mi Sagrado Costado está abierto para recibirte. Permanece en Mí y Mi amor triunfará en ti y alrededor de ti para la gloria de Mi Padre.

Sábado 15 de octubre de 2011
Santa Teresa de Jesús

Te hablé con las palabras del Salmo 90 para que tengas la seguridad de Mi protección y de Mi cuidado en todo momento, pero especialmente en estos días que te guiarán hacia el cumplimiento de Mi plan. Confía en Mi protección. Avanza sin miedo. Yo iluminaré los corazones con los que tendrás que tratar y las puertas se abrirán delante de ti, porque este es Mi trabajo y ha llegado su hora.

Mi Madre es su fundadora y su abadesa;[1] los santos son sus colaboradores, los ángeles son sus mensajeros y los protectores de los que ella ama. Esta es una obra divina y la realización de un deseo de Mi Sagrado Corazón. Te elegí a ti para esto porque tu vida ha sido humilde a Mí vista y tu debilidad te ha adaptado para ser Mi instrumento.[2] No hay nada en tu pasado que no pueda redimir y usar para Mi gloria y el bien de las almas. Repararás almas y edificarás Mis sacerdotes porque Yo te he reparado y reconstruido tu sacerdocio. Te amo y eres Mío. Avanza con total confianza en Mi protección y cuidado.

Lunes 17 de octubre de 2011

Tu oración de intercesión por N. Me agrada porque es un acto de amor. Ningún acto de amor queda sin recompensa ni en esta vida ni en la próxima. El amor llama al amor.[3] La oración es la expresión del amor,[4]

---

[1] En la tradición Mectildiana, la Virgen María siempre es considerada la abadesa de la comunidad y es reconocida y venerada como tal.

[2] Cor 1:26–31, 9:22; Jl 3:10.

[3] Véase Sal 41:8 (42:7).

[4] Véase Santa Teresa de Lisieux: "Para mí, la oración es una oleada del corazón" (citado en el *Catecismo de la Iglesia Católica*, en el n. 2559).

que se compromete con el amor divino y, por lo tanto, el amor divino—el amor de Mi Corazón por el Padre y el amor del Padre por Mí y la llama de amor unificador que es el Espíritu Santo—desciende dentro del alma de quien ora. Así, tu alma posee el Cielo dentro de sí misma, porque el Cielo es la morada del amor trinitario.[1]

Es Mi deseo verte orar siempre de esta manera. Permítete ser movido por el amor hacia el amor y así descenderá el amor hacia ti y tomará su morada dentro de ti. Donde el amor está presente, todas las cosas son posibles, porque donde está, allí estoy Yo, junto con Mi Padre y el Espíritu Santo. Tú estás habitado por el amor. Cree esto y avanza en confianza y en paz.

Sábado 29 de octubre de 2011

No temas. Las tentaciones que has sufrido no te han separado del amor con que te abrazo apretadamente cerca de Mi Corazón. Sin embargo, debes estar en guardia porque el Enemigo de todo lo que es verdadero, puro y bello, circula alrededor de ti, buscando un punto de entrada al castillo de tu alma. Sella cada entrada y ventana con el signo de Mi Cruz y con el poder de Mi Sangre y permanecerás seguro bajo Mi protección.

Esté en paz. Ora por *N.* mientras oras por todos los sacerdotes, pero sin pensar demasiado en él de una manera particular. También está llamado a una gran santidad y a la gracia de la amistad Conmigo, pero las tentaciones del mundo, de la carne y del demonio han prevalecido hasta ahora y está por el momento, sordo a Mis amorosas súplicas. Ora por él pacíficamente y no permitas que tu propio corazón se turbe.[2] Lo cuidaré como te he cuidado a ti, con toda la misericordia de Mi Corazón.

Los que Me conocen tienen una confianza ilimitada en Mi misericordia y confían en Mí para resolver incluso las situaciones más difíciles con un amor que a la vez es tierno y poderoso. Ora a Mí con confianza, porque Yo soy el Rey del Amor y quiero ser reconocido como tal. Yo domino en las almas, no por coerción, sino por Mi más dulce amor.[3]

---

[1] 1 Cor 3:16; cf. Beata Isabel de la Trinidad, Carta 122, a la señora de Sourdon: "Nosotros poseemos nuestro Cielo dentro de nosotros, ya que Él que satisface el hambre de los glorificados en la luz se entrega a nosotros en fe y misterio, ¡Es el mismo! Me parece que he encontrado mi cielo en la Tierra, ya que el Cielo es Dios y Dios está [en] mi alma" (*The Complete Works*, vol. 2, trans. Anne Englund Nash [Washington, DC: ICS Publications, 1995], 51); Carta 172, a Germaine de Gemeaux: "La Trinidad entera descansa dentro de nosotros, todo este misterio que será nuestra visión en el Cielo: que este sea tu claustro" (ibíd., 116).

[2] Jn 14:1, 14:27.

[3] Mat 11:29–30; Rom 8:5; Gál 2:4, 5:1; Éxod 6:6; Jer 30:8.

Gobierno como un Niño Rey, con gentileza y con un afecto que es completamente divino. No soy un tirano ni forzaré Mi gobierno a nadie. Soy el Niño Rey que viene con apariencia de mendigo, buscando la hospitalidad de un corazón tras otro.[1] Para los que dan la bienvenida a Mi gobierno, imparto calidez, luz, alimento, bebida, una vestimenta gloriosa y una participación en Mi reino para siempre.[2]

Hazme conocido como el Rey del Amor, como el pequeño pobre que espera ser admitido en tu compañía y ser recibido en medio de ti, para gobernar, no por la fuerza, sino humildemente y con una infinita compasión. Si las almas conocieran Mi realeza por lo que es, se someterían a Mí en un instante y Yo, en respuesta, los llenaría de felicidad en Mi presencia. Ámame entonces y permíteme amarte con Mi Real Corazón. Es una gran cosa ser amado por el Corazón de un Rey y Yo soy el Rey de todo lo que es, lo que fue y lo que será. Mi Corazón es tuyo. Dame tu corazón a cambio. Así será sellada nuestra amistad en el Cielo y en la Tierra.

Jueves 3 de noviembre de 2011

Cuando todo parece confuso e inconsistente, entonces debes dirigirte a Mí con una confianza aún más grande, porque en Mí permanece toda sabiduría, todo amor, toda misericordia y nada escapa a Mi Providencia. No tengas miedo, porque permanezco constante incluso cuando eres inconstante.[3] Soy fuerte cuando eres más débil. Soy la santidad misma cuando todo en ti busca un compromiso con el pecado. Soy integridad y paz cuando estás quebrantado y desordenado.

Entonces ven a Mí y recibe de Mí todo lo que tú, en tu pobreza, no tienes. Te daré libremente y te regocijarás en Mi beneficencia.[4] Quiero que sepas que estoy contigo y que Mi plan para ti es constante, no cambiante. Confía en Mí mientras se desarrolla, incluso en medio de incertidumbres y contratiempos, porque soy fiel a todas Mis promesas y he puesto Mi Corazón en ti y en este trabajo, que es todo Mío.

Cuando dudes o cuando te asalten las tentaciones y los miedos, ven a Mí y descansa un tiempo en Mi presencia. Restauraré tu confianza en Mi plan y daré paz a tu corazón atribulado. Demasiadas almas, cuando están en la agonía de la tentación o acosados por dudas y miedos, evitan

---

[1] Mat 25:37–43, así como la historia de San Martín de Tours y el mendigo en la puerta.

[2] Jn 6:55; Apoc 2, vv. 7, 10, 17; Apoc 3, vv. 5, 12, 21; Is 61:10.

[3] Mat 14:29–31.

[4] Mat 10:8; Rom 10:12; Sant 1:5; Apoc 21:6; Sal 83:12 (84:11); Sal 111(112):9; Os 14:5 (14:4).

entrar en Mi presencia, cuando es allí y solo allí que ellos encontrarán la paz del corazón y confianza en Mi bondad misericordiosa.

Domingo 6 de noviembre de 2011

Cuando vienes a orar, no son tanto las palabras las que importan, es tu amorosa atención a Mi presencia lo que consuela Mi Corazón. Dame tu atención y trabajaré las maravillas de Mi amor misericordioso en tu alma. Mantente frente a Mí. Permanece en Mi presencia suavemente sin forzarte a producir pensamientos, sentimientos o sensaciones. Ninguna de estas cosas es necesaria para una oración que Me agrade y Me de la libertad de actuar en un alma. Todo lo que es necesario es la fe y con fe, esperanza y con la esperanza, el amor que une al alma Conmigo y hace que la unión Conmigo sea una realidad.

Te hablo porque necesitas la seguridad de Mi amistad y la guía que solo Yo puedo darte de esta manera. Puede que no recuerdes todo lo que te digo, pero Mis palabras no dejan de tener un efecto duradero, incluso si las olvidas o si ya no las lees. Ninguna palabra Mía es vana. Cada palabra que pronuncio es fructífera en el alma que no ofrece resistencia a ella.[1]

No te has resistido a Mis palabras, todo lo contrario, las has recibido de acuerdo con tu capacidad y entonces las estoy haciendo dar fruto en tu alma, en tu predicación y en tu vida a medida que se desarrolla.

No hay un sacerdote al que no le hable de esta manera o de otra manera adaptada a su oído, siempre que crea en Mi amistad divina y en Mi propia elección, en el amor por los hombres a los que he llamado a compartir Mi sacerdocio.

¿No te he dicho antes que el sacerdocio es, por encima de todo y antes que cualquier cosa, una relación de amistad íntima Conmigo?[2] Los sacerdotes que no comprenden esto no tienen idea lo que significa su sacerdocio para Mí y para Mi Padre que está en los Cielos. Esta es una de las grandes tristezas de Mi Sagrado Corazón, que los sacerdotes no se acercan a Mí como un amigo, que ellos fallan en buscar Mi compañía, para habitar en el resplandor de Mi Rostro y para descansar cerca de Mi Corazón.

A los seminaristas se les enseñan muchas cosas, algunas útiles y otras menos, pero ¿Se les enseña a amarme, a darme sus corazones, a permanecer en Mi presencia, a buscar Mi Rostro y a escuchar Mi voz? Si no se les enseñan estas cosas, no habrán aprendido nada útil y todos sus

---

[1] Is 55:11; Mat 13:23; Mar 4:20; Luc 8:15; Sant 1:18.
[2] Jn 15:14–15; Mar 6:31–32; Cant 5:16; Is 41:8.

esfuerzos serán superficiales y estériles. ¿Por qué los seminarios de Mi Iglesia no son escuelas de amor y hornos de caridad divina donde se quema la escoria y se produce el oro puro de la santidad, un oro capaz de reflejar la gloria de Mi divinidad y el esplendor de Mi verdad en un mundo sumido dentro de la oscuridad?

¡Ay de los que dejan que los hombres pasen por sus instituciones sin enseñarles lo único necesario![1] ¿Estaré obligado a decir en el último día a los que he elegido, "Todavía no han venido a conocerme, y aunque los conozco completamente, encuentro en ustedes frialdad y resistencia a Mi gracia"?[2]

Ora, entonces, no solo por Mis sacerdotes, tus hermanos, sino también por los hombres a quienes he llamado a ser Mis sacerdotes, para que puedan aprender *a amarme*, antes de invertir sus talentos y sus energías en una multitud de otras cosas que son perecederas y no tienen ningún valor, excepto en las manos y en la mente de una persona que se haya convertido por completo al amor de Mi Corazón.

Todo seminarista y todo sacerdote necesita consagrarse al Corazón maternal e Inmaculado de Mi Madre. Apartados de Mi Madre, corren el riesgo de tornarse tibios y luego fríos. Apartados de ella, sucumbirán a los hábitos del pecado y se encontrarán demasiado débiles para levantarse cuando caigan. Apartados de ella, sus vidas estarán desprovistas de alegría, ternura, dulzura y de la calidez que su Inmaculado Corazón difunde en las almas de los que están consagrados a ella.

Ama a Mi Madre y haz que ella sea amada. En esto no puede haber exageración, no tengas miedo de amar a Mi Madre excesivamente. Tu amor por Mi Madre nunca se acercará al Mío en ternura, en piedad filial, en atención a todos los deseos de su Corazón.[3] Yo amo a Mi Madre y la hice amada durante Mi vida en la Tierra, primero que todo, Yo hice que Mis Apóstoles la amaran y al amarla, crecieron en amor por Mí. Después de Mi Ascensión se reunieron alrededor de ella como alrededor de un Corazón de fuego y de luz.[4] Así fueron ellos preparados para recibir el derramamiento del Espíritu Santo en Pentecostés.

Un sacerdote según Mi propio Corazón amará a Mi Madre con todo su corazón. Un sacerdote de acuerdo con Mi propio Corazón atenderá todos los deseos de Mi Madre, él la escuchará y seguirá sus consejos. El remedio para tantos de los males que han deshonrado a Mi sacerdocio y han avergonzado a Mi Iglesia, radica en la consagración de sacerdotes y

---

[1] Luc 10:42.
[2] Mat 7:21–23, 25:11–12, 26:69–75; Luc 6:46–49, 13:24–27; Hech 7:51.
[3] Luc 2:51; Jn 2:3–5.
[4] Hech 1:14.

seminaristas al Inmaculado Corazón de Mi Madre. Vi a todos Mis sacerdotes hasta el fin de los tiempos desde lo alto de la Cruz y fue a cada uno de ellos que les dije: "He aquí tu Madre."[1]

Sábado 12 de noviembre de 2011

Mi amor por ti es constante e inmutable. No fluctúa de acuerdo con los estados de ánimo o las estaciones. Mi amor por ti brilla y arde como una llama constante que es alta y brillante. Nunca dudes de Mi amor que prevalece por ti, el amor que triunfará en ti y alrededor tuyo, siempre que vengas a Mí con confianza y Me ofrezcas todas tus dolencias, tus debilidades e incluso tus pecados.

Nada aflige tanto a Mi divino Corazón como la duda de Mi amor misericordioso. El pecado en todas sus formas y manifestaciones Me ofende y entristece a Mi Corazón amoroso, pero aquel que duda de Mi amor misericordioso Me aflige de una manera que no se puede imaginar. Es porque soy amor, todo amor; es porque Mi misericordia es la expresión de Mi amor hacia los pecadores, que Mi Corazón sufre cuando estos mismos pecadores se cierran a Mí al dudar que Yo sea todo amor y estoy listo para perdonar todo.

Nunca permitas que el pecado se convierta en un pretexto para alejarte de Mí. En su lugar, deja que el pecado sea un catalizador que te empuja a Mi presencia. Allí, en Mi presencia, como en un horno, el pecado se consume en el fuego del amor misericordioso,[2] las almas se limpian, sanan y restauran ante Mi amistad. No rechazo al que viene a Mí con confianza en Mi amor misericordioso. Mis brazos están abiertos para recibir pecadores arrepentidos en el abrazo de Mi amor misericordioso, aún más, Mi Costado fue herido para darles a los pecadores un camino hacia Mi Corazón más íntimo: es su hospital, su refugio, su lugar de sanación, descanso y santidad; ahí los separo de todo lo que es incompatible con Mi amor.

Cuando estés débil, ven a Mí. Cuando estés agobiado, ven a Mí. Cuando tengas miedo, ven a Mí. Cuando estés asaltado por dudas, ven a Mí. Cuando estés solo, ven a Mí. No permitas que nada te separe de Mi Corazón, el cual siempre está abierto para recibirte. Es el Maligno quien busca alejar a las almas de Mi Corazón. Es el Maligno él que siembra las semillas de la duda, del miedo, de la tristeza en las almas, para alejarlas de Mí y llevarlas al frío pozo de la oscuridad y la desesperación en que habita.

---

[1] Jn 19:27.
[2] Deut 4:24; Zac 13:9; Heb 12:29.

Mi Madre, por otro lado, levanta almas cuando caen, ella inculca en ellos una confianza en Mi misericordia amorosa, una disposición a creer en Mi amor misericordioso, un deseo de venir a Mi presencia y exponer ante Mí, que soy el médico divino, las heridas sufridas en el combate espiritual. Mi Madre es la Madre de la Santa Esperanza.[1] Ella es la Madre de la Santa Confianza. Él que se confía a Mi Madre nunca caerá en el abismo de la desesperación. Incluso cuando se sienta tentado, quedará en esa alma la suficiente confianza para volverse hacia Mí y para hacer un acto de abandono a Mi amor misericordioso que tocará Mi Corazón y liberará en esa alma un torrente de perdón, sanación y misericordia.

Tú no esperabas recibir estas palabras de Mí hoy, pero te las digo para fortalecer tu confianza en Mi amor misericordioso y para consolar a las almas atrapadas en la agitación de las tentaciones contra Mi misericordia y contra el amor inmutable de Mi Sagrado Corazón.

Miércoles 16 de noviembre de 2011
Vigésimo quinto aniversario de mi ordenación al sacerdocio
Fiesta de Santa Gertrudis

De hecho, te he salvado de muchos peligros cuando tu sacerdocio y tu propia vida fueron amenazados con naufragio y con completa destrucción. Te guardé para Mí porque te amo y porque había puesto Mi Corazón en ti, escogiéndote para Mí desde el vientre.[2] Mi elección permanece, porque soy inmutable y Mis decretos de amor no pueden deshacerse ni siquiera por la inconstancia de los hombres pecadores. Tú eres Mío y Yo soy Tuyo y esto es para siempre.[3]

Cree, entonces, en Mi amor por ti. Avanza con valentía y actúa con fe, confiando en el amor que es Mío. No hay obstáculos sobre los cuales Mi amor no pueda triunfar. Mi amor es un amor victorioso, incluso cuando todo parece hundido en la derrota y atado en las cadenas de la muerte. Yo soy el Dios que da nueva vida a lo viejo, decaído y sepultado. Yo soy el Dios que renueva todas esas cosas sobre las cuales descansa Mi mirada. Yo soy el Dios para Él que nada es imposible y a quien todas las cosas obedecen.[4] Confía entonces, en Mi amor por ti y avanza.

---

[1] Sir 24:24.
[2] Sal 21:11 (22:10); Sal 70(71):6; Is 44:2, 44:24, 49:1, 49:5; Jer 1:5; Sir 49:7; Gál 1:15.
[3] Sal 118(119):94; Cant 2:16, 6:3; Is 43:1; Ezeq 18:4.
[4] Job 42:2; Jdt 16:14; Est 13:9; Sal118(119):91; Sab 7:27, 11:23; Jn 15:5; Mat 17:20, 19:26; Mar 9:23, 10:27, 14:36; Luc 1:37; Rom 9:19.

IN SINU JESU

He preparado el camino delante de ti y removeré los obstáculos que surgirán tan fácilmente como un niño retira una hoja del suelo mientras juega. Adórame y mantente en Mi compañía, porque esto es lo que te pido y Yo haré todo lo demás. Cuanto más abandones tu impotencia delante de Mí, con confianza y con la humilde oración de adoración, más verás que ordeno todas las cosas poderosa y dulcemente[1] y que Mi plan prevalecerá.

La casa que te doy será construida por horas de adoración y por la fiel recitación de Mis alabanzas de día y de noche. Alguien que Me alaba, aunque sea humilde y simple, confía en Mí y para él que confía en Mí, no hay nada que Yo no haga. Lo que importa a Mi vista y lo que encanta a Mis oídos no son la pompa y solemnidad externas otorgadas a Mí alabanza del Padre en medio de Mi Iglesia y en los corazones de los que he llamado a esta obra. Lo que importa es la humilde fidelidad a esta obra de día y de noche, la continuidad de un solemne compromiso de estar Conmigo, que estoy presente en el Sacramento de Mi amor y de entrar en el misterio de Mi glorioso sacerdocio en el Cielo. Esto es lo que abre el Cielo sobre la faz de la Tierra, es esto lo que llena el corazón de Mi Iglesia con el esplendor del Cielo. Busca ser fiel. Por simple que sea, por pobre que sea tu adoración, cuando te unes a Mí en el Sacramento del Altar en la Tierra, esa adoración se convierte en la mía en las Cortes del Cielo.

Incluso cuando te encuentras solo, Mi propia oración entra en la tuya y tu oración entra en la Mía. En esto es Mi Padre glorificado.[2] Ora siempre. No te desanimes.[3] Orar es creer en Mi amor por ti. Orar es permitirme trabajar las maravillas de Mi amor en tu alma. Orar es abrir la Iglesia a un viento renovador y purificador que limpia todas las cosas y llena la Tierra con una fragancia divina que se origina en el Cielo.

Hay cosas que no te diré ahora, basta con que perseveres en la oración si deseas verla cumplirse.

Muy pocos de Mis sacerdotes creen en Mí con todo su corazón. Viven como si Yo no fuera real para ellos y sus corazones se hunden cada vez más profundamente en un sueño similar a la muerte de indiferencia y tibieza. Es por fe que cambiarán, porque es por fe que comenzaré a actuar en ellos.[4] ¿Qué es la oración, sino una demostración de fe en Mí? Entonces quiero que oren. Enséñales a orar. Ayúdalos a orar. Solo entonces Mis sacerdotes comenzarán a encontrar esperanza. Solo

[1] Sab 8:1.
[2] Jn 14:13, 15:8.
[3] Luc 18:1–8; Rom 12:12; Col 4:2.
[4] Heb 11; Mat 17:19, 21:21; Mar 11:22; Hech 3:16; Efes 3:12.

entonces se convertirán en testigos de Mi alegría en un mundo envuelto en tristeza y cegado por demasiadas lágrimas.

Tengo más que decirte, pero por el momento, es suficiente. Toma Mis palabras y léelas hasta que se impriman en tu memoria. Las necesitarás el día de la tentación y en la hora del juicio, porque esa hora llegará. Pero triunfaré sobre todos y emergerás como el sacerdote de Mi Corazón, a quien he elegido y he ocultado al mundo en Mi Costado abierto.

Sábado 19 de noviembre de 2011

Cuando vienes a Mí de esta manera, Me permites trabajar en tu alma. Mis deseos por ti se están cumpliendo en proporción a tu sumisión a Mi amor en el Sacramento de Mi amistad divina, en el misterio de Mi presencia real. Cuando Me adoras, te sometes a todo lo que deseo y Me das la libertad de obrar las maravillas de Mi gracia sanadora dentro de ti. Cuando Me adores, tienes que saber que estoy trabajando en ti, silenciosamente, pero eficazmente, uniéndote a Mí, purificando tu corazón pecaminoso e iluminando tu alma con el resplandor de Mi divinidad.

Esto es lo que haría por todos Mis sacerdotes, pero son muy pocos los que vienen a Mí, buscando Mi Rostro en el Sacramento de Mi amor y descansando cerca de Mi Corazón más amoroso. ¿Por qué se alejan de Mí, cuando he realizado este milagro de amor que es Mi presencia real en el Santísimo Sacramento del Altar para estar cerca de ellos? ¿Por qué se mantienen alejados, afligiendo Mi Corazón por su frialdad, su indiferencia y su ingratitud, cuando estoy listo para recibirlos a cualquier hora del día o de la noche en los mismos tabernáculos donde Me han puesto sus propias manos?

¿Por qué son obstinados y duros de corazón, se revuelcan en los placeres mundanos y sufren el aburrimiento terrible de los que miran a este mundo y sus engaños en lugar de preferir la alegría que solo Yo puedo darles? ¿Por qué tan pocos de Mis amados sacerdotes se dirigen a Mí en la oscuridad presente y en la crisis que aflige a Mi Iglesia en casi todos los lugares? Ellos son como los enfermos que se niegan a ver al médico. Son como los solitarios que se niegan a abrirle la puerta al amigo que solo desea visitarlos y consolarlos. Son como los hambrientos que se apartan de la comida que tienen ante ellos. Son como los sedientos que no beben de la corriente que fluye, fresca y limpia, ante sus pies.

Estos sacerdotes Míos afligen Mi Corazón y, sin embargo, los perseguiré con Mi amor misericordioso hasta que se rindan a Mi Corazón y Me permitan ser su amigo, el gozo de sus corazones, la luz de sus ojos, su médico en la enfermedad, su comida, su bebida, su refugio y, en una palabra, su todo.

No tengo más que beneficios y misericordias que ofrecer a Mis sacerdotes, pero se apartan de Mí con su corazón cerrado y no están dispuestos a recibir, como niños pequeños, los regalos que espero prodigarles. ¿Dónde han aprendido a tratarme de esa manera? ¿Por qué se resisten a todos Mis esfuerzos para dar calidez a sus corazones, iluminar sus mentes y llenar sus vidas vacías con Mi presencia permanente? Espero todavía que Mis sacerdotes se vuelvan y regresen a Mí en el Sacramento de Mi amor. Espero que ellos Me reclamen a Mí como su primer y mejor amigo y no a otro. Espero que derramen sus corazones en Mi presencia, que Me digan sus sufrimientos, fracasos, alegrías y pecados. No rechazaré a ningún sacerdote que venga a Mi Corazón Eucarístico, buscando la gracia en momentos de necesidad, la luz en la oscuridad y un compañero en la soledad.

¡Oh, que Mis sacerdotes regresen a Mis tabernáculos donde los espero y que abran Mis iglesias para que las almas que se les confiaron también Me busquen en el Sacramento de Mi amor y se llenen de Mis bendiciones en su momento de necesidad! No retendré ninguna gracia al sacerdote que busca Mi Rostro en el Sacramento de Mi amor. Ni uno solo lo enviaré decepcionado o con las manos vacías, porque Yo soy el Señor del Cielo y de la Tierra y los espero en los tabernáculos donde ellos mismos Me han puesto. En tantos lugares soy el Solitario divino, cuando quisiera ser para cada uno de ellos y para todos Mis fieles, el Amigo divino, siempre listo para recibir a los que buscan Mi Rostro.

Lunes 21 de noviembre de 2011
Presentación de la Santísima Virgen María

Te mostraré cómo tocar muchos corazones dándote un mensaje que viene de Mi Corazón, ardiendo de amor por Mis sacerdotes en el Sacramento por el cual fueron ordenados, ya que cada sacerdote es ordenado para el cuidado y servicio de Mi Cuerpo.[1] El sacerdote es esencialmente Eucarístico. El sacerdocio está ordenado para la renovación de Mi Sacrificio sobre los altares de Mi Iglesia, desde la salida del sol hasta su ocaso.[2] Yo poblaría la Tierra con Mis sacerdotes para que, en todo lugar, Mi Cuerpo esté presente y Mi Iglesia, Mi Esposa, pueda crecer en santidad y belleza para que todos la vean.

La visión te ha sido mostrada, la has escrito. Ahora es el momento de darla a conocer. Los corazones se moverán y a través de la bondad de una multitud de pequeños, proporcionaré lo que se necesita para que

---

[1] Ver Santo Tomás de Aquino, *Summa theologiae*, III, q. 82, a. 3.
[2] Mal 1:11; Sal 112(113):3.

Mi trabajo avance. Tú no has sido lo suficientemente activo para compartir, a través de la escritura y la difusión lo que has escrito, el trabajo que te he confiado.

No te llamo a un activismo que te agotaría y aleje de la oración, sino a un compromiso valiente en el proyecto que te he mostrado y que anhelo cumplir, no como algo solo para ti o incluso para tu tiempo de vida, sino como un regalo para Mi Iglesia y Mis queridos sacerdotes. Escribe, difunde la palabra y luego confía en Mí para abrir los corazones. El apoyo para el trabajo vendrá, pero, sobre todo, de los pequeños y los pobres a los que les he dado corazones de compasión para Mis sacerdotes que sufren.

La realización de Mi trabajo está sucediendo incluso ahora, en este mismo momento, porque estás aquí delante de Mi Rostro y porque te veo y Mi Corazón se conmueve por todos los sacerdotes a los que representas. Te he llamado a la ocultación; sin embargo, fuera de esa ocultación y sin dejar que te busque el favor de los ricos y poderosos, quiero que escribas y por tener todo escrito, las puertas se abrirán y te maravillarás de cómo Mi sabiduría y amor han ordenado todas las cosas. Este no es el momento de ceder al desaliento y retroceder en la duda. Es el momento de avanzar, haciendo uso de los dones que te he dado y de los de tus hijos.

Habla cuando se te pida que hables, pero prefiere el silencio en Mi presencia a hablar a los ojos de los hombres. Aparece cuando seas llamado, pero prefiere ocultarte en el secreto de Mi Rostro Eucarístico.

El tiempo es corto y este trabajo Mío debe avanzar porque las necesidades espirituales de Mis sacerdotes son inmensas. Quiero salvar a Mis sacerdotes de las trampas y aprisionamientos tendidos en su camino por el Maligno que busca su destrucción y por su destrucción, la de Mi Esposa, la Iglesia. Mis sacerdotes están en primera línea, cuando caen, Mi Esposa, la Iglesia, queda indefensa y el que Me ha odiado desde el principio avanzará para causar su caída.[1] Voy a frustrar sus planes para la destrucción de Mi sacerdocio y de Mi Iglesia, al levantar una cohorte de adoradores, sacerdotes que serán adoradores y repararán por otros sacerdotes, hijos de Mi Madre Virgen, quienes, como Juan, Mi amado discípulo, se mantendrán firmes al enfrentar la persecución y seguirán siendo los consoladores de Mi Corazón Eucarístico que cada vez más, es abandonado y desamparado en los tabernáculos donde Yo habito.

El Maligno trama Mi traición, una traición por Mis elegidos, por los sacerdotes que amo incluso en su inmundicia, su pecado y su frialdad.

---

[1] Jn 8:44; 1 Jn 3:8; Mar 4:15; Luc 4:13, 8:12, 22:3–4, 22:31; 2 Cor 12:7; 2 Tes 2:9–12; 1 Pe 5:8; Apoc 12:1–9; Job 40:20–41:25 (Vul.); Zac 3:1–2.

Tu papel es representarlos delante de Mi Rostro. Al hacer esto, harás que muchos regresen a Mí, que se arrepientan de su confabulación con las mentiras del Maligno y que regresen a una obediencia que sea amorosa y sostenida por la oración y por la presencia de Mi Santísima Madre.

Estas son las cosas que tengo que decirte esta noche. Por ahora, es suficiente. Esté en paz. Estás en Mi Corazón y te amo.

Martes 20 de diciembre de 2011

La práctica de la adoración no es difícil. Es una permanencia suave en Mi presencia, un descanso en el resplandor de Mi Rostro Eucarístico, una cercanía a Mi Corazón Eucarístico. Las palabras, aunque a veces útiles, no son necesarias ni lo son los pensamientos. Lo que busco de alguien que Me adore en espíritu y verdad, es un corazón encendido de amor, un corazón satisfecho de permanecer en Mi presencia, silencioso, quieto, comprometido solo en el acto de amarme y de recibir Mi amor. Aunque esto no es difícil, es de todos modos, Mi propio regalo para el alma que lo solicita. Entonces pide por el don de la adoración.

La adoración es una oración austera porque descansa solo en la fe. Por la fe se eleva la llama pura de la esperanza y de la llama de la esperanza, se enciende en el alma una gran conflagración de caridad, es decir, una comunicación al alma del fuego que arde en Mi Corazón Eucarístico. El fuego del amor divino no destruye lo que Yo creé, un alma moldeada a Mi imagen y semejanza. Este fuego purifica esa alma y quema solamente lo que es incompatible con Mi santidad infinita y con la pureza de Mi esencia. El alma; sin embargo, no es aniquilada. El alma permanece, incluso en medio de las llamas purificadoras del amor divino, plenamente capaz de creer, de esperar y de amarme.

La adoración es un horno y una forja. El alma llamada a una vida de adoración debe esperar sufrir la intensidad del horno ardiente y la remodelación de todo lo que se deforma en ella en la forja de Mi voluntad divina. Para que esto suceda, es suficiente que el alma se ofrezca a Mi amor, y permanezca humilde, pacífica y callada mientras Yo la purifico y la transformo en Mi presencia. ¡Si solo las almas supieran el poder de purificación y transformación que emana de Mis tabernáculos!

Si tan solo Mis sacerdotes supieran esto, se apresurarían a Mi presencia y se quedarían allí, esperando que Yo haga en ellos lo que por sí mismos, no pueden hacer. Es la simple oración de adoración que hace a un sacerdote apto para el ministerio sagrado, dándole un corazón puro y corrigiendo todo lo que es incompatible con Mi divina santidad y con Mi amor sacerdotal en su vida. Este camino de santidad a través de la adoración es un secreto revelado a Mis santos en épocas pasadas y es un regalo que estoy ofreciendo a Mis sacerdotes en estos tiempos de impureza, persecución y oscuridad.

Para vencer la impureza, les daré una pureza brillante que resplandecerá ante los ojos del mundo como un testimonio del amor divino. Para superar la persecución, les daré una fuerza viril y una resolución de propósito que confundirá a los que planean su caída. Para vencer la oscuridad, les daré una luz clara para ordenar sus pasos y ver qué opciones son agradables para Mi Corazón.

El tiempo pasado en Mi presencia no es tiempo perdido. Es la base y el apoyo de cada palabra pronunciada por Mis sacerdotes en el ejercicio de su ministerio, es el secreto de una acción sacerdotal que es sobrenaturalmente fecunda, dando frutos que van a perdurar.

Si esta es la verdad para los sacerdotes que he elegido para trabajar en la viña de Mi Iglesia, cuánto más debe ser verdad para los que he elegido y apartado para vivir enclaustrados en el cenáculo con Mi Santísima Madre y con San Juan, Mi amado discípulo. Juan estaba más a gusto en Mi presencia Eucarística y en compañía de Mi Madre. Juan entendió mejor y más que los otros Apóstoles, los misterios que instituí en el Cenáculo la noche antes de sufrir. Juan fue el primero de una larga lista de sacerdotes Eucarísticos llamados a amarme y a permanecer en Mi presencia Eucarística, cerca de Mi Corazón y en el resplandor de Mi Rostro. Esta es la gracia particular que San Juan compartirá con los que, respondiendo a Mi llamado, encontrarán su camino hacia el cenáculo de adoración que estoy dando a luz como un organismo vivo dentro de Mi Iglesia, animado por el Espíritu Santo y formado en el Corazón de Mi Inmaculada Madre.

Sé fiel, entonces, a este trabajo al que te he llamado. Solo tienes que cooperar Conmigo, porque Yo te estoy dirigiendo y guiando. Actúa enérgicamente, confiando en Mi poder para confirmar y ratificar todo lo que haces por amor a Mí con un corazón puro y un espíritu humilde.[1]

Martes 27 de diciembre de 2011

Todo lo que Me has pedido, te lo daré y todavía más, porque te he elegido para que seas para Mí otro Juan, un amigo para Mi Corazón, un consolador en Mi soledad, un defensor de los pobres pecadores, especialmente en nombre de los sacerdotes caídos y los que han perdido la esperanza en Mi infinita misericordia. Sé un compañero para Mí en el

---

[1] Véase la oración en el ofertorio del *usus antiquior* del rito romano: "In spiritu humilitatis et in animo contrito suscipiamur a te, Domine..." (Que podamos ser recibidos por Ti, Señor, con un espíritu de humildad y un corazón contrito).

Sacramento de Mi amor, el Sacramento de Mi compañía divina para cada caminante humano en este valle de lágrimas.

Sigo siendo desconocido. Me han dejado solo. Incluso los que dicen profesar el misterio de Mi presencia real en el Sacramento del Altar Me abandonan. Me tratan con una terrible indiferencia, con frialdad y con una falta de respeto que hace llorar a los ángeles porque no pueden ofrecerme reparación por la frialdad e indiferencia de los corazones humanos.[1] Solo los hombres pueden hacer reparación por los hombres.[2] Lo que falta es la respuesta amorosa de un corazón humano a Mi Corazón Eucarístico, traspasado, vivo y palpitante en el Sacramento del Altar. Solo un corazón humano puede hacer reparación por un corazón humano. Por esta razón, los ángeles están tristes.

La adoración y la alabanza que ellos Me ofrecen son angelicales. Es la expresión de las perfecciones que he puesto en su naturaleza angelical. Sin morir jamás, se inmolan delante de Mí en los tabernáculos donde habito en la Tierra, bajando ellos a la más humilde adoración y colocando todas sus perfecciones angelicales—su belleza, su fuerza, su inteligencia—bajo Mis pies.[3] Los ángeles son como llamas vivas que arden en Mi presencia Eucarística sin ser consumidas.[4] Sin embargo, por todo esto, Mis ángeles no pueden reemplazar un solo corazón

---

[1] Ya que los ángeles no tienen cuerpos y como los ángeles buenos están completamente atrapados en la dicha del Cielo, "llorar" es una metáfora de algún tipo de lamentación espiritual que es difícil de entender para los humanos y menos para los humanos caídos.

[2] Véase: Heb 2:9–17, 5:1, 10:5; Santo Tomás de Aquino, *Summa theologiae*, III, q. 1, aa. 2–4; q. 22, a. 2; q. 46, aa. 1, 3.

[3] Sal 102(103):20; Ezeq 1; Is 6:1–7; Tob 12:15–20; Mat 4:11, 13:41, 16:27, 25:31, 26:53; Mar 1:13, 8:38, 13:27; Luc 2:13–14; Jn 1:51; 2 Tes 1:7; 1 Tim 3:16; Heb 1:3–14, 12:22–24; 1 Pe 1:12, 3:22; Apoc 4:6–11; 5:11–14, 7:11–12, 8:2–4, 19:9–10, 22:8–9. Véase: *Las Oraciones de Santa Gertrudis y Santa Mectilde de la Orden de San Benito* (Londres: Burns y Oates, 1917): "Oh Dios inefable, nosotros estamos ante esos tremendos misterios que ni querubines ni serafines, ni todas las virtudes del Cielo son suficientes para comprender, porque solo Tú sabes con qué energía de amor Te ofreces Tú mismo diariamente a Dios, el Padre, sobre el altar como Víctima de alabanza y propiciación. Y por lo tanto, todos los coros y órdenes de los ángeles adoran este secreto más sagrado e impenetrable con postración humilde y contemplan con asombro a su Rey y su Señor, que una vez descendió del Cielo en amor indescriptible para redimir al hombre, y que ahora está misteriosamente presente sobre el altar, oculto bajo las ordinarias y humildes especies de pan y vino para la salvación de los hombres.... Salve, el Cuerpo más glorioso y la Sangre más preciosa de mi Señor Jesucristo, aquí verdaderamente presente debajo de estas especies sacramentales, Te adoro con toda esa devoción y asombro con que los nueve coros de ángeles Te veneran y Te adoran."

[4] Heb 1:7; Apoc 4:5, 10:1; Éxod 3:2; Hech 7:30; 2 Tes 1:7; Sal 28(29):7; Jue 6:21, 13:20; Is 6:2–7; Cant 8:6.

humano en Mi presencia. Lo que busco de los hombres, lo que espero, sobre todo de Mis sacerdotes, es lo que Mis ángeles no pueden darme.

Y entonces Me volví a San Juan para consolarme, Me amó cuando el amor de los demás se enfrió, esperó en Mí cuando la confianza de los demás fue sacudida, permaneció fiel a Mí cuando la fe de otros fue puesta a prueba.[1] Juan fue, entre los Apóstoles, Mi amado amigo, Mi adorador, el que comprendió el misterio de la reparación de Mi Corazón.

Juan hizo una reparación por la negación que Pedro hizo de Mí, no por hacer un juicio sobre Pedro, a quien honró y amó como padre, sino llorando con Pedro y ofreciéndose a sí mismo en reparación por la caída de Pedro.

Nuevamente, fue Juan quien Me ofreció amor fiel a cambio de la traición sin fe de Judas. Él hizo reparación a Mi Corazón que sufrió tan gravemente cuando Judas salió del Cenáculo en la noche.[2] En ese momento, Juan Me dio todo el amor de su corazón, rogándome que lo aceptara en reparación por el plan frío y calculador de Judas en Mi contra.

Sé otro San Juan para Mi Corazón. Ofréceme reparación ofreciéndote *a Mí mismo*, por los que huyen de Mi Rostro Eucarístico, en lugar de los que no pueden soportar permanecer en Mi presencia, cerca de Mi Corazón; representando a los sacerdotes Míos que tienen tiempo para todo lo demás, excepto para Mí.

Dame tu compañía, tu confianza y tu afecto agradecido. Que nada te impida llevar a cabo este plan Mío. Alguien que repara a Mis sacerdotes descubrirá en el último día que sus propios pecados, aunque sean muchos, serán cubiertos por un solo acto de reparación, porque la reparación es el ejercicio del amor y el amor cubre una multitud de pecados.[3]

Ámame y cumplirás todo lo que te estoy pidiendo. Ámame y cumpliré todo lo que pidas de Mí. Deseo una compañía de almas Juaninas, sacerdotes adoradores y reparadores, y sobre ellos derramaré ríos de gracia para la renovación de Mi sacerdocio y la alegría de Mi Esposa, la Iglesia.

---

[1] Jn 13:21–27, 19:26, 20:1–9.

[2] Jn 13:30; Sal 40:10 (41:9); Sal 87:19 (88:18).

[3] Luc 7:47; Sal 31(32):1; Rom 4:7; Is 1:18, 43:25, 44:22; 1 Pe 1:1, 4:8; Sir 3:30; Tob 12:9.

Domingo 7 de enero de 2012

Levántate más temprano. Dame las primeras horas del día. Ven a Mí antes de buscar algo o alguien más. Te fortaleceré para usar bien las horas de cada día que comiences de esta manera.

Te he llamado para que seas Mi adorador, todo lo demás es secundario. Te espero en el Sacramento de Mi amor y a menudo Me siento decepcionado porque permites que otras cosas absorban tu tiempo y consuman tu energía. Dame todo el tiempo que puedas y te daré tiempo y energía para que hagas todo lo que debes hacer. Verás que, al venir primero a Mí, todo lo demás te aparecerá en sus proporciones justas. Harás una cosa tras otra y todo lo que hagas estará marcado por la serenidad y por una adoración interna hacia Mi presencia permanente en el tabernáculo. ¿No es esto lo que aprendiste leyendo las instrucciones de Epifanía de Mi sierva, la madre Mectilde?[1]

Te llamo a una vida de adoración perpetua. La adoración perpetua es una atención amorosa a Mi presencia. Es una búsqueda de Mi Rostro y un acercamiento a Mi Corazón que nunca cesa y que impregna cada momento de la vida. Esta adoración perpetua; sin embargo, comienza y vuelve a los tiempos de adoración real que se pasan ante Mi Rostro Eucarístico, durante los cuales todas las demás cosas se dejan de lado.

Ven, entonces, al lugar aparte que he preparado para ti. Te espero allí.[2] Ven a Mi tabernáculo y permanece en Mi presencia. Te llenaré de gozo, serenidad y sabiduría para las exigencias del día. Comienza siempre adorándome. No permitas que tu corazón se enfríe hacia Mi presencia Eucarística. Te he llamado a esta vida por una sola cosa, adorarme por el bien de Mis amados sacerdotes, tus hermanos, especialmente por el bien de los que nunca vienen a Mi presencia Sacramental para encontrar, cerca de Mi Corazón, descanso, luz, paz y, sobre todo, el amor por el cual los creé y del cual los he hecho Mis servidores.

Perdono tus debilidades en este asunto, pero te invito a que te levantes y vuelvas a la generosidad de un amor que no admite demoras y que no es derrotado por ningún obstáculo. Lo que te digo es sencillo, pero es el secreto de una fuerte vitalidad y de una sabiduría que ve las cosas correctamente y las juzga con prudencia.

---

[1] Se hace referencia a la gran conferencia que la madre Mectilde, a la edad de ochenta años, dio a sus hijas en la Epifanía de 1694. Esta conferencia da una expresión sublime a su doctrina espiritual, centrada en la Sagrada Eucaristía como la síntesis y representación de todos los misterios de la vida de Cristo, la conexión entre la adoración, el Sacrificio y la gloria celestial y el sencillo camino de la fe que se abstiene de las manifestaciones extraordinarias.

[2] Mat 14:13, 25:34; Mar 6:31–32; Luc 9:10; Jn 14:2–3.

La principal dificultad en tu vida y en la vida de tantos sacerdotes Míos es el descuido de la adoración. En tu vida quiero que ocupe el primer lugar. Tú eres, ante todo, el adorador de Mi Rostro Eucarístico y el consolador de Mi Sagrado Corazón. Esta es tu misión y solo ella es la justificación de todo lo demás que emprendas. Me agrada la adoración que Me ofreces, pero espero de ti una mayor generosidad. Búscame primero en el Sacramento de Mi amor y prometo que te daré todo lo demás por añadidura y que no te faltará nada.[1]

La adoración es el intercambio de amor lo cual es la fuente de toda fecundidad. Si los frutos son escasos, es porque has escatimado en el intercambio de amor con Mi Corazón Eucarístico. No empieces diciendo: "Debo hacer tres horas de adoración al día." Comienza, más bien, adorándome tanto como puedas. El resto vendrá sin esfuerzo.

Hay una gracia especial que he puesto en el Oficio de Maitines para los que, por vocación, son llamados a efectuarlo. Rézalo tranquila y pacíficamente en Mi presencia y Yo visitaré tu alma con la dulzura de Mi amor divino y con la fragancia de Mi presencia dentro de ti. Yo soy consolado cuando las almas se levantan mientras aún está oscuro y se dirigen a Mi tabernáculo para cantar Mis alabanzas y unirse a Mi propia adoración del Padre. Los salmos les unirán a Mi Corazón y saldrán del Oficio de la Noche, descansados y fortalecidos en el amor.

Miércoles 10 de enero de 2012

La intercesión por otras almas es una obra de amor. Consiste en situarse Conmigo ante el Padre, con una confianza ilimitada en los méritos de Mi pasión y en las heridas que presento al Padre en nombre de todos los que se acercan a Él con confianza, a través de Mí.

Yo vivo en el Sacramento de Mi amor como vivo en el Cielo, en un estado incesante de intercesión por todos los que creen en Mí y vienen a Mí con el peso de las cargas y dolores de la vida. No hay nada que no haga por el alma que se acerca a Mí con confianza.

Por esta razón he querido estar presente en el Sacramento de Mi amor hasta el fin de los tiempos, para que las almas sepan dónde encontrarme, seguros de ser escuchados y confiando en la misericordia de Mi Corazón para un mundo marcado por el sufrimiento y asolado por el pecado. No hay forma de oración de intercesión más eficaz que la del alma que se acerca a Mi presencia Eucarística, segura de encontrarme y segura de ser escuchada. No estoy lejos de las almas necesitadas. Me he hecho cercano a ellos, tan cercano como el tabernáculo más cercano.

---

[1] Mat 6:33; Luc 12:31.

¡Ojalá Mi pueblo entendiera esto! Mis iglesias se llenarían hasta rebosar a cada hora del día y de la noche. Yo nunca Me quedaría solo en el Sacramento de Mi amor.

El ejercicio de la fe aumenta la fe. El ejercicio de la confianza hace que la confianza crezca. Un alma que se acerca a Mi tabernáculo con fe está dando evidencia de una completa confianza en Mi amor misericordioso. El Santísimo Sacramento del Altar es Mi Corazón abierto a recibir a los que respondan a Mi invitación eterna: "Vengan a Mí todos los que están fatigados y agobiados, y Yo los descansaré. Lleven Mi yugo sobre ustedes y aprendan de Mí, porque soy manso y humilde de Corazón y hallarán descanso para sus almas. Porque Mi yugo es dulce y Mi carga ligera."[1]

Quien se acerque a Mí con frecuencia en el Santísimo Sacramento del Altar descubrirá que está unido a Mí por un vínculo de amor inquebrantable. Descubrirá, por experiencia personal que comparto todas sus penas, que le traigo alivio en las aflicciones, que llevo consigo sus cargas y que nunca, ni siquiera por un momento, es abandonado o dejado solo a sí mismo.

Lo que te enseño es más que la simple visita a Mí en el Sacramento de Mi amor, es una manera de acercarse a Mí marcada por la confianza absoluta en Mi intercesión con el Padre. Es un acto de fe en Mi amor misericordioso y una manera de disponerse a recibir las Aguas de la vida que brotan abundantemente de Mi Costado abierto.

¿Creen las almas en Mi presencia real en los tabernáculos de Mis iglesias? ¿Han olvidado por completo quién soy y dónde estoy para que Me encuentren? ¿Ha crecido la fe de Mis sacerdotes en el Sacramento de Mi amor, tan tibia y tan débil que las almas confiadas a ellos han perdido el simple instinto del corazón creyente, es decir, de buscarme en la Santísima Eucaristía y de permanecer en Mi presencia, amándome y permitiéndome amar libremente a los que vienen a Mí, sanar sus heridas y atraerlos al santuario de Mi Costado abierto?

El vacío de Mis iglesias es una afrenta a Mi amor, al amor que Me obligó a entregarme por las manos de Mis sacerdotes, bajo las formas de pan y vino para que nadie pereciera de hambre o de sed en el camino de la eternidad.

Yo soy todo amor en el Sacramento de Mi amor. Mi Corazón está abierto a recibirlos a todos, incluso a los que tienen en sus almas no más que la más tenue chispa de fe en Mi presencia real. Que vengan a Mí y esa pequeña chispa se convertirá en una llama resplandeciente, dando alegría y esperanza a todos los que perciben su luz.

---

[1] Mat 11:28–30.

El vacío de Mis iglesias, aparte de las horas de los oficios litúrgicos, es una inculpación, en primer lugar, de Mis sacerdotes y luego, de Mis fieles. Mi presencia Eucarística Se encuentra con frialdad, con indiferencia y con una escalofriante ingratitud, incluso por parte de Mis sacerdotes y de las almas consagradas. No reconocen en el Misterio de la Santísima Eucaristía la perla preciosa, el tesoro que una vez estuvo escondido en el campo, pero que ahora se ofrece gratuitamente a todos los que quieren participar de sus inagotables riquezas.[1]

Me quedo solo en un mundo, en el que tantos lamentan su soledad. Si las almas vinieran a Mí y se quedaran en Mi presencia, descubrirían un amor que llena el corazón tan completamente que disipa toda soledad y se vuelve maravillosamente fecundo en las vidas de los que lo aceptan.

Tu vida, tu vocación, tu misión ahora es permanecer en Mi presencia sacramental. Es consolar Mi Corazón Eucarístico y exponer tu alma al resplandor de Mi Rostro Eucarístico por el bien de tantos de tus hermanos sacerdotes que tropiezan en una oscuridad que ninguna luz terrenal puede disipar.[2]

Viernes, 27 de enero, de 2012

Oh, mi amado Señor Jesús, verdaderamente presente aquí, Te adoro con todo el amor de mi corazón. Es por esto y por ninguna otra cosa que me has traído aquí, para adorarte, para permanecer en Tu compañía, para buscar Tu Rostro y para descansar sobre Tu Corazón. Guárdame fiel al llamado que me has dado y que nada me distraiga de Ti, que eres lo Único Necesario y aparte de Quien no hay nada en el Cielo o en la Tierra a quien yo le dé mi corazón.[3] Estar cerca de Ti es mi felicidad. Abrázame en Tu presencia y que nunca me aleje del resplandor de Tu Rostro Eucarístico. Amén.

Jesús, Jesús, Jesús, Jesús, que nada me saque del resplandor de Tu Rostro Eucarístico, más bien, que todas las cosas trabajen juntas para obligarme a buscar Tu Rostro y a adorarte.

¡Adoración! ¡Adoración! ¡Adoración! Esto es lo que te pido, porque la adoración es el ejercicio del amor y el amor realiza todo lo demás.[4] No le concedas a ningún otro trabajo la importancia que te pido que concedas al trabajo de adoración. Tómalo sobre ti mismo hasta que vengan

---

[1] Mat 13:44–46.

[2] Is 59:10; Job 5:14; Sir 37:15–16.

[3] Luc 10:41–42; Sal 72(73):25.

[4] Jos 22:5; Cant 8:7; Rom 13:8–10; 1 Cor 13, 16:14; Gál 5:14; Efes 3:17–19; Col 3:14; 1 Tim 1:5; 1 Jn 4:16; Sant 2:8; Apoc 2:4.

otros con los que puedas compartirlo. Si no fuera por esta obra de adoración, no habría tenido ninguna razón para permitir el nacimiento de esta pequeña familia sobre la que te he puesto como padre y servidor. Deja que otros hagan la obra a la que Yo los he llamado, pero tú, has la única obra a la que te he llamado antes y por encima de todo.

Es porque me he quedado solo en el Sacramento de Mi amor que tales tinieblas han caído sobre las almas de Mis sacerdotes. Es esto lo que más aflige a Mi Sagrado Corazón debido a que el Santísimo Sacramento del Altar es la expresión suprema de Mi amor personal por cada sacerdote y son muy pocos los que entienden esto y responden a Mi amor con amor.

La obra de reparación es una sustitución que es llevada a cabo libremente por amor, para los que permanecen lejos del resplandor de Mi Rostro Eucarístico y de la calidez de Mi Sagrado Corazón. La soledad que sufro en tantos tabernáculos es causada por la indiferencia de Mis sacerdotes. Sus vidas están gobernadas, no por Mi amor por ellos y su amor por Mí, sino por otras mil cosas indignas del carácter que he inscrito en el fuego místico sobre sus almas cuando fueron ordenados para el servicio de Mi Cuerpo.

¡Oh, sacerdotes Míos, sacerdotes de Mi Corazón, sacerdotes sobre los que descansa la mirada de Mi Rostro Eucarístico, vuelvan a Mí! Vuelvan a Mí y serán perdonados.[1] Regresen a Mí y serán sanados. Regresen a Mí y serán restaurados.[2] Regresen a Mí y Yo los uniré a Mí, de tal manera que ustedes y Yo nos presentaremos ante Mi Padre como un solo Sacerdote y una sola Víctima ofrecida a Él para la alabanza de Su gloria y por amor a nuestra única Esposa, la Iglesia.[3]

Hasta ahora, la preciosa gracia de la adoración Eucarística ha permanecido desconocida para demasiados de Mis sacerdotes. Esto explica las debilidades, los escándalos, la vergüenza y la caída de tantos. El mundo se ha enfriado y se volverá aún más frío a medida que la oscuridad del Enemigo lo envuelva y convierta en hielo los corazones que Yo consagré para que fueran para Mí, corazones de amor.[4]

Por eso te ruego que Me adores en el Sacramento de Mi amor y que, con tu adoración, traigas a muchos sacerdotes a la luz Mi Rostro Eucarístico. Esta obra esencial de volver a la adoración salvará a Mis sacerdotes de la devastación que el Enemigo está tramando contra ellos.

[1] Is 44:22; Jer 4:1; Joel 2:12; Mal 3:7.
[2] Cró 7:14; Job 5:18; Is 57:18–19; Jer 17:14, 33:6–9; Os 14:4; Mat 9:21–22; Luc 5:17, 8:43–48.
[3] Efes 1:9–14, 5:25–29.
[4] Mat 24:12.

Cuando un sacerdote vuelve a Mi Corazón y apoya su cabeza sobre Mi pecho, está a salvo de todo daño y las tramas del Enemigo contra su alma se frustran y se desvanecen.

¿Quién de Mis sacerdotes sobrevivirá a la tribulación que se avecina? Solo los que hayan escuchado Mi súplica por los sacerdotes adoradores, por los sacerdotes reparadores, por los sacerdotes que Me permitan hacerme amigo de ellos y que Me den su tiempo, sus mentes y sus corazones en la obra esencial de la adoración. Yo llamo a esta obra esencial porque el orden correcto de las cosas ha sido subvertido y porque un gran desorden y confusión ha alcanzado los corazones y las mentes de Mis amados sacerdotes. La adoración será para ellos y para ti la restauración del único orden recto, el orden del amor divino derramado en los corazones de los hombres por el Espíritu Santo que es Amor.[1]

Tan importante es esta obra que se la he confiado y a ti con ella, al compasivo y glorioso Corazón de Mi Madre. Esta obra es su obra, en toda la Iglesia y en el corazón de los sacerdotes que se han hecho suyos por un acto de consagración. A esta obra Mía y de Mi Madre, he asociado a Mis santos en gloria y a los ángeles que adoran delante de Mi Rostro y rodean Mis sagrarios con una adoración celestial en la Tierra. No hay nada que pueda revertir Mi plan ahora. Ha llegado la hora de que los sacerdotes escuchen Mi llamado y regresen, penitentes y gozosos, al pie de Mis altares.[2] Es allí donde espero a cada uno, lleno de misericordia y dispuesto a recibirlos en Mi Corazón.

Sábado 28 de enero de 2012

Oh, fortalece mi amorosa atención a Ti, Tú que estás amorosamente atento a mí en este Sacramento de Tu amor.

Lo que importa es que has venido a Mi presencia, buscando Mi Rostro y ofreciéndome todo el amor de tu corazón. Esto es suficiente. Con este pequeño acto de adoración y amor, haré grandes cosas. No pido cosas más allá de tus fuerzas. No soy un capataz duro y exigente, soy el más cariñoso y agradecido de los amigos. Ningún momento pasado en Mi presencia sacramental queda sin recompensa, porque Yo amo a los que Me aman.[3] Yo muestro Mi Rostro a los que Me buscan y entrego Mi Corazón a los que anhelan Mi amistad. Es una táctica de Satanás hacer creer a las almas que soy un Dios duro y exigente, que nunca estoy satis-

---

[1] Rom 5:5.
[2] Jn 5:25; Sal 42(43):4.
[3] Prov 8:17.

fecho con las humildes ofrendas de Mis hijos y que retiro Mi presencia de los que Me buscan, rechazando sus intentos de encontrarme y frustrando todos sus deseos de conocerme y de conocer Mi amor por ellos. Mentiras, todas mentiras para evitar que las almas se acerquen a Mí. Soy de todos los amigos, el más gentil y el más agradecido.

Ven a Mí, porque Yo te espero en el Sacramento de Mi amor. No fue un simple desarrollo de la práctica ritual cuando Mi Iglesia comenzó a reservar Mi Santísimo Cuerpo en los tabernáculos preparados para Mí. Fue una inspiración gloriosa y largamente-esperada del Espíritu Santo, porque el Sacramento de Mi Cuerpo y Sangre es más que la perpetuación en el tiempo de Mi Sacrificio eterno. Es más que el alimento por el cual entro en las almas para unirlas a Mí y unas a otras en un solo Cuerpo. Es también el compromiso y la expresión de Mi divina amistad, la señal del deseo y la determinación de Mi Corazón de permanecer presente hasta el fin de los tiempos,[1] por el bien de todos los que buscan Mi amistad y conocen el amor de Mi Corazón por ellos. Hay quienes argumentan que esa no era Mi intención la noche antes de sufrir, cuando di a Mis Apóstoles para que comieran y bebieran Mi Cuerpo y Mi Sangre, pero con toda verdad esa *fue* la intención y el deseo de Mi Corazón, pues Yo miré en las edades venideras y vi que el hambre más grande del corazón humano sería por Mi amistad divina, por Mi compañerismo y Mi presencia en este exilio terrenal.[2]

No hay nada que no haga para acercarme a las almas que buscan Mi presencia y anhelan Mi amistad. La soledad es una consecuencia del pecado, porque todo pecado aleja a los hombres de su verdadero ser, de su Creador, de su Dios y de los demás. La soledad es, repito, la consecuencia del pecado, por el cual la perfección de Mi plan para la felicidad humana se fractura y se hace ininteligible. El pecado hace que el hombre se vea distorsionado como en un espejo roto.[3] Ven, entonces, al Sacra-

---

[1] Mat 28:20.

[2] Nuestro Señor se refiere a los liturgistas del siglo XX que argumentaban en contra de la práctica de la adoración Eucarística sobre la base de su aparente falta de concordancia con el simbolismo de la comida y la bebida. El Magisterio de la Iglesia siempre ha resistido firmemente este reduccionismo a la comida y ha reafirmado consistentemente la fecundidad espiritual de la ya antigua práctica de adorar el Cuerpo de Cristo, verdaderamente presente en el Santísimo Sacramento. De hecho, Nuestro Señor ya nos está alimentando espiritualmente por el poder mismo de su presencia real y por nuestra adoración amorosa de Él. Ver papa Benedicto XVI, Exhortación Apostólica Post-Sinodal *Sacramentum Caritatis* (22 de febrero de 2007), §66; Alcuin Reid, ed., *From Eucharistic Adoration to Evangelization* (London/New York: Burns & Oates, 2012), esp. pp. 17–40 y 151–66.

[3] Sal 10:6.

mento de Mi amor y contempla el espejo perfecto e inmaculado de las almas, por el cual te revelaré todo lo que quiero que seas a los ojos de Mi Padre y en el Cuerpo que es Mi Iglesia.[1] No tengo ningún deseo aparte de tu felicidad eterna. Por esto te he creado, llamándote, en el instante mismo de tu concepción, a la plenitud de la vida Conmigo, en el seno de Mi Padre y en el amor del Espíritu Santo.

Haré que todo conocimiento acerca de Mí los conduzca a Mi amor. La teología es útil solo en la medida en que los conduce a la comunión Conmigo en la oración humilde y en la adoración. La teología está al servicio del amor. Separada del amor, es una ciencia monstruosa que se separa incluso de Mí.

Domingo 29 de enero de 2012

Señor Jesús, no me pides lo imposible, porque, aunque me pidas lo que a mis ojos parece imposible, ya lo estás haciendo posible por Tu gracia. Para Ti y para los que Te aman, nada es imposible.[2] Puedo hacer todas las cosas en Ti que me fortaleces para hacerlas.[3]

Lunes 30 de enero de 2012

Una oración para los que ofrecen una hora de adoración y reparación en casa, en el trabajo, en el hospital, en la cárcel o mientras viajan:

*Señor Jesucristo, aunque no puedo, durante esta hora,
acercarme a Ti físicamente en el Sacramento de Tu amor,
yo me acercaré a Ti por el deseo y por la fe.
Transpórtame, Te lo suplico, elevando mi mente y mi corazón,
a ese tabernáculo en el mundo donde a esta hora, Tú estás,
más abandonado, totalmente olvidado y sin compañía humana.*

*Permite que incluso cuando estoy ocupado haciendo
cosas ordinarias de una manera ordinaria,
el resplandor de Tu Rostro Eucarístico penetre en mi alma
de tal manera que, al ofrecerte adoración y reparación;
pueda obtener de Tu Sagrado Corazón
el regreso de al menos un sacerdote al tabernáculo
donde Tú más esperas por él. Amén.*

---

[1] Sab 7:24–30; Sant 1:23–25; 1 Cor 13:9–12.
[2] Job 42:2; Sal 118(119):91; Sab 7:27, 11:23; Jn 15:5; Mat 17:20, 19:26; Mar 9:23, 10:27, 14:36; Luc 1:37.
[3] Fl 4:13; Rom 8:37; Véase *La Santa Regla* de San Benito, cap. 68.

Eso[1] no fue ninguna distracción la que tuvisteis al adorarme esta mañana, fue Mi deseo y fui Yo quien te inspiró a emprender esta obra por amor a Mí en el Sacramento de Mi amor por ti y por la santificación de Mis sacerdotes. Vive el mensaje que te he dado y haz que se conozca, porque por medio de ese mensaje tocaré los corazones de muchos de Mis sacerdotes y los traeré de vuelta a Mí. Yo espero a cada uno en el Sacramento de Mi amor.

Anhelo reunir a Mis sacerdotes en torno a Mis tabernáculos y atraer a cada uno de ellos a Mi Corazón. Yo permitiré que cada uno descanse sobre Mi pecho, escuchando los latidos de Mi Corazón divino y aprendiendo de Mi amor eterno por él, el amor por el cual Yo lo creé y escogí, y lo uní para siempre a Mí como Sacerdote a sacerdote y como Víctima a víctima.

Estoy a punto de enviar Mi Espíritu Santo como un fuego abrasador de pureza sobre todos los sacerdotes de Mi Iglesia. Los que se someten a esta acción purificadora y santificadora florecerán en Mi Iglesia para el gozo de Mi Corazón y para la gloria de Mi Padre. Los que resistan a esta acción purificadora y santificadora lo afligirán a Él, traerán gran dolor a Mi Corazón, provocarán la justicia de Mi Padre y se secarán como sarmientos cortados de la vid y listos para ser arrojados al otro fuego.[2] Aquel que rechaza las llamas del amor divino sufrirá las llamas de la justicia divina. Esto es difícil de escuchar para ti, pero lo digo por amor, lleno de una inmensa piedad por cada uno de Mis sacerdotes, porque Yo amo a cada uno, hasta el punto de lo que los hombres del mundo llaman locura, pero no es locura, es la misma naturaleza del amor divino que arde en Mi Sagrado Corazón.

Comienza entonces el trabajo de la Confraternidad de Sacerdotes Adoradores será parte integral de la misión de tu pequeño monasterio. Y tú, vive el mensaje. Vívelo a diario. Vívelo generosamente. Adórame con fervor santo, y quiero que sepas que Yo no seré superado en el fervor.[3] Como tú eres fervoroso por Mí, así también Yo seré fervoroso por ti. Trabaja por Mí y por Mis intereses, es decir, adórame, adórame, persevera en venir ante Mi Rostro Eucarístico y permanecer cerca de Mi

---

[1] La referencia es a la Confraternidad de Sacerdotes Adoradores, a la que se hace referencia en forma más explícita justo abajo, así como en la entrada del 2 de junio de 2012.—*Autor.*

[2] Mal 4:1; Jdt 16:20–21; Mat 3:7–12, 13:40–43; Luc 3:16–17; Jn 15:1–6; Heb 6:4–9; 2 Pe 3:10.

[3] Sal 68:10 (69:9); Jn 2:7; Rom 12:11; 1 Pe 3:13; Apoc 3:19; Véase San Benito, *La Santa Regla,* capítulo 72.

Corazón Eucarístico y Yo trabajaré en ti para purificarte, santificarte, llenarte de alegría en esta vida y de gloria por siempre en la próxima.

Martes 31 de enero de 2012

La adoración Eucarística se convierte para Mis sacerdotes en el medio por el cual comienzan a decir sinceramente y con una alegría inmensa en sus corazones: "Estar cerca de Dios es Mi felicidad y Mi felicidad está solo en ti."[1] Quiero que Mis sacerdotes sean felices, no con la felicidad que el mundo da (porque se desvanece rápidamente, dejando una amargura en el paladar del alma), sino con la felicidad que es el fruto de Mi presencia cuando se busca, se adora y se glorifica el Sacramento de Mi amor. Mis sacerdotes serán felices en la medida en que sean sacerdotes Eucarísticos.

La felicidad de un sacerdote es directamente proporcional a su experiencia con Mi amistad, Mi cercanía a él en el Sacramento de Mi amor, y Mi disposición para recibirlo allí, para presionarlo contra Mi Corazón, y para refrescar su alma. El sacerdote que deja que los días y las semanas pasen sin detenerse y sin pasar tiempo ante Mi Rostro Eucarístico, pronto encontrará su alma despojada de la felicidad sobrenatural que es fruto de la adoración.

Demasiados sacerdotes se vuelven melancólicos y amargados porque Me mantienen a distancia de sus corazones, incluso cuando Yo estoy sacramentalmente presente y disponible para ellos en un tabernáculo que no puede estar a más de unos pasos de distancia. Los sacerdotes piensan que el ministerio es la totalidad de su vocación, olvidando que Yo los llamo, ante todo, *a estar Conmigo*, a permanecer en Mi presencia y a ser Mis amigos íntimos, los amigos más cercanos de Mi Sagrado Corazón.

Para muchos, el negocio de la religión ha expulsado la alegría que es un signo infalible de Mi presencia en la vida de ellos. Yo ya no soy el foco central para el ministerio sacerdotal de demasiados de Mis elegidos, se agotan en un flujo constante de actividades y conversaciones sin tomarse nunca el tiempo de callar en Mi presencia y de escuchar lo que Mi Corazón anhela hablar a sus corazones. Esto es cierto no solo para los sacerdotes diocesanos, es cierto, desgraciadamente, para demasiados de los que he llamado a vivir solo para Mí en el silencio del claustro. Incluso allí ha penetrado el espíritu del activismo, atrayendo a los hombres de una empresa a otra, haciendo que construyan castillos en la

---

[1] Sal 72(73):28; Sal 15(16):2. Este último versículo también se puede interpretar como "Tú no tienes necesidad de mis bienes" o "Yo no tengo ningún bien aparte de Ti."

arena, juguetes que serán arrastrados una y otra vez por la vehemencia de Mi amor, hasta que aprendan a encontrar la felicidad solo en Mí.[1] Estas son cosas que hay que decir. Te las digo primero a ti, para que cambies tu propia vida y llegues a ser, el sacerdote adorador y reparador que Yo he elegido que seas, por el bien de todos tus hermanos sacerdotes.

Da a conocer estas palabras. Tocarán muchos corazones y las haré fecundas en las almas de los que las lean con sencillez y fe. No hay nada nuevo en las palabras que te hablo, su novedad está en el modo en que expreso los deseos de Mi Corazón y Mi amor permanente para Mis sacerdotes, para ti y a través de ti, para el bien de muchos de ellos. Se simple, entonces; transmite lo que te digo durante estos tiempos de adoración, y confía en Mí para dar crecimiento a la semilla, dispersada en el extranjero.[2]

Miércoles 1 de febrero de 2012

Cuando llegues a la adoración, ponte delante de Mi Rostro Eucarístico como un espejo ante el Sol. De esta forma captarás el resplandor de Mi Rostro y el fuego que arde en Mi Corazón, así te convertirás en luz y fuego para las almas sumergidas en la oscuridad y los corazones que se enfrían.

¡Cuántas almas preciosas perecen porque los sacerdotes que les he enviado no son hombres de luz, ni son parte del fuego de amor divino! Hay sacerdotes Míos que actúan como si fueran ministros de Satanás, trayendo consigo tinieblas y haciendo estremecerse a las almas por la falta de calidez sobrenatural. Pero esto puede cambiar, con solo que Mis sacerdotes regresen a Mí y Me permitan hacer que todos ellos ardan y se iluminen en este mundo tuyo, que se está volviendo tan oscuro y tan frío. Este mundo tuyo es Mi mundo, porque lo creé y Yo llenaría todo lo que creó, de vida y luz. Son los hombres que apagan Mi luz en el mundo y apagan el fuego del amor que vine a derramar sobre la Tierra.[3]

Oh, sacerdotes Míos, ¿Cuándo se convertirán y se volverán a Mí, buscando Mi Rostro en el Sacramento de Mi amor? ¿Cuándo huirán de la frialdad del mundo para vivir cerca del fuego que nunca podrá apagarse

---

[1] Los sacerdotes y religiosos que son tentados a seguir una falsa filosofía de activismo, pragmatismo y utilitarismo o que pierden su tiempo en entretenimientos y distracciones, sufrirán los juicios amorosos de Dios. Él amargará sus falsos deleites, destruirá sus empresas y debilitará la eficacia de su trabajo para despertarlos a su llamado de amistad íntima con Él como fuente de felicidad y condición para toda fecundidad.

[2] Cor 3:6–7; 2 Cor 9:7–15; Col 2:19; Sant 5:7–8; Mar 4:26–29.

[3] Jn 3:19–20; Luc 12:49.

porque es el fuego de amor que arde en Mi Corazón? No les pido nada difícil o duro de alcanzar, solo les pido que Me busquen en el tabernáculo más cercano, donde les espero. Y cuando Me hayan encontrado allí, permanezcan Conmigo. Pongan su alma delante de Mí como un espejo ante el Sol y Yo haré grandes cosas en ustedes y a través de ustedes; porque Mi amor es un fuego consumidor que se caracteriza por la pureza y es la salvación para un mundo frío.

Cuando Mis sacerdotes regresen a Mis tabernáculos, buscando Mi Rostro y anhelando descansar sobre Mi Corazón, comenzarás a ver cosas maravillas en Mi Iglesia, en Mi Iglesia que se ha acostumbrado a vivir en mediocridad y tibieza. Esto último no es obra mía, pues Yo soy, en verdad, un fuego consumidor.[1] Es más bien, el trabajo lento pero implacable del Maligno que desea ver todo lo que he creado sumergido en la oscuridad y congelado en el mal.

Yo soy luz y soy fuego y los que vienen a Mí en el Sacramento de Mi amor se convertirán en luz y fuego en Mí. ¿No ves que esto está sucediendo? ¿No es esta tu propia experiencia? Ámame, entonces y deja que el amor te obligue a correr hacia Mí en el Sacramento de Mi amor por ti. Se puede hacer más bien en una sola hora de adoración que en cien días de predicación ininterrumpida y trabajos apostólicos, porque cuando estás Conmigo, Yo trabajo para ti. El tiempo pasado en Mi presencia no es tiempo perdido. Es la multiplicación del tiempo y la magnificación de tu fuerza limitada en una energía que viene de Mí, una energía por la cual Yo haré grandes cosas a través de ti.

Todo lo que no procede de Mí está perdido. Todo lo que no procede de Mí será barrido en el día de la tentación. Todo lo que no viene de Mí no tiene valor en el Reino de los Cielos. Busca, entonces, no hacer mucho, sino amarme por encima de todas las demás cosas. El que Me ama buscará Mi Rostro y encontrará Mi Corazón y será encendido con el amor que irradia de Mi presencia sacramental.

Anhelo ver a los sacerdotes adoradores regresar de todas partes a Mi presencia Eucarística. Anhelo ver a los sacerdotes adoradores descubrir que no hay mejor lugar en la Tierra que el lugar reservado para ellos ante Mi tabernáculo. Anhelo sacerdotes adoradores que mueran a sí mismos y abandonen todas las cosas por amor a Mí,[2] que por Mi amor a ellos Me he hecho tan frágil, tan pequeño y tan oculto en el Sacramento del Altar.

---

[1] Éxod 24:17; Deut 4:24, 9:3; Sal 49(50):3; Is 29:6, 30:27–30, 33:14; Heb 12:29.
[2] Mat 10:37–39, 19:27–29; Mar 10:28–30; Luc 9:23–24, 14:33, 18:28–30; Jn 3:30, 12:24; Gál 2:20, 5:24, 6:14; Fil 3:8; 1 Pe 2:24.

Viernes 3 de febrero de 2012

He aquí, Yo estoy a la puerta y llamo.[1]

El miedo es el gran obstáculo en la oración interior. La oración y la adoración Eucarística, en particular, es una transacción peligrosa porque amenaza el estado de mediocridad en el que una persona se ha asentado. En la adoración Yo actúo directamente sobre el alma, el alma está expuesta a Mí en su pobreza, su desnudez y todos sus pecados.

La adoración Me da el espacio para trabajar en un alma. Es la gran corrección para los que, por su personalidad y carácter, están en constante movimiento y siempre inquietos. Permanece quieto, sabes que Yo soy Dios.[2] Ábreme la puerta de tu corazón y Yo entraré.[3] Te mostraré Mi Rostro y te revelaré los pensamientos de Mi Corazón. Voy a conversar contigo cara a cara, como un hombre conversa con su más querido amigo. Hay quienes van por la vida manteniéndome a distancia porque temen lo que Yo pueda hacer si Me permiten acercarme a ellos.

Estas almas aún no Me conocen, porque si Me conocieran, sabrían que Yo soy amor y que todo lo que hago es amar. La adoración Eucarística es el remedio para el miedo que mantiene a las almas alejadas de Mí. ¿Por qué? Porque las obliga a detenerse, a callarse ante los propios impulsos, pensamientos, deseos y proyectos, a permanecer cerca de Mí y a aprender de Mí que soy manso y humilde de Corazón.[4] En la adoración, el que trabaja para Mí encontrará descanso y refrescamiento para su alma.

Una pequeña lectura durante la adoración no es algo malo, puede disponer al alma a escucharme directamente cuando le hablo al corazón.

Lunes 6 de febrero de 2012

En cuanto a ti, ámame, no cuentes contigo para nada y cree siempre que estás a salvo en Mi amor paterno por ti. Hay cosas sobre las que no tendrás control. Humíllate ante Mí, adhiérete a todos Mis designios, y confía en Mi perfecto amor por ti. No soy un tirano cruel. Yo soy el más amoroso de los padres, el Padre por quien toda paternidad en la Tierra deriva su nombre.[5]

---

[1] Apoc 3:20.
[2] Sal 45:11 (46:10).
[3] Apoc 3:20; Cant 5:2; Sal 23(24):7–10.
[4] Sal 45:9–12 (46:8–11); Mat 11:29.
[5] Efes 3:14–15.

Jueves 9 de febrero de 2012

Haz una cosa tras otra, calmada y silenciosamente. Yo estoy contigo para ayudarte en este trabajo y si estás atento a Mis inspiraciones y obediente al sonido de Mi voz hablándote interiormente, descubrirás que todo se está desarrollando según Mi plan de sabiduría y amor por ti.

Miércoles 22 de febrero de 2012

Todo lo que está sucediendo ahora está en Mis manos y Mi amor ha ordenado todas las cosas, hasta los más pequeños detalles, para hacer que Mi cuidado por ti brille ante los ojos de los hombres. Así confundiré a los detractores que dudan de que Yo esté trabajando en lo que tú estás haciendo por medio de Mi inspiración. Avanza sin temor y con alegría, confiando absolutamente en Mí para proveerte, para protegerte, alimentarte y vestirte[1] y para instruirte en los misteriosos designios de Mi Corazón sobre ti y sobre los que Yo estoy enviando hacia ti.

Algunos de los que están más necesitados de lo que estoy haciendo se resistirán y lo criticarán.[2] No dejes que sus resistencias y críticas frenen el ritmo de tu progreso. La obra es Mía y Yo deseo verla florecer, aunque a veces parezca que no hay esperanza y que todas Mis promesas han sido vanas ilusiones y fabricaciones vacías de tu propia creación. Este no es el caso. Soy Yo quien ha inspirado esta obra en ti y la llevaré a cabo. Es una obra de Mi Sagrado Corazón. Dudar de lo que estoy haciendo aquí es dudar de Mi amor por ti. Mi amor por ti nunca fallará. Sé humilde y confía en Mi amor por ti. Sé valiente y actúa con valentía.[3] Yo estoy contigo y mientras seas fiel a la adoración que te pido, todo se desarrollará según Mi plan y apoyaré tus decisiones y afirmaré la paternidad que es Mi regalo para ti. Mantente cerca de Mí y quiero que sepas que Yo estoy en ti y contigo, y en todo momento atento a tus oraciones.

Me he reunido en este cenáculo, como en el hospital de Mi Sagrado Corazón para los quebrantados de corazón, los vacíos, los temerosos y los solitarios. Esto lo seguiré haciendo, porque Mi Corazón es el refugio y el descanso de todos los que confían en Mi amor.

---

[1] Mat 6:25–34; Luc 12:22–32.

[2] Jn 16:1–4; Mat 15:7–9, 23:13; Luc 5:30–32, 12:54–56; Hech 7:51–53.

[3] Deut 31:6–7, 31:23; Jos 1:18, 10:25; 1 Rey 2:1; Sal 26(27):14; Dan 10:19; Ag 2:5 (2:4); 1 Mac 2:64; 1 Cor 16:13.

Martes 6 de marzo de 2012

Ven a Mí en adoración y Yo enderezaré tu camino delante de ti.[1] Eliminaré los obstáculos que surgen a lo lejos y cubriré todas las necesidades que aparezcan. Escúchame y escribe Mis palabras, porque Yo te estoy hablando como lo he hecho en el pasado y como lo seguiré haciendo, porque eres el amigo de Mi Corazón y Yo te he elegido para esta obra que es mía.

Mi Madre sigue protegiéndote. Ella es tu Abogada y defensora. Ella te tiene cerca de su Corazón maternal y adoptará de manera similar a todos los que Yo te enviaré. Cada uno de ellos será hijo de María, modelado según San Juan, a quien le confié a Mi Madre desde la Cruz, para que lo formara y le enseñara los secretos de Mi Corazón, que ella tenía guardados en su interior como en un tabernáculo.[2]

De ella recibió Juan la Palabra de Vida, que se convirtió en su Evangelio en una luz que iluminaba el mundo entero y en un fuego de amor Eucarístico que daba calidez a las almas que se enfriaban.[3] Lee con frecuencia Mis palabras en el Evangelio de San Juan. Permite que esas palabras caigan en tu alma y que actúen sobre ella. Descubrirás que el Evangelio de San Juan, extraído del Inmaculado Corazón de Mi Madre, contiene, un poder para sacar a las almas de las tinieblas hacia la luz y de la sombra de la muerte hacia el resplandor de Mi brillo.

Son tan pocas las almas que entienden que Mis Evangelios son espíritu y vida.[4] Uno no puede escuchar Mi Evangelio, el Evangelio de Mi amado discípulo, en particular sin ser atraído a Mi Corazón, de donde vino el Sacramento de Mi amor, por el cual Yo alimento a Mi Iglesia y Me hago presente a ella todos los días, incluso hasta el fin de este mundo pasajero.[5]

No hay nada que no haga por los que se acercan a Mí en el Sacramento de Mi amor. Mírame, aquí estoy vulnerable, expuesto, oculto y, sin embargo, totalmente entregado a ti. La Eucaristía es la invención de Mi amor y nada la supera en todas Mis obras. La Eucaristía es más que la creación misma,[6] es la corona de Mi obra de redención en este

---

[1] Prov. 3:6, 4:27 (Vul.).

[2] Jn 19:25–27; Luc 1:41–43, 2:19, 2:51, 11:27–28.

[3] Fil 2:16; 1 Jn 1:1; Jn 1:9, 3:19–21, 8:12, 9:5, 11:9–10, 12:46; 2 Cor 4:4; Sab 17:19 (17:20).

[4] Jn 6:63.

[5] Mat 28:20; Efes 5:29; Col 2:19; Apoc 12:14.

[6] Como enseña Santo Tomás, Cristo como Dios es el bien extrínseco al que está ordenado todo el Universo (ver *Super I ad Cor.*, Cap 12, lec 3) y todo Cristo está presente en la Eucaristía.

mundo y es el anticipo de la gloria que he preparado para los que Me aman en el próximo.[1]

Si las almas comprendieran los tesoros de amor que se dan gratuitamente a los que se acercan a Mí en el Sacramento de Mi amor, Mis iglesias estarían llenas día y noche, y serían incapaces de contener a las multitudes atraídas hacia ellas. Pero el Maligno ha maquinado y conspirado para cubrir el misterio de Mi presencia con un velo oscuro de negligencia, irreverencia, olvido e incredulidad. Él ha oscurecido el misterio de Mi presencia real y así Mis fieles, comenzando con Mis sacerdotes, han caminado lejos de Mí, uno tras otro, así como lo hicieron cuando Yo hablé claramente de Mí como el Pan vivo que desciende del Cielo para dar vida al mundo.[2]

Satanás odia a los que, resistiendo a sus mentiras, han permanecido cerca de Mí, adorándome en el Sacramento de Mi amor y consolando Mi Corazón que está tan afligido por la ingratitud de los hombres y su falta de fe en el misterio de amor que es Mi presencia Eucarística real. A causa de estas cosas que tanto afligen a Mi Corazón, Yo te he llamado a una vida de adoración y reparación. A través de tu adoración y reparación, innumerables sacerdotes volverán a Mis altares y al Sacramento de Mi amor, donde Yo los espero sin cansarme de esperarlos y listo para recibirlos en el abrazo de Mi amor Eucarístico.

Sábado 10 de marzo de 2012

Oh, mi amado Jesús, estoy feliz de estar en Tu presencia. Tu salmista lo dijo: "Estar cerca de Dios es mi felicidad."[3] No hay palabras para describir lo que es tenerte a Ti tan cerca:—Dios de Dios, Luz de Luz, Dios verdadero de Dios verdadero.

Estás escondido, pero Te veo.
Tú estás en silencio, pero yo Te escucho.[4]
Estás inmóvil, pero Te extiendes para atraerme
  y abrazarme contra Tu Corazón.

---

[1] En los textos litúrgicos que transmiten las mismas verdades, véase el Oficio de la Fiesta del Corpus Christi compuesta por Santo Tomás de Aquino. Considere la antífona de *Magníficat* para vísperas: "O sacrum convivium, in quo Christus sumitur: recolitur memoria passionis eius: mens impletur gratia: et futurae gloriae nobis pignus datur. Alleluia" (Oh banquete sagrado, en el que se recibe a Cristo, se renueva el recuerdo de Su Pasión, la mente se llena de gracia y se nos da una garantía de la futura gloria. Aleluya).
[2] Ver Jn 6, esp. vv. 41–66.
[3] Sal 72(73):28.
[4] Sof 3:17 (Vul.); Apoc 8:1.

El que Te posee en el Sacramento de Tu amor,
  posee todo.
Porque Tú estás aquí, no me falta nada.
Porque Tú estás aquí, no tengo nada que temer.[1]
Porque Tú estás aquí, no puedo estar solo.
Porque Tú estás aquí, el Cielo está aquí y miríadas de ángeles
  Te adoran y Te ofrecen sus canciones de alabanza.
Debido a que estás aquí, no necesito buscarte en ningún otro lugar.[2]
Porque Tú estás aquí, mi fe Te posee, mi esperanza está anclada
  a Ti, mi amor Te abraza y no Te dejará ir.[3]

Tú, entonces, guarda silencio, porque Yo callo, permanece oculto, porque Yo estoy oculto, sé humilde, porque Yo soy humilde.[4] Bórrate, porque aquí Me he borrado para permanecer contigo, para darte el resplandor de Mi Rostro de una manera que ilumine tu alma sin cegarte.

No retengo nada a quienes Me aman y Me buscan en el Sacramento de Mi presencia silenciosa y viva. Los que vienen a Mí y permanecen en Mi presencia una sola vez, si Me permiten tocar sus almas, volverán a Mí una y otra vez. Ellos encontrarán en Mí todo lo que es necesario para la felicidad en este mundo, incluso cuando el sufrimiento abunda y cuando la oscuridad parece haber caído sobre todas las cosas. En el Sacramento de Mi Amor, soy la perla de gran valor y el tesoro escondido en el campo.[5] Soy la felicidad duradera del hombre que vende todo lo que tiene para poseerme.

Estoy aquí para ti, amado amigo y sacerdote de Mi Corazón. Estoy aquí para ti y nada Me impedirá darte de acuerdo con el deseo de Mi Corazón. Ven a Mí y recibe lo que espero darte. Nunca te decepcionarás ni te irás vacío.

Dame, Señor Jesús, según el deseo de Tu Corazón. Soy un recipiente vacío esperando que Tú me llenes. Permaneceré ante Ti, silencioso y vacío, y preparado para ser llenado con lo que sea que Te agrade a Ti para que viertas en mí. Lléname según Tu deseo, no solo para mí, sino para otros, para las almas que Tú me envíes, para que les dé algo puro, algo divino para beber.

[1] Jn 6:20; Is 12:2, 44:6–8; Jer 1:8.
[2] Jn 20:11–18.
[3] Efes. 3:17; Heb 6:19; Cant 3:4.
[4] En Silencio, Véase Sof 1:7, 3:17 (Vul.); Zac 2:13; Job 6:24; Sab 18:14; Mat 26:63; Mar 14:61; Apoc 8:1. En lo oculto, Véase Is 45:15; Sal 30:21 (31:20); Hab 3:4; Jn 8:59, 12:36; 1 Cor 2:7; Col 2:3; 1 Pe 3:4; Apoc 2:17. En humildad, Véase Jdt 9:16; Sir 10:17–21; Mat 11:29, 18:4.
[5] Mat 13:44–46.

Martes 13 de marzo de 2012

Ningún momento pasado en Mi presencia es sin valor. Cada momento dado a Mi es precioso a Mi vista y se vuelve fecundo para toda la Iglesia. No es una cuestión de cantidad, de pasar largas horas en Mi presencia cuando los deberes de nuestro estado en la vida requieren algo más. Lo que pido, en cambio, es el momento de la adoración pura y del amor que se Me ofrece desde un corazón simple e infantil. Del mismo modo que una madre se deleita tanto en una sola flor silvestre que su hijo le ofrece, como en un gran ramo de flores, también Me deleito en el momento que Me ofrecieron por amor.

Comienza, entonces, ofreciéndome lo que puedas. Verás que te moveré para agregar momento a momento, hasta que Me des todo el tiempo de adoración y amor que deseo de ti. Demasiadas almas se desalientan cuando intentan orar. Piensan equivocadamente que al menos deben emprender mucho, no deberían emprender nada. Y así, abandonan la oración y Me dejan solo, Me dejan esperando su pequeño momento de presencia, un consuelo para Mi Corazón.

Dame el pequeño momento de adoración y de amor, y lo multiplicaré, posibilitando que Me des horas de adoración y de amor, a medida que estén disponibles en tu vida y como pido de ti. Demasiadas almas intentan hacer demasiado y terminan sin hacer nada. Es mejor comenzar haciendo lo poco y confiarme esa pequeña ofrenda, confiando en que la recibiré y la convertiré en Mi gloria y en la gloria de Mi Padre.

Jueves 15 de marzo de 2012

Son los pequeños y los pobres los que acuden a Mí en el Sacramento de Mi amor y que consuelan Mi Corazón dándome su presencia ante Mí. Siempre ha sido así. Los orgullosos y los mundanos no tienen tiempo para Mí, porque estoy escondido, porque soy pobre, porque estoy en silencio, en el Sacramento de Mi amor.[1] Pero los que son humildes y pobres se sienten atraídos por la humildad y la pobreza de Mi presencia Eucarística. Les doy la bienvenida. Me consuelo en su presencia y los reconozco como los benditos de Mi Padre a los que ya pertenece el Reino de los Cielos.[2]

Domingo 18 de marzo de 2012

Tú me has llamado a esta vida oculta de adoración y de reparación porque Tú deseas tener, cerca de Tus tabernáculos en la Tierra, hombres que imi-

---

[1] 1 Cor 1:18–31.
[2] Mat 25:34.

tarán Tu vida sacramental oculta en el adorable misterio de Tu presencia real.

Úneme a Ti, entonces, Te ruego, a Tu humildad Eucarística, a Tu silencio, a Tu ocultación y a Tu incesante oración al Padre. Úneme a la oblación ininterrumpida de Ti mismo al Padre en el Sacramento de Tu amor. No hay un momento en el que Tú no Te estés ofreciendo, ningún momento en el que Tu inmolación en la Cruz no sea presentada al Padre desde el silencio de Tus tabernáculos. No permitas que nada, entonces, pueda separarme de Ti,[1] el Cordero de Dios por Cuya Sangre se redime el mundo, se limpian las almas del pecado y el Corazón del Padre Se apiada de los pecadores más endurecidos y por las más pequeñas de Tus criaturas. Amén.

Viernes 20 de abril de 2012

Oh, mi amado Jesús, adoro Tu Rostro Eucarístico, Cuyo resplandor es mi luz segura en las sombras de este exilio terrenal. Mientras estés conmigo, no temeré al mal. Tú estás aquí, cerca de mí y yo estoy aquí, cerca de Ti, para creer en Ti, esperar en Ti, amarte y adorarte. Aparte de Ti, no deseo nada en la Tierra y sin Ti, ¿Qué es el Cielo?[2] Aquí en Tu presencia Eucarística está el Cielo en la Tierra. Aquí está la alegría eterna de todos los ángeles y bendecidos. Aquí está el cumplimiento del anhelo en la esperanza que arde como un fuego en las almas del purgatorio.[3] Aquí está el corazón de la Iglesia en la Tierra y la gloria de la Iglesia en el Cielo. Aquí está el estupendo milagro de Tu amor por nosotros, Tu presencia perdurable como el Cordero que fue sacrificado y el triunfo de Tu Cruz y Resurrección.

¿Por qué, entonces, estás solo en este Santísimo Sacramento? ¿Por qué estás abandonado en Tus tabernáculos? ¿Por qué están vacías o raramente visitadas Tus iglesias? ¡Revélate de nuevo en el Sacramento de Tu amor! Haz conocer Tu presencia aquí a los que dudan, a los ignorantes, a los indiferentes y a los de corazón frío. Atrae a todos, bautizados y no bautizados, al resplandor de Tu Rostro Eucarístico y no permitas que ningún alma escape del abrazo de Tu amistad Eucarística. De este modo, podrás satisfacer Tu propia sed de fe y amor de nuestras almas y así podrás satisfacer el anhelo de Tu propio Corazón por el amor de los corazones que has creado para Ti y para ningún otro. Amén.

---

[1] Véase la segunda oración del sacerdote antes de recibir la Sagrada Comunión en el *usus antiquior* del Rito Romano: "Fac me tuis semper inhaerere mandatis, et a te numquam separari permittas" (haz que me aferre siempre a Tus mandamientos, y que nunca sufra estar separado de Ti).

[2] Sal 15(16):2; Sal 72(73):25; Prov 3:15.

[3] St. Catherine of Genoa, *Purgation and Purgatory*, trans. Serge Hughes (New York: Paulist Press, 1979).

Lunes 23 de abril de 2012

El regalo que Me pediste, el don de adoración, ya te ha sido dado. Solo tienes que hacer uso de él. Lo verás multiplicarse en las almas a tu alrededor. Así, este lugar se convertirá en la casa de adoración que Mi Corazón tanto tiempo ha deseado. Confía en Mis palabras para ti y haz uso del don que te he dado.

Domingo 29 de abril de 2012

¿No ves el amor con el que te he preparado todo para traerte a este lugar? Sí, lo convertiré en un lugar de curación y de esperanza para muchos, comenzando con los que están aquí en este momento. Haré que Mi amor Eucarístico irradie a cada corazón desde Mi Rostro, que, aunque oculto, brilla más que el sol en este Sacramento de Mi presencia permanente entre ustedes.

Que Mis adoradores tomen su lugar delante de Mí. Su fe, esperanza y entrega a Mi amor misericordioso causarán que una gran ola de amor sanador se derrame de Mi Sagrado Costado y sea irradiado desde Mi Rostro. Así Mis adoradores sin salir de Mi santuario, serán también Mis apóstoles, mensajeros e instrumentos de Mi amor misericordioso y de Mi ardiente deseo de reunir a los perdidos, de vendar a los heridos, de atender a los golpeados y de sanar a los quebrantados de corazón.

Te estoy hablando ahora como ya te he hablado en el pasado y seguiré hablándote por tu propio bien y por el bien de los que leerán Mis palabras. Mi amor por ti no ha disminuido ni las disposiciones de Mi Corazón hacia ti han cambiado. Te amo tiernamente, fielmente, misericordiosamente y te atraeré al abrazo de Mi amistad y te mantendré cerca contra Mi Sagrado Costado hasta que, por fin, llegues a morar en Mi Sagrado Corazón, el santuario de Mis elegidos y el refugio de los pobres pecadores.

Confía en Mi amor por ti y sigue adelante, actuando con firmeza y valentía, porque estoy contigo y este trabajo es totalmente Mío. Es una obra de Mi amor misericordioso por los sacerdotes, por los hombres que he elegido entre millones de otros para ser los queridos amigos de Mi Corazón y los que comparten íntimamente Mi pasión de amor.[1]

Permíteme amarte, viniendo ante Mí y permaneciendo en Mi presencia. Esto es lo que te pido, antes que nada. Búscame primero y descubrirás que te daré tiempo para venir delante de Mí.[2] Escucha atenta-

---

[1] Cant 5:10; Sal 104(105):26; Ag 2:24 (2:23); Mat 22:14; Jn 13:18, 15:16; Hech 1:2, 10:41; Heb 5:1.
[2] Mat 6:33; Luc 12:31.

mente Mis inspiraciones y las sugerencias que hago a través de tu ángel guardián, a través de Mi Madre Inmaculada y a través de nuestros amigos, los santos a quienes les he encargado apoyarte, guiarte y caminar contigo en esta vida.

Todos estos son colaboradores del Espíritu Santo, que actúan en unión con el Amor no creado que es el vínculo de Mi unión con el Padre y con todos Mis elegidos, los santos en el Cielo y en la Tierra. Nada de lo que hacen Mis santos en el Cielo se logra sin el Espíritu Santo y todo lo que hacen Mis santos, a través de señales y milagros, manifiesta el poder creador del Espíritu Santo en acción en la Iglesia, no solo a través de los Sacramentos que instituí y di a la Iglesia, sino también a través de la intercesión de los ángeles y santos en gloria.

Entonces ámame y confía en Mi amor por ti. Pídele al Espíritu Santo que te inflame con el mismo fuego de amor que arde en Mi Sagrado Corazón y en los corazones de todos Mis santos. Es en la oración de adoración que este amor se fortalece, convirtiéndose en un fuego que da luz y calidez a todos los que se acercan, ardiendo en los corazones de Mis seres queridos.

17 de mayo de 2012
Jueves de Ascensión

Escúchame. En silencio, hablo a las almas. Los que huyen del silencio nunca oirán Mi voz. Fomenta el silencio y practícalo con una renovada dedicación, ya que es en silencio que desciende el Espíritu Santo y en silencio es donde trabaja en las almas, llevándolas a la santidad de la vida y a la perfección que deseo para cada una.

Entra en el cenáculo con Mi Madre y Mis apóstoles. Invócalos y vive estos días en su compañía. El espíritu del cenáculo es de caridad, silencio, separación efectiva del mundo y perseverancia en la oración. Esto es lo que te pido. Una semana o más de silencio solo traerá beneficios para la mente, el alma y el cuerpo.

Amo el silencio,—mira Mi vida Sacramental,[1]—y amo a los que Me siguen en el silencio de Mi presencia Eucarística. La Eucaristía es el más silencioso de los sacramentos. Una vez que se pronuncian las palabras de consagración, estoy presente y Mi presencia se envuelve en un profundo silencio. Silencio en el Sacramento de Mi amor porque allí soy humilde. Allí Me rebajo para vivir oculto, y a menudo, olvidado, en un silencio que solo los más humildes de corazón pueden entender.

---

[1] Esta es la Sagrada Hostia.—*Autor.*

27 de mayo de 2012
Domingo de Pentecostés

¡Ven, Espíritu Santo!
¡Ven, Fuego vivo!
¡Ven, Unción desde arriba!
¡Ven, Agua viva!
¡Ven, Aliento de Dios!

Márcame con una incisión de fuego para el trabajo al que he sido llamado. Firma en mi alma profunda e indeleblemente para la adoración del Rostro Eucarístico del Hijo y para el consuelo de Su Corazón Eucarístico. Así que quema la marca de esta vocación en mí, que sufriré por cada vez que se le traiciona y de toda infidelidad a la vocación. Así que séllame para esta vocación en la que Te encontraré solo en su cumplimiento y en su perfección en la adoración duradera del Cielo, donde Tú vives y reinas con el Padre y el Hijo.

Permite que la adoración del Cordero comience para mí hoy aquí en la Tierra y que aumente y se profundice en mi vida hasta que se convierta en incesante: como una fuente de alegría que brota de una fuente inagotable, Tu propia presencia permanente en mi alma, para calmar la sed del Esposo Cristo[1] y hacer fructificar su sacerdocio en la Iglesia. Amén.

Sábado 2 de junio de 2012

Tú has comenzado bien este mes de junio ofreciéndote como víctima del amor misericordioso de Mi Corazón. Te llevaré al resplandor de Mi Rostro Eucarístico y te consumiré en el fuego de Mi Corazón Eucarístico. Dedícate a amarme, busca Mi Rostro Eucarístico, permanece cerca de Mi Corazón Eucarístico y haré todo lo demás. No te faltará nada. Soy tu proveedor, tu amante, tu amigo. Soy tu comida, tu bebida, tu ropa y tu refugio. Soy tu consejero en la incertidumbre, tu consolador en la tribulación, tu compañero en el exilio.

Refiere a Mí todas las cosas. No dejes que nada te distraiga de tu trabajo esencial, permanece en Mi presencia, amándome por los que no Me aman, confiando en Mí por los que no confían en Mí, agradeciéndome por los que no Me agradecen y ofreciéndote a Mí por los que se apartan de Mí, sobre todo, por Mis pobres sacerdotes, tus hermanos en este valle de lágrimas. Sé fiel a este trabajo esencial y lo haré prosperar. Los sacerdotes volverán al amor de Mi Corazón y comenzarán a morar a la luz de Mi Rostro Eucarístico. De esta manera, toda la Iglesia comen-

---

[1] Is 12:3; Jn 4:13–14, 19:28; Apoc 7:17.

zará a renovarse en la brillante santidad que es el deseo de Mi Corazón y Mi voluntad para ella.

No descuides la Confraternidad de Sacerdotes Adoradores, establécela lo antes posible. A través de ella, Mi Corazón será consolado por Mis sacerdotes. El resplandor de Mi Rostro brillará desde sus rostros y muchos de los que han vivido lejos de Mí en la oscuridad volverán a vivir y a caminar en la luz de Mi Rostro. Es hora de que le presentes esto a tu obispo. Luego avanza, confía en Mí para mover los corazones de muchos sacerdotes para que se adhieran a esta iniciativa de Mi Corazón y del maternal Corazón de Mi Inmaculada Madre.

Jueves 7 de junio de 2012

Es por adorarme, que este pequeño monasterio cobrará vida y se convertirá en el centro del amor, de la misericordia y de la gracia para los sacerdotes que quiero que sea. Aquí, al adorarme, están construyendo este monasterio o más bien, al adorarme Me están permitiendo construirlo y proveer todo lo que Mi plan requiere para su cumplimiento.

Sábado 9 de junio de 2012

Siempre estás en Mi presencia y cuando tu corazón se dirige hacia Mi Corazón, no hay distancia entre nosotros. Mi presencia sacramental, aunque única, sustancial y real, no es la única forma de Mi presencia.[1] No es posible que permanezcas cerca de Mí en cada momento del día en el Sacramento de Mi amor y ante Mi altar, pero es posible que Me adores en cada momento en el santuario interior de tu alma, donde Yo también estoy presente, junto con Mi Padre y con el Espíritu Santo.

Adhiérete a Mi voluntad en todo momento y Me adorarás en todo momento. Entiendo las complejidades y circunstancias de tu vida. Permanece Conmigo deseando estar Conmigo. El deseo de nunca dejar Mi presencia sacramental es, en efecto, tan precioso a Mi vista como si estuvieras físicamente ante Mí, adorándome, escuchándome, hablándome. Aprende de Mi servidora, la madre Mectilde, cómo adorarme perpetuamente sin renunciar a las cosas que requieren tu atención. Estoy presente íntimamente en el santuario secreto del alma de todos quienes desean estar Conmigo, de todos los que buscan Mi Rostro y los que desean descansar sobre Mi corazón.

---

[1] Véase papa Pablo VI, Carta Encíclica *Mysterium Fidei* (3 septiembre de 1965), §§ 20–21.

Dame tu incapacidad para llevar a cabo todo lo que te propongas y recibiré tu incapacidad y la cambiaré por Mi amor en una ofrenda más agradable que el logro exitoso de lo que te propones hacer. Confía en Mí en tus debilidades. Dame tu incapacidad para hacer incluso lo que te he inspirado a hacer. Tu pobreza, tu enfermedad, incluso tu inconstancia no son un obstáculo para Mi trabajo en tu alma, siempre que abandones a Mí todo con total confianza en Mi amor misericordioso. Haz lo que razonablemente puedes hacer y lo que no puedes hacer, dámelo también a Mí. Estoy tan complacido con la ofrenda de uno como con la ofrenda del otro. Deja que estas palabras te consuelen. Comprende que no soy un capataz, sino un amigo y el más cariñoso y acogedor de los amigos. ¿Qué amigo saludaría a quien ama con un reproche en vez de darle una tierna bienvenida?

Sí, te he llamado a una vida de adoración y de reparación, pero también te llamo a la humildad, al pequeño camino de la infancia espiritual y a una confianza ilimitada en Mi misericordia. Adórame entonces, en el Sacramento de Mi amor, tanto como puedas y cuando no puedas hacerlo, adórame en el lugar de encuentro Conmigo que es tu enfermedad, tu debilidad y las necesidades del momento presente.

Adórame incesantemente en el santuario de tu alma y conoce que tu adoración allí Me glorifica en el Sacramento de Mi amor y en la gloria del Cielo, donde un día te uniré a Mí para siempre.

Viernes, 22 de junio de 2012

Escúchame, ya que Yo te hablo ahora como te he hablado en el pasado. No fuiste engañado y cualquier inexactitud en lo que escribiste vino de tu imaginación, no del Maligno y esas inexactitudes son pocas. Era Yo el que te estuve hablando para consolarte, para fortalecerte en tu amor por Mí y para llevarte al silencio que es la gracia particular de los que uno a Mí mismo en el amor.

Esté en paz y no temas por el futuro. Desde lo más profundo del amor de Mi Corazón por ti te hablo ahora como lo he hecho en el pasado. Cree en Mi amor por ti y te protegeré de los errores de tu propia imaginación y de los engaños del Maligno. Quiero que nuestros diálogos continúen, porque te he elegido para que seas el amigo íntimo de Mi Corazón y la amistad prospera en la conversación y en el intercambio íntimo de un corazón con otro.

Esta es la amistad que deseo tener con cada uno de Mis sacerdotes, pero como muy pocos la aceptan, te he elegido para que seas el amigo de Mi Sagrado Corazón, para que seas para Mí otro Juan. De esta manera, tú harás reparación por tus hermanos sacerdotes y consolarás a Mi

Corazón, herido por la frialdad, ingratitud, irreverencia e indiferencia de ellos.

Hay quienes no creerán que Yo te haya hablado o que te esté hablando todavía. No permitas que esto te moleste. Lo que Yo te diga será reconocido como procedente de Mí por los frutos que produce en tu vida.[1]

No te detengas en las aprehensiones y temores de perderte. Confía en Mí y en la guía del Espíritu Santo, que mora dentro de ti y descansa sobre ti.[2] Mientras no escuches en Mis palabras nada que varíe de la enseñanza de Mi Iglesia, puedes avanzar en paz. Tú sabrás cuando el Maligno está tratando de falsificar Mis palabras para ti por el desasosiego que te causarán. Y también sabrás cuando ciertos elementos en nuestras conversaciones provienen de tus propias imaginaciones, miedos o deseos. Esté en paz. Escúchame y permanece en Mi amor por ti.

Jueves 28 de junio de 2012

Permíteme hacer Mi obra en tu alma y en este lugar que he elegido para ti y para muchas otras almas. Lo convertiré en un lugar de restauración, de sanación y de paz. Renovaré las almas en el resplandor de Mi Rostro Eucarístico y las atraeré al silencioso santuario de Mi Corazón. Allí conocerán el amor de Mi Padre y el dulce fuego del Espíritu Santo. Allí también, las almas vendrán a experimentar el cuidado maternal del Inmaculado Corazón de Mi Madre.

Jueves 5 de julio de 2012

La adoración es el alma de lo que hago aquí. Si cesa la adoración, el cuerpo físico del monasterio comenzará a desintegrarse, la comunidad fracasará y de ella solo quedará una cáscara vacía.

La adoración continúa y la acción sacerdotal en la Misa, son Mías y tu estas participando en ellas. Adora, entonces, y todo irá bien. Esta es Mi promesa para ti.

Este será el monasterio construido por la adoración. Haré grandes cosas aquí y manifestaré el amor misericordioso de Mi Corazón a todos los que se acerquen a Mí en el Sacramento de Mi amor.

Viernes 6 de julio de 2012

Si hubiera dado a otros hombres la gracia de la adoración que te he dado, estaría tentado de permitirles hacer en tu lugar, lo que Mi Corazón

---

[1] Mat 7:16–20.
[2] Jn 16:13; 2 Tim 1:14; 1 Tes 4:8; 1 Pe 4:14; 1 Jn 2:27.

requiere y espera solo de ti. Debes ser el primer adorador de esta casa. Me adorarás en respuesta al deseo de Mi Corazón y entonces, de ti otros captarán la chispa de la adoración y así un gran fuego de amor, de adoración y de reparación se encenderá ante Mi Rostro Eucarístico. Así Mi plan y Mi deseo se cumplirán aquí.

Otros vendrán después que tienen la gracia de la adoración, pero en este momento, la adoración es tu obra esencial y Yo la quiero primero de ti. Llegará el día en que los adoradores de Mi Rostro Eucarístico llenen Mi casa y se sucedan unos a otros en una vigilia de adoración, reparación y amor, cerca de Mi Corazón Eucarístico. En ese día se cumplirán los designios de Mi Corazón sobre este lugar para mayor gozo de la Iglesia y para el consuelo de Mi Sagrado Corazón que está gravemente herido por la indiferencia, la frialdad y la irreverencia de tantos de Mis sacerdotes.

Tú harás reparación y así te convertirás en el padre de una familia de almas que comprenderán que la reparación es la respuesta de amor a Mi amor doloroso, doloroso porque es rechazado por los que más aprecio sobre todos los demás hombres, Mis propios sacerdotes, doloroso porque los mismos hombres a los que Me agrada llamar Mis amigos, se alejan de la amistad de Mi Corazón y buscan en otra parte la satisfacción de su propia necesidad de amor, de compañerismo y de comprensión.

Tú harás reparación por ellos y así, poco a poco, Mis sacerdotes, incluso los que están lejos de Mí, encontrarán el camino de regreso a Mis altares y descubrirán que Yo los espero en los tabernáculos cerrados donde sus propias manos Me habrán colocado.

Domingo 15 de julio de 2012

Lo que importa no es lo que estás pensando o diciendo,[1] porque estoy complacido y reconfortado y glorificado por el hecho de que simplemente estés Conmigo. Preséntate en Mí presencia. Esto es lo que te pido. Muchos de Mis sacerdotes Me dejan solo en el Sacramento de Mi amor. Se vuelven fríos, indiferentes y duros de corazón. Una hora pasada en Mi presencia sería suficiente para reavivar sus corazones, para moverlos a la gratitud y al amor y para abrir sus almas a la gracia de Mi amistad. Solo pido que Mis sacerdotes vuelvan a Mis altares y que Me busquen en los sagrarios donde Yo estoy verdaderamente presente y los espero. ¡Tanto pecado puede ser evitado y tantos pecados reparados por un simple acto de presencia amorosa delante de Mi Corazón Eucarístico!

---

[1] El contexto muestra que Nuestro Señor está refiriéndose a alguien quien está en la adoración Eucarística.

Yo estoy aquí para Mis sacerdotes. Yo los atraeré a Mi Corazón. Yo les revelaré la gracia inestimable de Mi amistad divina. Y desde el Sacramento de Mi amor, renovaré el rostro del sacerdocio en Mi Iglesia. La escasez de sacerdotes en algunos lugares es causada, no por Mí, sino por la laxitud que ha llegado a prevalecer y, sobre todo, por la gran disminución de la oración en los corazones y en los labios de Mis sacerdotes.

Dondequiera que Mis sacerdotes vuelvan a la oración, allí haré brotar una vasta cosecha de vocaciones sacerdotales[1] Multiplicaré a Mis sacerdotes, así como multipliqué los panes y los peces para alimentar a la multitud en el desierto.[2] Cuando los sacerdotes abandonan la oración, Me abandonan y así Yo retiro Mi bendición de sus trabajos y los dejo solos, porque sin la oración—sin Mí—no pueden hacer nada.[3]

Jueves 26 de julio de 2012

Ven a Mí siempre que puedas y tan a menudo como puedas. No hay un momento en el que no te esté esperando, no hay un momento en el que Mi Corazón no esté abierto para recibirte. ¿No crees en Mi amistad por ti? ¿Has olvidado que te elegí para ser Mi compañero y consolador de Mi Corazón, en reparación por Mis sacerdotes que rechazan Mi compañía y que, por su frialdad, afligen Mi Corazón Eucarístico?

Hoy he venido a ti como un regalo en forma del pequeño Rey del Amor de M. Yvonne-Aimée. Vine aquí como el Rey del Amor para traer paz y sanación a cada uno de ustedes y a todos los que los visitarán aquí o entrarán a esta casa. He venido a mostrarte Mi Corazón a ti y a tus hijos. Vine a sanar las heridas de la infancia y a establecer las almas en la seguridad, en la confianza y en la bondad misericordiosa de Mi Corazón.

Recíbeme como el Rey del Amor. Conságrate a Mí. Honra Mi imagen y Yo produciré en ti y en esta casa maravillas de sanación, de santidad y de compasión. Yo entro aquí como un niño pequeño, como el Niño Rey. Recíbeme, acógeme y Yo recibiré y los acogeré a cada uno de ustedes.

Esta es tu vocación. No lo pierdas de vista. Ven a Mí más a menudo y permanece en silencio en Mi presencia. No hay necesidad de que digas o hagas nada. Tú solamente tienes que exponer tu alma al penetrante resplandor de Mi Rostro Eucarístico, creyendo y confiando que Yo actuaré en ti, para hacer en ti lo que ningún ser humano puede hacer por

---

[1] Jesús conecta la oración de los discípulos con el aumento de las vocaciones en Mat 9:37–38 y Luc 10:2.

[2] El milagro de la alimentación de los cinco mil con cinco panes y dos peces se relata en los cuatro evangelios: Mat 14:13–21; Mar 6:31–44; Luc 9:10–17; Jn 6:5–15.

[3] Jer 17:13–14; Jn 15:5.

sí mismo. Ríndete a Mi acción divina. Dame permiso para actuar en ti y sobre ti. Resuelve abandonarte a Mi amor y luego permanece en paz, porque en este único propósito está el secreto de toda santidad.

Honra Mi amor, permitiéndome amarte. No hay manera más eficaz de crecer en la santidad y de adquirir las virtudes que te harán Mi instrumento y el sacerdote que quiero que seas.

M. Yvonne-Aimée, tu amiga fiel en el Cielo ha obtenido este don y esta gracia para ti, para mostrarte que ella está presente y atenta a tus necesidades. Tú no estás solo. Mis santos en el Cielo te siguen de cerca, para darte bienestar, animarte, guiarte, consolarte, instruirte y corregirte. Vive con Mis santos, los siervos de Mi generosidad real y los colaboradores en todas las obras de Mi amor misericordioso.

Vine a ti hoy como el nieto pequeño de Joaquín y Ana. Dime que estás feliz de tenerme en esta casa y Me invitas a gobernar sobre tu corazón y en tu vida.

Lunes 12 de noviembre de 2012
En el Priorato de ——

Mientras rezaba ante el Santísimo Sacramento por la noche:

Una gran obra de amor se está haciendo aquí, una que procede directamente de Mi Corazón Eucarístico, para glorificar a Mi Padre y para redimir al mundo—para que la obra de redención se continúe en el Sacramento de Mi Cuerpo y Sangre hasta el fin de los tiempos.[1] Te he elegido para compartir esta obra Eucarística Mía, llamándote a esta misma vida de adoración y reparación que ves aquí.

Estoy aquí en el Santísimo Sacramento para ti y para todo el mundo. Toma tu lugar aquí ante Mí y permanece delante de Mi Rostro, cerca de Mi Corazón que es todo amor.

No es poca cosa que una pobre criatura humana Mía prefiera Mi amor Eucarístico a una hora de sueño en la noche. Solo en el Cielo sabrás el valor de una hora así. Ven a Mí, entonces. Visítame y permanece Conmigo de noche y trabajaré por ti, y contigo y a través de ti durante el día. Por la adoración nocturna obtendrás de Mi Corazón, cosas que de Mí no se pueden obtener de otra manera, especialmente la

---

[1] Véase el Secreto del Noveno Domingo después de Pentecostés: "Concede nobis, quæsumus, Domine, hæc digne frequentare mysteria: quia, quoties hujus hostiæ commemoratio celebratur, opus nostræ redemptionis exercetur" (Nosotros te suplicamos Señor que nos concedas que podamos frecuentar dignamente estos misterios: porque siempre que se celebre el memorial de esta Víctima, se realiza la obra de nuestra redención).

liberación de las almas de la influencia y opresión de los poderes de las tinieblas. Más almas son salvadas y liberadas por la adoración nocturna que por cualquier otra forma de oración, esta es la oración que te une más estrechamente a Mis propias noches pasadas enteramente en oración durante Mi vida en la Tierra.[1]

Ven a Mí de noche y experimentarás Mi poder y Mi presencia a tu lado durante el día. Pídeme lo que quieras, viniendo a Mí por la noche y experimentarás Mi ayuda misericordiosa al amanecer. Amo con amor predilecto a los que llamo a estar Conmigo durante las horas de la noche. La oración de adoración nocturna tiene el poder y la eficacia de aquella oración hecha con ayuno que recomendé a Mis Apóstoles como medio para expulsar demonios de las almas a las que torturan y oprimen.[2] Por esta razón, los demonios temen y odian la adoración nocturna, mientras que los ángeles se regocijan por ella y se ponen al servicio del alma que la desea.

28 de marzo de 2013
Jueves Santo

La primera cosa que pedí a Mis sacerdotes, Mis recién ordenados Apóstoles y de estos, los tres más cercanos a Mi Corazón, fue que velaran y oraran Conmigo.[3] No los envié inmediatamente ni les encomendé ninguna tarea sacerdotal aparte de velar Conmigo en la oración, para que no caigan en la hora de la prueba. Yo los quería cerca de Mí para consolarme, para confortarme en Mi agonía por su unión con Mi oración de obediencia y abandono al Padre. Esta fue su primera acción sacerdotal, su primer mandato como sacerdotes de la Nueva Alianza, no predicar, no enseñar, no sanar ni siquiera bautizar, sino velar y orar Conmigo.

Quise que entendieran por esto, que a menos que un sacerdote vigile y persevere en la oración, todo lo demás será en vano. Él dispensará la sustancia de Mis misterios, pero sin la dulzura de una unción celestial sin el fuego y la luz de una experiencia personal con Mi amistad divina. Por eso ruego a Mis sacerdotes que se conviertan en adoradores, que comiencen a velar y a orar cerca de Mí en el Sacramento de Mi amor.

¡Si hubieras podido escuchar la urgencia y el dolor de Mi súplica a Pedro, Santiago y Juan! No solo les pedí que velarán y orarán, sino que

[1] Luc 6:12; Mat 26:36.
[2] Mat 17:20; Mar 9:28.
[3] Mat 26:41; Mar 14:38.

les rogué que lo hicieran. Necesitaba su oración en esa hora, así como necesito la oración de todos Mis sacerdotes en esta hora final que viene y que ya está sobre Mi Iglesia.[1]

Solo la oración de Mis sacerdotes, hecha en unión con la oración de Mi Corazón al Padre, podrá conservar y consolar a Mi Iglesia en la oscuridad que se avecina. Ruego por la oración de Mis sacerdotes, por una oración de adoración, reparación y súplica. Les pido una oración sincera y perseverante, una oración que se convertirá en sus corazones en un murmullo incesante que se eleva al Padre como ofrenda espiritual.

¿Cuándo comenzarán a orar Mis sacerdotes, como Yo les he pedido durante tanto tiempo—todos estos siglos—orar? Quiero sacerdotes que velen y oren Conmigo. Necesito esos sacerdotes. Sin su oración, Mi agonía mística se prolongará y quedará sin el consuelo de los amigos que he escogido para permanecer Conmigo en las pruebas que pronto acosarán a Mi Iglesia, Mi pobre y frágil Esposa.

La crisis de Mi sacerdocio continuará y empeorará aún más a menos que Mis sacerdotes, los amigos elegidos de Mi Corazón, abandonen las vanidades y las búsquedas vacías de este mundo pasajero para convertirse en adoradores en espíritu y verdad.

Yo rogué a Mis Apóstoles que velaran y oraran, y ellos durmieron.[2] Todavía suplico a Mis sacerdotes que velen y oren, y todavía duermen, inclusive en esta hora cuando Mi Iglesia los invita a permanecer Conmigo, a permanecer cerca de Mi presencia real y a no abandonarme en la oscuridad y el terror de esta noche. ¿Dónde están Mis sacerdotes? Los espero. Yo los llamo. Deseo que dejen todo lo demás para ofrecerme su compañía, su presencia, su amor sin palabras y sus lágrimas.

Los que responden a Mi súplica y al primer mandato dado a Mis Apóstoles son todavía demasiado pocos. Ofrécete para que otros puedan encontrar su camino a Mis altares y aprendan que no hay dulzura, consuelo ni presencia como la dulzura, el consuelo y la presencia que Yo les ofrezco en el Santísimo Sacramento, que ellos mismos consagran para Mi Iglesia.

Las palabras que te he dado no son dadas solo para ti, sino para los sacerdotes que te enviaré. Comparte con ellos este deseo de Mi Corazón por sacerdotes que velen cerca de Mis altares y permanezcan en Mi presencia, aunque esto signifique abandonar cosas que son, en sí mismas, inocentes, buenas y gratificantes. Esta hora ya es tarde. Pronto no que-

---

[1] Nuestro Señor no nos necesita en el sentido de que es débil o incapaz de alcanzar ciertos fines, sino porque en Su bondad quiere necesitarnos y hacer uso de nosotros. Ver papa Pío XII, Carta Encíclica *Mystici Corporis Christi* (29 de junio de 1943), §44.

[2] Mat 26:36–46; Mar 14:32–42.

dará tiempo para ofrecerme la oración y el compañerismo que siempre he buscado y sigo buscando de Mis sacerdotes. Digo esto no para causar pánico o miedo, sino porque los sacerdotes deben empezar a darse cuenta que el pedido hecho por Mi a Mis Apóstoles en Getsemaní, perdura. Es Mi petición, aquí y ahora, y no es menos urgente hoy de lo que lo fue en aquella horrible noche en Getsemaní.

Que ellos comiencen a cumplir la primera petición que hice a Mis sacerdotes, el primer mandato que les di, velar y orar. Solo entonces vivirán para ver el esplendor de Mi gloria en el día de Mi regreso.

¿Por qué, amado Jesús, hubo tantos comienzos falsos en mi vida? ¿Tantos intentos de llegar a Ti que se convirtieron en amargura, en engaño o en fracaso?

Todo esto fue un intento de escapar del dolor y la confusión interna que se te había infligido cuando eras niño. Yo permití que todas estas cosas te sucedieran, te permití cometer errores y llamar a las puertas equivocadas porque con esto, te preparaba para que aceptaras Mi plan para ti. Te humillé para hacer de ti un instrumento para Mi uso.

20 de mayo de 2013
Lunes de Pentecostés

¿Por qué, amado Jesús, has traído a mi vida a la madre Mectilde y a tantas otras mujeres santas? ¿Me has puesto realmente en la escuela de la Madre Mectilde? ¿No soy a Tus ojos un hijo de San Benito?

Desde el principio te elegí para ser Mi adorador, como San Juan y la adoración no es fácil para los hombres. Así como coloqué a San Juan en la escuela de Mi Madre para que aprendiera lo que es adorar, así también te he colocado en la escuela de la madre Mectilde para que aprendas a adorarme como Yo quisiera que Me adores. El instituto de la madre Mectilde es la escuela de Mi Madre, al inscribirte en la escuela de la madre Mectilde, has entrado en la escuela de Mi propia Madre Virgen, como San Juan.

Sábado 15 de junio de 2013

No hay sufrimiento que Yo no pueda sanar y si Yo permito que ciertas almas sufran por un período más largo sin darles señales de Mi poder sanador, es porque de su sufrimiento Yo pretendo traer un gran bien. Debes creer esto y ayudar a otros a creerlo, porque de esta verdad vendrá la confianza y la esperanza, incluso en las horas más oscuras.

No mido el tiempo como lo hacen los hombres ni juzgo la intensidad de sufrimiento como lo hacen los hombres. Yo sé lo que hago, aun cuando oculto Mis planes a los hombres para poner a prueba su fe en Mí y hacer que esa fe crezca fuerte e indomable.

Hay, desgraciadamente, muchas almas que, en su hora de sufrimiento, dejan de creer. Pierden su fe en Mí y descienden a la desesperanza e incluso a la desesperación. Para levantarse de su sufrimiento, solo tienen que hacer el más pequeño acto de fe, eso disipará la oscuridad y los sacará de su desesperación. Un pequeño acto de fe es inmensamente poderoso, es una chispa de fuego y de luz en la inmensa oscuridad fría del pecado y la incredulidad.

La fe no siempre eliminará el sufrimiento, pero lo hará soportable y lo impregnará de una esperanza sobrenatural. Otros pueden hacer este acto de fe por los que están sufriendo hasta que, ayudados por sus oraciones, los que sufren tengan suficiente fuerza para hacerlo por sí mismos.

Tú estás haciendo esto cuando vienes ante Mí en el Sacramento de Mi amor. ¿No es esto un acto de fe? ¿Acaso tu adoración no expresa una confianza absoluta en Mi plan y una adhesión completa a Mi voluntad? Puedes hacer tu adoración por los que no pueden hacerlo por sí mismos. Puedes creer por los que no tienen (o creen que no tienen) fe, por los que están sin esperanza y por los que en sus corazones el amor se ha enfriado.

Haz esto por quienes Me has presentado en sus sufrimientos. Haz esto y déjame todo lo demás a Mí, siguiendo Mis consejos como Yo te los doy a conocer y confiando en Mí para actuar. No hay manera más efectiva de llevar consuelo a los que sufren, de obtener sanación para los enfermos y liberación para los que los poderes de las tinieblas oprimen y persiguen.

Yo estoy siempre aquí para ti y no hay momento en que no puedas venir a Mí con las cosas que pesan sobre ti. Ven a Mí y Yo te descansaré. Te mostraré el camino por el que debes seguir adelante. Te hablaré de Corazón a corazón, como un hombre habla con su amigo más cercano.[1] No te alejes de Mí. Por el contrario, ven a Mí con frecuencia, tan a menudo como puedas. Permanece Conmigo. Espérame. Escúchame. Y experimentarás las maravillas de Mi amorosa misericordia en ti y a tu alrededor, porque Yo soy el Rey del Amor y este lugar es Mío. Lo he reclamado todo para Mi propio Corazón y para la glorificación de Mi Rostro Eucarístico por una familia de fieles adoradores y por almas de

---

[1] Éxod 33:11; 2 Jn 1:12.

reparación, almas de gran amor, un amor sacado de Mi Corazón Eucarístico como el calor es sacado de un horno que arde sin apagarse jamás.

Estoy aquí para ti. Ven y permanece aquí para Mí. Toma tu lugar delante de Mí y espera a que Yo actúe. Yo te hablaré de nuevo como te he hablado en el pasado y tu alma prosperará y florecerá en el resplandor de Mi Rostro, debido al poder de Mis palabras, todas las cuales son palabras de amor y emanaciones del amor de Mi Corazón.

Sábado 7 de septiembre de 2013

Al releer la vida del padre Antoine Crozier,[1] se me dio a entender:

Es normal que un sacerdote sea estigmatizado, lo que no es normal, de hecho, es que no lo sea. La verdadera unión con el Crucificado cada día en el altar debe dejar las huellas de Sus santas heridas en sus manos, en sus pies y en su corazón. Al ofrecer el Santo Sacrificio de la Misa, el sacerdote se integra totalmente a Jesús crucificado. Esto lo ve el Padre, esto lo ven los ángeles, solo los hombres no lo ven.

La profundidad de la impresión de las heridas de Jesús en el corazón en el alma del sacerdote es proporcional a su grado de abandono al abrazo de Jesús, quien desea solamente unirlo a Él mismo. En algunos, la impresión interior es tan fuerte que se manifiesta incluso en la carne del sacerdote, en otros, la identificación con el Crucificado permanece toda interior y oculta, en otros, apenas se esboza en el alma del sacerdote, porque él se rebela contra la idea de dejarse crucificar con Cristo y quiere guardar su vida para sí mismo.

Subir al altar para ofrecer allí el Santo Sacrificio, ya es ofrecerse a la perforación de los clavos, de la lanza, y a la corona de espinas. Ofrecer el Santo Sacrificio de la Misa, ya es arriesgarse a la secreta estigmatización interior que el Padre ve, que ve en secreto y ven los ángeles que son admitidos para contemplar la inmolación del Cordero renovado en el cuerpo y en el alma de un hombre.

[1] Antoine Crozier (8 de febrero de 1850–10 de abril de 1916) fue ordenado sacerdote para la archidiócesis de Lyon en 1877. Después de ser capellán de un Carmelo y animado por su priora, publicó *Comment il faut aimer le bon Dieu* [Cómo debemos amar al buen Dios], que se hizo muy popular. Su encuentro con un visionario Carmelita, Antonine Gachon (1861–1945), le llevó a fundar en 1888 una unión dedicada al culto del Sagrado Corazón. Su unión con él, y la amistad personal del P. Crozier, más tarde jugaron un papel importante en la vida del beato Charles de Foucauld. El 10 de enero de 1901, el padre Crozier recibió los estigmas durante la Misa, pero pidió a Jesús que hiciera invisibles las heridas, oración que le fue concedida. Sin embargo, el padre Crozier siguió sufriendo el dolor de las heridas hasta su muerte.

Ofrecerse a la estigmatización interior está totalmente en la lógica de la ordenación sacerdotal. En algunos hombres, Dios permite que se manifieste visiblemente, con derramamientos de sangre. En otros, el mismo misterio se vive en secreto sin ninguna manifestación externa. Aún perdura que cada sacerdote es elegido para llevar las marcas de la Pasión de Cristo y para ser el ícono vivo de Su inmolación cada día sobre el altar.

Entonces le pregunté: "¿Quién me está explicando todo esto?"

Soy Antoine Crozier, sacerdote de Lyon, quien te lo explica, es todo el sentido de mi vida y de la tuya, en la medida que se es sacerdote y víctima. No rechaces lo que el Señor te pide. Ofrécete a Él cada día, para que pueda imprimir en lo profundo de tu corazón las marcas que son la prueba de Su amor, de ese amor que Él quiere poner en ti para que puedas ser transformado en Él.

Viernes 15 de noviembre de 2013

Deja a un lado las cosas que te distraen de Mí. Yo soy la única cosa necesaria para ti en esta vida.[1] Guarda tus ojos, tus oídos, tu boca, tus manos y tu corazón, todo tu ser para Mí y te uniré a Mí. Cierra los ojos a las vanidades y los oídos a los halagos y al engaño. Abre tu boca para alabarme, para cantar Mi gloria, para hablar de Mí y para decir cosas buenas a tu prójimo. Guárdate para Mí, como Yo Me guardo para ti en el Sacramento de Mi amor.

Quiero que sepas que te espero. Hay un consuelo que solo tú puedes darme. Es tu amistad lo que Mi Corazón desea y esta amistad tuya no puede ser reemplazada por ninguna otra. Tú eres Mío y Yo soy tuyo.[2] Permanece en Mí y Yo permaneceré en ti,[3] hablando a través de ti y tocando almas a través de tus palabras.

Permíteme ser el médico de almas y cuerpos a través de ti. Quiero vivir en ti y seguir haciendo en la Tierra todas esas cosas que hice por amor y compasión cuando caminé entre los hombres en Mi carne. Tú eres Mi carne ahora y tú eres Mi presencia en el mundo. Es a través de ti que Me hago visible a los hombres. Es a través de ti que les hablaré, les consolaré, les sanaré y los atraeré a Mi Padre en el Espíritu Santo.

[1] Luc 10:42.
[2] Cant 2:16.
[3] Jn 15:4.

No hay nada que no haga por las almas a través de Mis sacerdotes. Quiero que sean visibles y estén presentes en el mundo que los necesita y sin saberlo, los busca y espera una palabra de ellos, una palabra de vida, una palabra de esperanza, una palabra de compasión, una palabra de perdón. Que Mis sacerdotes sean visibles, no para hacerse ver y admirar por los hombres, sino para *hacerme* ver, conocer y amar en ellos y a través de ellos.

El mundo está buscando padres y en Mis sacerdotes he dado a las almas, los padres que ellos necesitan. Hay falsos padres que abusan de las almas, solamente las guían para ejercer poder y seducción sobre ellas. Estos no son los padres que estoy enviando al mundo. Los padres que envío a las almas son hombres a Mi imagen y semejanza, humildes, mansos, abnegados, tiernos y fuertes. Yo daré a estos padres, elegidos y enviados por Mí, una sabiduría y un valor que los enemigos de Mi Cruz no podrán confundir.[1] Quiero que Mis sacerdotes abandonen todo egoísmo y engrandecimiento mundano y así se conviertan en padres de almas necesitadas de amor, consuelo, dirección, guía y coraje. Es a través de Mis sacerdotes fungiendo como padres, que la ternura y misericordia de Mi propio Padre será revelada a Sus hijos en este valle de lágrimas, que el mundo será sanado de los sufrimientos que se le han infligido por la ausencia de verdaderos padres. ¡Quiero que Mis sacerdotes sean padres! Que Me pidan la gracia de la paternidad espiritual y Yo se las daré en abundancia.

Un hombre así era San José. Él era la imagen viva de Mi Padre y fue elegido por Mi Padre para serlo para Mí en Mi sagrada humanidad. Deseo que Mis sacerdotes vayan a San José. Él les obtendrá este don inestimable de la paternidad espiritual y los guiará en la delicada y difícil tarea de ser verdaderos padres de las almas.

Jueves 16 de enero de 2014

Lo que importa por encima de todo es que vengas a Mí, que permanezcas cerca de Mí y que tengas confianza en Mi amor misericordioso por ti. No hay nada que pueda separarte de Mi amor ni tus pecados, ni tus miedos, ni tus debilidades, ni tus vanas imaginaciones.[2] Yo estoy aquí

---

[1] Luc 21:15.

[2] Véase Rom 8: 28–39. El pecado mortal expulsa la gracia santificadora del alma y de esa manera separa al hombre de la amistad de Dios. Sin embargo, esta condición defectuosa por parte del pecador no cambia la voluntad de amor de Dios y Su voluntad de

para ti, para darte la bienvenida, para abrazarte y para sostenerte en silencio, en paz, contra Mi Corazón. Que esto sea suficiente para ti.

No te preocupes por cómo, cuándo o en qué forma te hablaré. Abandónate a Mi amor y confía en que Yo nunca te abandonaré ni te dejaré caer víctima de los engaños del Enemigo. La humildad es la armadura que frustra y confunde al Enemigo. Permanece humilde y confiado en Mi presencia y el Enemigo no tendrá forma de envenenar tu mente o tu corazón.

¡Ánimo! Confía en Mi amor por ti. No te abandonaré. Nunca te abandonaré, porque tú eres Mío y he puesto Mi Corazón sobre ti. ¿Crees que soy inconstante e infiel? Yo soy inmutable y nada puede cambiar Mi voluntad,[1] porque Mi voluntad es la expresión de Mi amor y Mi amor es eterno.[2] No hay ningún detalle de tu vida que sea desconocido para Mí y Yo veo tu vida a la luz de Mi Providencia. Soy Yo quien te guía, te corrige y te mantiene en el camino que te he preparado. Sé humilde y confía en Mí y te guardaré. Yo proveeré para ti. Te mostraré la luz que necesitas para dar el siguiente paso en obediencia, en confianza y en abandono a Mi Corazón.

Domingo 26 de enero de 2014

Es suficiente para ti estar Conmigo. Esto es todo lo que te pido. No pido pensamientos elevados ni derramamientos emocionales, ni frases bien elaboradas. Solo te pido que te quedes Conmigo. Necesito tu compañía incluso ahora, así como necesitaba la compañía de Pedro, Santiago y Juan en Getsemaní. Seguían durmiendo, es verdad, pero Yo sabía que estaban allí y su simple presencia era un consuelo para Mi Corazón agonizante.

Tú tienes miedo de las distracciones, de los sueños y de los pensamientos insensatos, estos no Me ofenden porque no son más que moscas zumbando en el fondo.

Me absorbe tu presencia ante Mí. ¿Te sorprende que deba decir tal cosa? Pero Yo soy absorbido por ti, Mis ojos descansan sobre ti, Mi Corazón es todo tuyo, te escucho atentamente y toda Mi atención se centra en ti cuando vienes a buscarme. Confía en que estoy totalmente

---

restaurar al pecador a la amistad con Él, de acuerdo con Su propio plan. De esa manera, se puede decir realmente que, si bien podemos colocar obstáculos en el camino de nuestra salvación, nada puede derrotar el amor de Dios por nosotros.

[1] Inter alia, Núm 23:19; Est 13:9; Sal 109(110):4; Is 46:9–10; Mal 3:6; Sant 1:17; 2 Cor 1:17–20.

[2] Jer 31:3; Is 54:8.

absorbido por ti y pronto estarás totalmente absorbido por Mí. Aquí hablo con términos humanos, con el lenguaje de la amistad, del afecto y del amor. Yo estoy presente aquí en toda la sensibilidad y ternura de Mi humanidad. Estoy aquí ofreciéndote Mi amistad, dispuesto a pasar tanto tiempo contigo como tú estás dispuesto a pasarlo Conmigo.

Te quiero cerca de Mí, tan cerca como Juan lo estaba de Mí cuando apoyó su cabeza sobre Mi pecho, en Mi Última Cena. Una oración como esta no puede ser calculada o medida en términos de minutos y horas. Es lo que es,—y esto mientras permanezcas en Mi presencia.

Aun cuando el tiempo de tu adoración haya terminado, Yo permanezco contigo. Yo estoy en ti, todo atento a ti, todo amoroso, dispuesto en todo momento a entrar en conversación contigo, a fortalecerte en la tentación, a consolarte en tus penas, a ser una luz para ti en tu oscuridad. Solo se necesita un poco de fe para darse cuenta de que uno nunca está solo, para tomar conciencia de Mi presencia, de Mi disponibilidad para comunicarme contigo sin palabras por medio de una infusión de Mi gracia.

Utiliza lo que te digo ahora para consolar a otros que luchan en su oración, que piensan que la oración es difícil, ardua y totalmente excepcional en la vida de la gente común. Para el hombre que busca Mi Rostro y desea descansar sobre Mi Corazón, Yo hago de la oración algo muy simple sin palabras, pacificadora, purificadora y divinamente fructífera.

29 de mayo de 2014
Ascensión Jueves

Yo he ascendido a Mi Padre, pero permanezco presente en Mi Iglesia. El mismo deseo que Me hizo volver al Padre con una alegría inefable Me hace estar presente en Mi Iglesia con un amor inefable. Cuando dije "voy a Mi Padre," no quise decir "abandono Mi Iglesia," porque la Iglesia es Mi Esposa y con ella soy un solo Cuerpo y Yo soy la Cabeza de Mi Iglesia.[1] Mi propio Espíritu anima a la Iglesia en todos sus miembros, para que Yo viva en Mi Iglesia y Mi Iglesia viva unida a Mí.[2] Mi presencia ante el Padre no es una ausencia de Mi Iglesia. Yo estoy presente en los misterios adorables de mi Cuerpo y Sangre en Mi Iglesia, así como estoy presente, en Cuerpo y Sangre, en la gloria del Padre, en el santuario oculto

---

[1] Jn 14:13; Jn 20:17; Mat 28:20; Efes 4:7–16; Efes 5:22–32; 1 Cor 10:16–17; 1 Cor 12:12; Col 1:24.
[2] 1 Cor 12:13; Rom 8:9; Hech 9:4.

en el Cielo, donde sirvo como Sumo Sacerdote y Me ofrezco incesantemente como una Víctima inmaculada de propiciación.[1]

Lo que hago en el Cielo, lo hago incesantemente en la Tierra.[2] Cada tabernáculo donde estoy presente en el Sacramento de Mi Cuerpo y Sangre es una imagen del tabernáculo celestial al cual Yo he ascendido y en el cual Me ofrezco al Padre en un Sacrificio que no tiene fin. Mi vida en tantos tabernáculos terrenales es la misma vida Mía en el glorioso tabernáculo del Cielo, en el Lugar Santísimo donde realizo Mi servicio sacerdotal al Padre ofreciéndome a Él como una Víctima gloriosa, como la Víctima pura, la Víctima santa, la Víctima sin mancha[3] por la cual la Tierra es reconciliada con el Cielo y el Cielo con la Tierra, por la cual el plan perfecto del Padre es llevado a cabo y por la cual el reino de Dios es establecido por siempre.

Ven a Mí en el Sacramento de Mi amor y entra en el misterio de Mi oblación. No estoy inactivo ni estoy presente en la forma de una cosa que no tiene en sí misma vida, ni movimiento, ni aliento. Yo estoy presente en toda la gloria de Mi humanidad y en todo el poder de Mi divinidad, así como estoy presente en el Cielo, así estoy presente en los tabernáculos de Mi Iglesia en la Tierra.[4] En el Cielo, Mi gloria es la bienaventuranza de todos Mis santos, en la Tierra, esa misma gloria está velada en el Santísimo Sacramento para ser la bienaventuranza de Mis santos aquí abajo. Mi alegría sacramental es la alegría indefectible de los santos de la Tierra. Si allí a veces hay tan poca evidencia de alegría entre Mi pueblo en la Tierra es porque ignoran Mi presencia real y fracasan en buscarme donde Me encuentro, en el Sacramento donde espero a los pecadores, para amarlos, para perdonarlos, para sanarlos, para conversar con ellos y para alimentarlos incluso con Mi mismo ser.

Sacerdotes Míos—sacerdotes que sirven Conmigo en los santuarios de Mi Iglesia en la Tierra, así como los ángeles sirven Conmigo en el santuario del Cielo, sacerdotes que Me representan en la Tierra, así

---

[1] Heb 7:24–25, 8:1–2, 9:11–28.

[2] Tenga en cuenta que aquí no se trata de repetir una ofrenda, como ocurre con los sacerdotes del antiguo pacto, sino de hacer presente el Sacrificio de la Cruz, que es el eco terrenal de la postura eterna del Hijo hacia el Padre.

[3] Una referencia al canon romano: *hostiam puram, hostiam sanctam, hostiam immaculatam.*

[4] Como lo enseñan el Concilio de Trento (Sesión 13 y Sesión 22) y otros documentos magisteriales, es el mismo Señor Jesucristo, la misma realidad, sustancia y Persona, que está presente en el Santísimo Sacramento y en el Cielo, pero no en el mismo modo o forma de presencia. En el Cielo, Él está presente en Su propio modo y especie, mientras que en la Tierra está presente en un modo sacramental único, bajo la especie de pan y vino.

como Yo Me presento ante Mi Padre en el Cielo. ¡Hagan conocer el misterio de Mi presencia! ¡Llamen a los fieles a Mis tabernáculos! Díganles que los espero allí, que no soy un Dios ausente y que, incluso en el misterio de Mi Ascensión, permanezco presente corporalmente, aunque oculto bajo los velos sacramentales, a todos los que buscan Mi Rostro Eucarístico.

¿Por qué Mis iglesias están vacías? ¿Por qué estoy abandonado en el Sacramento de Mi amor? ¿Por qué los hombres han hecho vanas las intenciones de Mi Corazón cuando, en el Cenáculo, Yo instituí el Sacramento de Mi presencia permanente en Mi Iglesia? ¿No es Mi presencia para beneficiar a los que les instituí un misterio de amor tan grande? ¿Estoy Yo siendo rechazado y abandonado en el Sacramento de Mi amistad divina por las almas? ¿Han olvidado totalmente Mis sacerdotes que han sido elevados a la configuración Conmigo para efectuar Mi presencia sacramental, para ofrecerme al Padre en el Sacrificio perfecto de Mi muerte en la Cruz y para alimentar las almas de los fieles con Mi propio Cuerpo y Sangre? ¿Por qué Mis sacerdotes están tan fríos hacia Mí en el Sacramento de Mi amor?

¿Por qué Mis sacerdotes permanecen lejos de Mis altares? El sacerdote es para el altar y el altar es para el sacerdote. Es el Maligno, el Enemigo de Mi Iglesia en la Tierra, el que ha abierto una brecha entre demasiados de Mis sacerdotes y los altares en los que están unidos a Mí en una santa victimización, en una oblación perfecta. Deseo que nada se interponga entre Mis sacerdotes y sus altares, así como nada se interpuso entre Mí y el madero de Mi Cruz, el altar de Mi sangriento Sacrificio en el Calvario.

Quiero que los corazones de Mis sacerdotes se dirijan, en todo momento, al altar, donde se ofrezcan en Sacrificio Conmigo al Padre, donde Yo estoy presente y donde espero, silencioso y humilde, su compañía, su adoración y su amor agradecido.

Si la realidad del Cielo se ha vuelto vaga y alejada de los pensamientos de tantos en Mi Iglesia, es porque han abandonado el misterio mismo del Cielo, que les ha sido dado y está presente en el Santísimo Sacramento del Altar. La Eucaristía es el Cielo en la Tierra, la Eucaristía es Mi Iglesia en la Tierra ya asumida en el Cielo. El Cielo está dondequiera que se hayan pronunciado las palabras de consagración sobre el pan y el vino en la Santa Oblación, porque allí estoy Yo presente, así como estoy presente en la gloria de Mi Ascensión, adorada por los ángeles, alabada por todos los santos, sostenida en la mirada divina de Mi Padre y ardiendo con el fuego del Espíritu Santo.

Amén. Amén. Cree en esto y encontrarás el Cielo en la Tierra, mientras esperas con la esperanza de ver Mi Rostro en gloria.

Viernes 28 de noviembre de 2014

Confía en Mí cuando, por una razón u otra, tomas tu distancia de Mí y ya no vienes a buscar Mi Rostro en el Sacramento de Mi amor ni permaneces cerca de Mi Corazón Eucarístico. Si no vienes a Mí, saldré a buscarte y te traeré de vuelta a Mí, para que donde Yo esté, tú también estés.[1] Tu ausencia es para Mí un sufrimiento mayor de lo que es Mi ausencia para ti; esto es porque Yo te amo más y porque Mi Divino Corazón es infinitamente sensible a las acciones y elecciones de las almas en las que Yo he puesto Mi amor.

Lo Mío es arreglar las cosas de tal manera que aquellos cuyo lugar es, por vocación, ante Mi Rostro Eucarístico, se vean obligados a volver a Él, aunque Me vea obligado a ir en busca de ellos y traerlos de vuelta al pie de Mi tabernáculo, donde desde el principio he esperado su regreso paciente, silenciosa y dolorosamente. Yo soy el guardián y el garante de la vocación que les he dado. Los acontecimientos y las circunstancias, las enfermedades y las distracciones pueden interferir en su respuesta a Mi llamada; pero Mi llamada permanece inalterada y Yo, en Mi propio tiempo, arreglaré las cosas para que ellos regresen a Mí, adorándome con todo su corazón y respondiendo a Mi amor Eucarístico con un amor arrepentido y confiado.

No les juzgo con dureza, como tampoco el pastor juzga con dureza a las ovejas que, en su estupidez, se separaron del rebaño y perdieron su camino. Veo todas las circunstancias que se interponen entre Mí y sus deseos de estar Conmigo. No guardo resentimiento en Mi Sagrado Corazón ni guardo rencor contra los que, a causa de la debilidad humana, de la mala salud o de la fatiga, encuentran difícil cumplir su promesa de permanecer en Mi presencia a menudo e incluso diariamente.

La vida no es lineal, está hecha de vueltas y torsiones, de desvíos y reveses, de obstáculos y de pruebas. Es el hombre que persevera en venir a Mí a través de todas estas cosas, quien consuela a Mi Corazón herido ofreciéndome un amor digno y valioso.

Hay un tipo de culpa que mantiene a las almas alejadas de Mí,—tal culpa es el efecto de un orgullo herido, de una profunda decepción en ellas mismas por sus defectos. Nunca sucumbas a la culpa que susurra: "Aléjate. Es inútil. No queda nada aquí para ti. Eres incapaz de la vocación que pensaste haber escuchado. Acepta tu fracaso en vivirlo y admite que fuiste engañado." Esta no es Mi voz. Es más bien la voz del

---

[1] Jn 12:26.

Acusador que toma prestadas todas las voces de tu pasado, que aún viven en tu memoria y las usa para atacarte con una avalancha de mentiras que están calculadas para derribarte y causarte desesperación.

Mi voz siempre es de consuelo y amor, produciendo paz en el alma,—incluso cuando Mis palabras son cortantes, incluso cuando traspasan el corazón como el bisturí del cirujano. Confía entonces, en Mis palabras para ti, y cierra el oído de tu imaginación y tu corazón a todo lo demás. Yo soy el que te consuela, no el que te ataca, te acusa o te condena y tampoco el que te echa afuera. Yo soy el que te acoge con alegría. Soy el Padre encantado de ver la cara de su hijo y de escuchar Su voz.[1] Yo soy el Esposo que anhela la dulce compañía de Su amada Esposa. Soy el amigo que se deleita con la conversación del amigo que ha elegido y al que se ha atado con una promesa duradera de amistad. Entonces ven a Mí sin temor, porque Conmigo encontrarás siempre una acogida divina, un abrazo amoroso, una conversación consoladora y el coraje de continuar en el camino de la vida que te he trazado.

Tarde

Aquí estás a salvo. Estás bajo Mi protección y bajo el manto protector de Mi Santísima Madre. Deja que la tempestad ruja. En cuanto a ti, permanece oculto aquí en el secreto de Mi Rostro Eucarístico. Nada te tocará, porque eres Mío y protejo a quienes confían en Mi amor para que ellos huyan hacia Mí en el tiempo de angustia y desorden.

N., Mi fiel servidor y amigo, sufrió mucho. Fue injustamente acusado, sospechado, calumniado y condenado por los que debieron haber ido a él con caridad, protégelo contra sus acusadores y consuélalo en su dolor. Así él participó de Mis sufrimientos y sin ceder a la desesperación. Tú has sufrido y seguirás sufriendo algo de lo que N. sufrió en mansedumbre, silencio, humildad e incluso alegría, porque estaba unido a Mí en el Sacramento de Mi extrema humillación y así tuvo que participar en la ignominia de la Sagrada Hostia cuando cae en manos de Mis enemigos.

Yo te protegeré. Te preservaré de la malicia del Maligno, que habla por la boca de los envidiosos y que busca siempre sembrar la división y el miedo. Confía en Mí. Ven a Mí en el Sacramento de Mi amor como a un lugar seguro, un refugio, una fortaleza[2] y Yo te ocultaré en Mi Rostro, te sostendré en Mi Corazón y te daré descanso en Mi amor.

---

[1] Luc 15:20–24.
[2] Sal 17(18):1–2.

Martes 2 de diciembre de 2014

No hay problema o dificultad que no pueda ser dilucidada o resuelta con el fiel y perseverante recurso al santísimo Rosario de Mi Madre. El Rosario es el regalo de Mi Madre a los pobres, a los sencillos y a los pequeños que son los únicos capaces de escuchar el Evangelio en toda su pureza y de responder a este con un corazón generoso. Es a ellos, a los niños, a los débiles, a los pobres y a los que confían, a los que se les da el Rosario. Es a ellos a los que les pertenece el Rosario.

No hay sufrimientos que no se pueda soportar pacíficamente, mientras el alma esté rezando el Rosario. A través del Rosario, toda la gracia y el poder de Mis misterios pasan a través del Inmaculado Corazón de Mi Madre a los corazones de los pequeños que la invocan, repitiendo una y otra vez el "Ave" del ángel. Hay enfermedades que se pueden curar con el Rosario. Hay nubes de oscuridad y confusión que solo el Rosario puede dispersar y esto porque es la oración preferida de Mi Madre, una oración que se originó en las alturas del Cielo y fue llevada a la Tierra por Mi Arcángel, una oración que resonó y se amplió en la Iglesia a través de los siglos, una oración amada por todos Mis santos, una oración de poder que desarma y de inmensa profundidad.

Hay quienes encuentran difícil el Rosario. La dificultad no radica en el Rosario, sino en la complejidad de quienes luchan por entrar en su sencillez. Invita a las almas a rezar el Rosario, a través de está oración sanaré a los enfermos de mente y cuerpo, a través de está oración daré paz allí donde haya conflicto, a través de está oración haré grandes santos a los grandes pecadores, a través de está oración santificaré a Mis sacerdotes, daré alegría a Mis consagrados y levantaré nuevas vocaciones en abundancia.

Entonces escucha la súplica de Mi Madre en tantos lugares.[1] Escúchala, toma su súplica en el corazón, reza su Rosario, por ti y por ella, y Mi Padre hará cosas maravillosas.

Miércoles 3 de diciembre de 2014

Cuando entres en Mi presencia, derrama tu corazón delante de Mí, todo lo que sufres, todo lo que cuestionas, todo lo que temes, dámelo todo a Mí. Esto ya lo haces cuando rezas los salmos. Fue a través de los salmos que derramé Mi propio Corazón a Mi Padre y en las oraciones de David

---

[1] Más notablemente, en Fátima en Portugal, donde Nuestra Señora, en cada una de sus seis apariciones desde el 13 de mayo de 1917 hasta el 13 de octubre de 1917, instó a los fieles a rezar diariamente el Rosario.

y de los santos de Israel, Mi Padre escuchó Mi voz y se inclinó a escuchar la oración de Mi Corazón.

Así lo hace Mi Padre ahora, cuando Mi Esposa, la Iglesia, derrama su corazón ante Mí en el Oficio Divino. Yo recibo la oración de Mi Iglesia expresada en la antigua salmodia, ya tan familiar y tan querida por Mi alma, y unifico la oración de la Iglesia a Mi propia e incesante súplica ante el Padre en el santuario celestial. Esto es lo que confiere a la salmodia de Mi Iglesia, un poder de súplica, una vehemencia, una resonancia en el santuario del Cielo.

Cuando cantas los salmos, Me das todo lo que tienes en tu corazón y todo lo que constituye tu vida. No hay experiencia humana ni sufrimiento, incluso el mal que es el pecado, que no pueda ser ofrecido a Mí por medio de la salmodia de Mi Iglesia.

Por esta razón, es una pérdida trágica y una inmensa aflicción cuando la salmodia de Mi Iglesia se queda en silencio en una Tierra o en una diócesis. Es un silencio de muerte, como el del inframundo en el que nadie pronuncia un canto de alabanza, un lamento de arrepentimiento, un himno de acción de gracias, un verso de amor.[1] Mi Iglesia será restaurada cuando el sonido de sus alabanzas—la expresión de Mi propia alabanza al Padre en el Cielo—comience una vez más a hacer eco de un lugar a otro, llenando a las naciones de la Tierra con el *sacrificium laudis*.[2]

Vine del Cielo para traer a la Tierra la liturgia del santuario celestial—donde Yo, el Verbo, soy el Sacerdote y el Gran Alabador de Mi Padre, para que Mi Iglesia pueda dar voz en la Tierra, al misterio de Mi vida desde toda la eternidad en frente del Padre, glorificándolo y ofreciéndome a Él en una incesante oblación de amor a Su amor.

No permitas que nadie dude de la singular eficacia del Oficio Divino. Cuando el Oficio cesa en un lugar determinado, allí la Iglesia se ha silenciado, ella ha perdido su voz, ya no tiene los medios por los cuales quiero que derrame su corazón en Mi presencia. Cuando la Iglesia ya no intercede ni alaba, ni agradece a Mi Padre y no llora por el pecado, un helado silencio como de muerte, empieza a esparcirse, que no es el silencio del amor adorador, sino que es el silencio de una tumba llena con corrupción.[3]

---

[1] Sal 6:5; Sal 87(88):11–13; Sal 113:25 (115:17); Is 38:18; Bar 2:17.

[2] "El sacrificio de alabanza," frecuentemente mencionado en las Escrituras: Sal 49(50):14, 23; Sal 106(107):22; Sal 115:8 (116:17); Am 4:5; Jon 2:10; Heb 13:15; Tob 8:19. Véase papa Pablo VI, Carta Apostólica *Sacrificium Laudis* (15 de agosto de 1966).

[3] Mat 23:27.

La renovación de la Iglesia entre las naciones está intrínsecamente relacionada con la restauración de la celebración pública de Mis alabanzas, la restauración del Oficio Divino, aunque sea humilde y simplemente, en todos los lugares donde ha caído en desuso. Mis obispos tienen el deber de proveer la solemne adoración pública en las iglesias bajo su cuidado. Por esta razón, Mi Iglesia, unida en concilio, tenía razón al enseñar y defender que una iglesia [particular] en la que no existe una forma de vida monástica contemplativa permanece subdesarrollada, paralizada en el crecimiento que Yo le daría a ella.[1]

Prometo bendecir a todas las naciones y todas las iglesias en las que se restaura y honra la solemne celebración de la oración de Mi Esposa, la Iglesia. Donde, Mi pueblo, especialmente Mi gente atrapada en la angustia del sufrimiento y en la sombra de la muerte, encontrarán una voz para expresar todo lo que llevan dentro de sus corazones y allí encontrarán una fuente de alegría: el sonido en la Tierra de la liturgia que celebro sin cesar en las Cortes del Cielo.

No dudes de que Yo te he dado estas palabras, te he preparado durante toda una vida para recibirlas y transmitirlas.

Sábado 6 de diciembre de 2014

Estos son días de gracia para la Iglesia y para el mundo, porque el misterio de la Inmaculada Concepción de Mi Madre es una fuente de luz pura para todos los que moran en las sombras de este exilio terrenal donde la Iglesia, Mi Iglesia, Mi preciosa Esposa, hace su camino como peregrino en medio de grandes tristezas, persecuciones y ataques.

Todos los que fijan su mirada en Mi Madre, la toda amorosa, la Inmaculada, se encontrarán iluminados y hallarán su calidez interiormente. Mi Madre comunica algo de la plenitud de gracia que es de ella a todos los que invocan su nombre e incluso a los que no hacen más que mirar su imagen con afecto y esperanza.

Mi Madre está presente para Mi Iglesia en este mundo. Su gloriosa Asunción no la ha alejado de Mi Iglesia, al contrario, ha hecho posible que ella esté dondequiera que estén los miembros sufrientes de Mi Cuerpo místico, quienes son los más necesitados de sus ministraciones y de su simple y consoladora presencia. Es Mi Madre la que hace que

---

[1] Concilio Vaticano II, decreto sobre la actividad misionera de la Iglesia *Ad Gentes* (7 de diciembre de 1965), §18: "Cum enim vita contemplativa ad plenitudinem praesentiae Ecclesiae pertineat, oportet apud novellas Ecclesias ubique instauretur" (Dado que la vida contemplativa pertenece a la plenitud de la presencia de la Iglesia, es necesario que se establezca en todas partes entre las nuevas iglesias).

incluso las noches más oscuras se iluminen con el resplandor de su belleza y al hacerlo, consuela a las almas que no ven más que oscuridad a su alrededor, guiándolas de forma segura y en una gran paz interior.

Las almas que miran a Mi Madre como a su estrella que brilla en la noche, nunca se desviarán ni perderán de vista el camino que las lleva a Mí y a la gloria de Mi Reino. No hay una manera más segura de venir a Mí que a través de Mi Madre y bajo el manto de su protección. Los que piensan que pueden viajar a través de esta vida sin el compañerismo e intercesión de Mi Madre están cegados por un orgullo terrible y pecan contra Mis disposiciones hechas desde la Cruz: "Mujer, aquí tienes a tu hijo. He aquí a tu Madre."[1] Es Mi voluntad positiva que *todas* las almas aprendan de Mi Madre y vivan en su compañía. Es Mi voluntad positiva que las almas se abandonen a la custodia de Mi Madre, ellas serán como niños pequeños estrechamente sostenidos contra su Corazón Inmaculado.

¿Quién hablará a las almas de Mi madre? ¿Quién les dirá que no deben temer la oscuridad de la noche, mientras Mi Madre esté cerca? ¿Quién les dirá que las almas confiadas a Mi Madre están protegidas, guiadas y dirigidas por el camino que he trazado para cada una? No hay mejor manera de cumplir la misión de uno en esta vida que entregarse a Mi Madre en un acto de consagración total e irrevocable.

Quienes han hecho tal acto saben de lo que hablo. Mi Madre honra cada consagración hecha a su Doloroso e Inmaculado Corazón y aunque uno olvide que ha pronunciado una oración así, Mi Madre no la olvida. Ella permanece fiel a sus propios hijos, incluso cuando estos están distraídos por el mundo y se alejan de su resplandor que brilla como una estrella sobre los tormentosos mares de la vida.

Mi Madre espera que las almas la recuerden y regresen a su Corazón materno y cuando regresan a ella, los acoge con una inmensa ternura y alegría. Nunca pronuncia una palabra de reproche al niño que vuelve con ella y que vigila en su puerta, buscando encontrarse con la mirada amorosa de ella. Mi Madre es la Reina de la Misericordia. Ella es el refugio de los pecadores. Ella es el lugar seguro para esconderse para los que viven con miedo de ser atacados o dañados por los poderes de la oscuridad o heridos en un combate espiritual.

Todo esto debe ser anunciado a las almas, pero debe ser vivido en primer lugar por Mis sacerdotes, porque Mis sacerdotes son los hijos privilegiados de ella, los niños por quienes su Corazón tiene una predilección que Yo coloqué allí cuando le di a Mi Madre a Mi querido amigo, Mi discípulo San Juan, desde la Cruz. En esa hora, le di a Mi Madre

---

[1] Jn 19:26–27.

María una ternura permanente para todos los sacerdotes, es una ternura inagotable que ella ejerce a favor de todos Mis sacerdotes, hasta el final de la era.

Jueves 10 de diciembre de 2015

Quiero dibujar un velo entre tu alma y el mundo. Quiero reservarte solo para Mí y esconderte lejos de la mirada de los demonios y de los hombres. Quiero cubrirte con un velo y llevarte al santuario de Mi Corazón, para que allí ejercites Conmigo, a través de Mí y en Mí, un sacerdocio oculto y un victimismo oculto.

Este es la ocultación a la que atraje a Mi Santísima Madre, comenzando con su Presentación en el templo y perfeccionado en su gloriosa Asunción. Este es la ocultación a la que atraje al amigo de la Esposa, a San Juan Bautista[1] y a San Juan, el discípulo amado de Mi Corazón. Este es la ocultación a la que todavía atraigo a las almas que aceptan renunciar a las apariencias y entrar en un estado de aparente muerte, de silencio, de inutilidad y de nada ante los ojos del mundo.

Esta es la ocultación de la Hostia, Mi verdadero Cuerpo, ahora expuesto ante tus ojos y luego oculto en el tabernáculo. Mirando a la Hostia, el mundo no ve nada, ninguna acción, ninguna utilidad, ningún mensaje, ningún significado. Mirando a la misma Hostia con los ojos de la fe, ¿Qué tú ves? ¿No ves, aunque débil y oscuramente, lo que ven el Padre y las huestes angelicales: el Cordero inmolado desde antes de la fundación del mundo;[2] la obra misma de la redención desplegada; la gloria de Mi Rostro que llena el universo con el resplandor de mi divinidad; el único Rostro que todo el mundo desea ver?

Consiente estar oculto, así como Yo estoy oculto y no querrás nada. Consiente en estar oculto, así como Yo lo estoy y no te faltará nada. Consiente en estar oculto y Yo te daré todo lo que he creado para ti, todo lo que Mi Padre te daría, porque Él te ama así como Me ama a Mí, a ti en Mí y a Mí en ti.[3]

Jueves 28 de enero de 2016

Toda tu vida ha sido una preparación para este momento presente.

[1] Jn 3:29.
[2] Apoc 13:8.
[3] Jn 14:20.

Todo lo que has experimentado, todo lo que has sufrido, todo lo que has aprendido, todo lo que has hecho o dejado sin hacer, incluso todos tus pecados, constituyen una preparación para este momento presente. No hay nada en tu vida que no haya querido o permitido para llevarte a este momento. Todas las veces que vas al altar para ofrecer el Santo Sacrificio de la Misa, llevas contigo todo lo que eres en ese momento y todo lo que has sido, dicho y hecho hasta ese momento.

Cada momento de tu vida es una preparación para el Santo Sacrificio de la Misa, así como cada momento de Mi vida fue una preparación y un lento ascenso al Sacrificio de la Cruz. Comprende esto y verás que nada en tu vida es ajeno a Mi plan para ti, todo lo que has hecho, cada lugar en el que has estado, cada persona con la que has estado o estás conectado, es parte de Mi designio para tu vida. Toda tu vida se mueve hacia el altar, así como toda Mi vida se movió hacia la Cruz. Incluso las cosas que has sufrido son parte de Mi preparación para tu sacerdocio, parte de las cosas por las que te hago apto para estar en Mi lugar como víctima y como sacerdote.

Cuando traes a tu Misa todo lo que has experimentado—la historia de toda tu vida—Me permites redimir las cosas más oscuras, amargas y dolorosas, llevándolas al misterio de Mi Sacrificio. Ven al altar con tus pecados, aun con los que más te avergüenzas y te mostraré que ya los he tomado sobre Mí y los he expiado en Mi Sangre. Ven al altar con cada relación problemática y rota de tu pasado, con cada traición, cada falla y todo sacrilegio y arrojaré todas estas cosas en el océano de Mi misericordia, para que nunca más sea recuperado, nombrado o usado por el Acusador en tu contra.

Vive para la próxima Santa Misa que ofrecerás, para la próxima Santa Misa que ofreceré en ti, Mi sacerdote y víctima,—el sacerdote y la víctima en quien renuevo Mi Sacrificio de una manera no sangrienta y de nuevo doy Mi Cuerpo y Sangre a Mi Esposa, la Iglesia.

Nunca dudes que cada momento de tu vida es, ha sido y siempre será una preparación para la próxima Santa Misa que ofrecerás. Tú eres Mi sacerdote para esto, has que el misterio de Mi Sacrificio esté presente otra vez y permanece en Mi lugar como el representante visible de Mi sacerdocio y Mi condición de victimismo en la Iglesia.

Más tarde

Ningún santo Mío ha entrado en tu vida excepto por Mi designio y por Mi voluntad de hablarte, consolarte e instruirte a través de cada uno de ellos. Entonces atiende a los santos a quienes he encargado con una misión en tu vida. Ellos están más atentos a ti de lo que tú puedes estar con ellos y esto porque se perfeccionan en la caridad y se unen a Mi Corazón en la gloria del Paraíso. Hay santos a quienes he enviado a tu vida como Mis emisarios, como los *senpectae* enviados por el misericordioso abad para consolar al vacilante hermano para que no caiga en un dolor demasiado grande.[1]

Jueves 4 de febrero de 2016

Por esta única cosa te llamé fuera de la vida que estabas viviendo. Por esta única cosa te traje primero a —— y luego aquí, para que permanezcas en Mi presencia y esperes por Mí con amor, así como te espero con amor en este Sacramento de Mí amor. En este momento, estás haciendo eso por lo que te traje aquí. Incluso si no hicieras nada más, esta adoración sería suficiente, porque es *esto* lo que Yo he pedido de ti. Haz esto. Adórame, espérame y verás con asombro que haré todo el resto. Aquí hay un solo obstáculo para Mi plan y es que pierdas la gracia por la que te traje, al llegar a distraerte y consumirte por una multitud de otras cosas. Sé fiel a lo que es esencial, a estar Conmigo—y todo el resto te será dado por añadidura.[2]

No he pedido nada más de ti, sino que Me adores y permanezcas en Mi presencia; el resto te lo he prometido y seré fiel a Mis promesas. Entrégate a Mí y no te rechazaré nada. Lo que quiero es tu amor y el amor es el regalo de ti mismo derramado en Mi presencia. Incluso tu sanación, la sanación por la cual estás orando por la intercesión de la madre Mectilde, incluso esto te será dado en Mi presencia Eucarística.

Aún no has entendido que al adorarme, te abres a milagros de gracia y a un despliegue poderoso de Mi poder en tu enfermedad. Lo que te digo, lo diría a todos Mis sacerdotes, ven a Mí.[3] Permanece Conmigo.[4] Dame tu tiempo, porque el tiempo es la moneda de la amistad y la prueba de tu amor por Mí.

Ven a Mí y haré posible las mismas cosas que en tu miopía, consideras imposibles. Al hombre que valora Mi amistad por encima de todo, no le rechazaré nada. Al hombre que no tiene tiempo para Mí, no puedo darle nada, porque no está Conmigo para recibir Mis regalos, para escuchar Mis palabras, para conocerme como quiero que Me conozca.

[1] Ver *La Santa Regla* de San Benito, capítulo 27.
[2] Mat 6:33; Luc 12:31.
[3] Mat 4:19, 11:28, 14:29, 22:4; Jn 1:39, 7:37, 21:12.
[4] Jn 15:4.

Jueves 25 de febrero de 2016

Pero Jesús les respondió, diciendo: "Ha llegado la hora de que el Hijo del Hombre sea glorificado. De cierto, de cierto les digo, si el grano de trigo que cae en la Tierra no muere, seguirá siendo solo un grano. Pero si muere, dará mucho fruto. El que ama su vida, la perderá y el que aborrece su vida en este mundo, la guardará para la vida eterna. Si alguno Me sirve, que Me siga y donde Yo esté, allí estará también Mi servidor. Si alguno Me sirve, lo honrará Mi Padre."
JUAN 12: 23–26

Hay un sentido muy real en el cual la oración de adoración es la pérdida de la vida de uno. Es una especie de caer al suelo para morir. Recuerda esto cuando vengas a adorarme. Mira la Sagrada Hostia y mírame, que soy el grano de trigo caído en la Tierra, resucitado a la vida y convertido en el alimento de una vasta multitud de almas y esto hasta el fin de los tiempos. El grano de trigo que Yo fui se ha convertido en la Hostia que soy.

Cuando Me adoras, olvidándote de ti y abandonando todas las cosas por Mí, Me imitas, porque la adoración es un tipo de muerte. Es un fallecimiento a todo lo que solicita los sentidos y una adhesión solo a Mí en la brillante oscuridad de la fe. Así será en la hora de tu muerte.

Cuanto más profundamente te hundes en la adoración, más profundamente estás plantado en la Tierra, allí para morir y luego para brotar, y finalmente, para producir mucho fruto.

Sumérgete en la Tierra de la adoración. Consiente desaparecer, para abandonar las apariencias y para morir. Entra en el silencio de la Hostia. Haz por medio de la gracia, lo que contemplas en la fe. Aquí Yo estoy oculto, silencioso y abandonado por todos, salvo unos pocos a quienes he elegido para entrar en Mi ocultación, en Mi silencio y en Mi soledad. Si Me sirves, sígueme hacia Mi estado Eucarístico. Pierde todo lo que el mundo cuenta como algo y conviértete en Mí, algo que el mundo cuenta como nada.

"Donde Yo esté, allí también estará Mi servidor."[1] Tú estás aquí porque Yo estoy aquí y estuve aquí antes que tú. La adoración es la expresión más humilde y al mismo tiempo, la más fructífera de servicio. Adorarme es servirme y "si alguno Me sirve, Mi Padre lo honrará."[2] "Cuando Me adoras, Me sirves y al servirme, estas unido a Mí, que Me oculto, me doy y me revelo en este Sacramento." Esta es la vida de adoración, es el misterio del grano de trigo enterrado y oculto en la

---

[1] Jn 12:26.
[2] Ibid.

oscuridad de la Tierra. Es la promesa de vida en abundancia y un anticipo de la visión cara a cara de lo que te espera en la Gloria.

Jueves 3 de marzo de 2016

No dejes que tu corazón esté atribulado. Tú crees en Dios, cree también en Mí.
JUAN 14:1

Un corazón atribulado es siempre una indicación de la falta de confianza de una persona en Mí. El problema, la inquietud interior, viene de querer controlar y administrar las cosas que es mejor dejar a la Providencia de Mi Padre. Te ofrezco ocasiones para que confíes en Mí y Me abandones, las cosas que preferirías ver de otra manera. Cada vez que te enfrentas a algo que contradice tus planes o no cumple con tus expectativas, dame esa cosa, esa situación, esa decepción a Mí. Confíalo a Mi Corazón y luego renuncia a toda preocupación por eso.

No estoy lejos de ti ni soy removido de tu vida y todo lo que conforma tus días. Ni un cabello cae de tu cabeza sin que Mi Padre lo permita. Realiza frecuentes actos de confianza y abandono. Deja ir las cosas a las que te aferras más fuertemente. Ven a Mí con las manos vacías. No te aferres a nada ni siquiera a tus propios planes y deseos de cosas buenas. Si las cosas que quieres para ti son buenas, debes saber sin lugar a duda, que las cosas que quiero para ti son infinitamente mejores.

Cuando encuentres algo difícil o más allá de tu fuerza, pídeme que lo haga en ti o incluso que lo deje sin hacer, según Me parezca. Hay cosas que querrías hacer que son ajenas a Mis planes y hay cosas que te haría hacer que tú, nunca pensarías hacer. Es tu apego para hacer lo que deseas, lo que impide el rápido cumplimiento de Mis designios perfectos para ti y para este lugar.

Te llamé aquí para adorarme. Has encontrado otras cosas para llenar tus días y tus noches, pero ninguna de ellas avanzará Mis planes ni contribuirán al desarrollo de lo que Mi Corazón ha concebido para este lugar. Da el primer lugar a la adoración que te he pedido y que todavía te pido, y verás maravillas.

El hacer debe ser Mío. Lo tuyo es confiar en Mí, esperar por Mí, permanecer cerca de Mi Corazón como el discípulo amado. Cuando vayas a hacer algo que brota de Mi plan para ti, encontrarás que eso es fácil de hacer, porque te daré luz, fuerza y perseverancia para hacerlo.

Conságrame las horas de oración que te he pedido. Sigue tu Regla y todo lo demás caerá en su lugar. Cuando estás cerca de Mí en el Sacramento de Mi amor, estás trabajando Conmigo y Yo estoy trabajando en ti, y eso sucede de una manera que es divinamente eficaz y sobrenaturalmente fructífera. Cuando llegue el momento de terminar tu adoración, apártate de Mí con la misma libertad y alegría con la que has venido a Mi presencia. Siguiendo tu Regla, no Me abandones, únete a Mí y permíteme hablar, actuar, hacer cosas en ti que de otra manera serían imposibles para ti.

Las cosas que sientes sobre ti más pesadamente, las cosas que te causan más ansiedad y angustia son las mismas cosas que quiero que Me abandones. Cuando un hermano en particular se convierte para ti en una causa de preocupación y angustia, entrégame ese hermano y represéntalo ante Mi Rostro Eucarístico. Verás cambios en él que solo Mi gracia puede producir. Cuando algo se convierte en una causa de angustia, te da miedo, o te quita paz en el corazón, dame esa cosa de inmediato y una vez que Me la hayas dado, no lo pienses más.

Ordeno todas las cosas poderosa y dulcemente. Realiza tus tareas con libertad y sencillez. Haz una cosa tras otra. Dame todas las cosas al comenzarlas y ofréceme todas las cosas al completarlas. Trabaja tranquilamente en Mi presencia y luego regresa a Mi presencia aquí en el Santísimo Sacramento del Altar para encontrar descanso para tu alma y consolar a Mi Corazón con tu amistad.

24 de marzo de 2016
Jueves Santo

Esta es la noche en que estoy más cerca de Mis sacerdotes que están sufriendo. Esta es la noche del sacerdocio que sufre. Envío a Mis ángeles en gran número, vastas multitudes brillantes de ángeles, para consolar a Mis sacerdotes que sufren, para curar a algunos, para protegerlos a todos de los ataques del Enemigo e incluso traer algunos a Mí.

Es una gracia especial morir en la noche de Mi agonía, es una participación en Mi Pasión redentora. Une todo lo que sufres a Mis propios sufrimientos y de antemano, une tu agonía y muerte a Mi agonía en el Jardín y a Mi muerte en la Cruz.

Mis ojos buscan sacerdotes en la Tierra según Mi propio Corazón,[1] sacerdotes que sufrirán Conmigo, sacerdotes que Me permitirán orar, en ellos y por ellos, todo lo que oré en Getsemaní y luego, desde la Cruz.

Cuando encuentro a un sacerdote que sufre y que sufre Conmigo, se convierte en víctima Conmigo en el Santo Sacrificio de la Misa y en cada momento de su vida, abrazo a ese sacerdote con toda la divina ternura de Mi Corazón y lo atraigo a la herida en Mi Costado, allí para beber profundamente del refrescante torrente que fluye siempre de Mi Corazón.

[1] 1 Sam 13:14; Jer 3:15; Hech 13:22.

Es en Mis sacerdotes sufrientes que vivo Mi condición de víctima y traigo muchas almas a la salvación que de no ser por Mi Pasión continuada en Mis sacerdotes, se perderían de Mi amor por ellos. Yo salvaré almas a través de los sufrimientos de Mis sacerdotes víctimas. Son corderos para la matanza, pero Yo soy su vida y sus sufrimientos y muerte son preciosos a Mi vista.

Jueves 31 de marzo de 2016

Viniste a Mí queriendo discutir tus pecados, pero tus pecados no Me interesan. No mires tus pecados, mira más bien Mi Rostro y la herida en Mi Costado. Mira las heridas en Mis manos y en Mis pies, y recibe de ellas las corrientes de gracia que sanarán las heridas del pecado y las purificarán, y harán que se conviertan en signos del triunfo de Mi misericordia en ti.

No niego el pecado. Lo conozco en toda su fealdad y horror. Conozco el pecado por haber soportado sus consecuencias en Mi Carne y por haber permitido que desfigurara Mi Rostro, convirtiéndome en objeto de escarnio del que los hombres apartaron su mirada.[1]

Mi Madre Inmaculada también conoció el pecado en toda su fealdad y horror. Ella vio todo lo que el pecado hizo sobre Mi Cuerpo, el mismo Cuerpo que llevaba en su vientre virginal y al ver los estragos del pecado en Mi Cuerpo y Rostro, su Corazón fue atravesado por una espada de dolor en cumplimiento de la profecía de Simeón.[2]

Conocemos el pecado y como lo conocemos por lo que es, les pedimos a los amigos de nuestros Corazones que se aparten del pecado en su fealdad y horror, y que en cambio, miren el resplandor divino que ilumina Mi Rostro oculto en el Sacramento de Mi amor y en el suave rostro que refleja perfectamente este resplandor divino, el rostro de Mi Madre.

Muy pocas son las almas que fijan su mirada en nosotros. Una sola mirada a Mi Rostro Eucarístico, un simple levantamiento de los ojos de uno a Mi Madre es suficiente para curar un alma de los males que la oscurecen y la desfiguran. Esta es la gracia del Santo Rosario. Es un largo y sostenido intercambio de miradas. Es el encuentro de nuestra mirada con la mirada de las almas que consideran nuestros misterios y nos claman con una oración que es perseverante y humilde.

Por esta razón, el Rosario se ha convertido en una oración medicinal para las almas devastadas por los efectos del pecado. Es la aplicación de un remedio divino a todo lo que desfigura las almas creadas a Mi ima-

---

[1] Sal 30:12 (31:11); Sal 108(109):25; Is 53:2–3.
[2] Luc 2:35.

gen y semejanza. Utiliza esta humilde oración para luchar contra los pecados que te causan tanta angustia y encontrarás en ella el remedio y la defensa que necesitas y buscas.

Jueves 7 de abril de 2016

El que permanece en Mí y Yo en él, lleva mucho fruto, pues sin Mí, no pueden hacer nada.
JUAN 15:5

Si quieres permanecer en Mí, de acuerdo con Mi palabra, debes comenzar por permanecer *Conmigo*. La unión a la que te he llamado es una unión fructífera Conmigo y comenzará en el tiempo que te dediques exclusivamente a Mí y a Mi compañía.

He aquí, Yo Me presento en la puerta y llamo. Si algún hombre escucha Mi voz y Me abre la puerta, vendré a él y cenaré con él, y él Conmigo.
APOCALIPSIS 3:20

Aquellas almas que nunca permanecen Conmigo permanecen cerradas a las gracias de la unión Conmigo que tanto deseo darles. El tiempo pasado en Mi presencia suaviza el corazón y lo hace permeable al amor que irradia desde Mi Corazón Eucarístico. El tiempo pasado en Mi presencia permite que los ojos del alma se ajusten en fe, al brillo de Mi Rostro Eucarístico.

Ámame y muéstrame tu amor ofreciéndome el regalo de tu tiempo. Sé cómo la vela que existe solo para quemarse en Mi presencia. Es suficiente que estés allí en Mi presencia, ofreciéndome la llama de tu amor y permitiéndote ser consumido en la adoración silenciosa.

Háblame libremente o simplemente permanece en silencio. No pido muchas palabras. Solicito tu compañía, tu presencia y la atención amorosa de tu corazón. Así alcanzarás la unión Conmigo que deseo para ti, una unión fructífera por la cual permanecerás en Mí y Yo en ti.

Dame el sacrificio de tu tiempo en Mi presencia y te daré todo lo demás, incluso aquellas cosas que en este momento, parecen imposibles. El monasterio se construirá no en agitación y con mucha preocupación, sino en quietud y en abandono a Mi acción y al amor que irradia de Mi Corazón Eucarístico.

Moviliza a tus hijos, como ya lo estás haciendo, para permanecer delante de Mi Rostro Eucarístico y vigilar en humilde adoración y en sumisión a Mi acción. Verás que el monasterio se levanta a tu alrededor como nueva hierba en la primavera y sabrás que todo esto es obra Mía y el fruto de permitir que Mi poder actúe a través de tu quietud, tu abandono y tu confianza tranquila en Mí.

Puedes pensar que no hay suficientes horas en el día para hacer todo lo que se necesita hacer. Te prometo que cada hora que se Me dé exclusivamente será como la semilla de una cosecha abundante. La fruta que cosecharás superará, lo poco que Me habrás dado al permanecer en Mi presencia, más allá de lo que imaginas.

Estas son palabras que puedes compartir con tus hijos. Esto es algo que pueden experimentar. Solo tienes que darme lo poco que te pido y Yo, por Mi parte, haré todo lo que te he prometido.

Hay más tiempo en un día de lo que Se mide por horas y minutos. Soy el Señor de todos los tiempos y el tiempo dado en homenaje a Mí es más valioso que el tiempo invertido en los trabajos más agotadores. No te pido que dejes de hacer las tareas que tienes ante ti, solo que Me pongas antes que cualquier otra cosa, dando lo mejor de tu tiempo y la mayor parte solo a Mí.

Jueves 14 de abril de 2016

Conságrate a Mi Madre y levanta los ojos hacia su rostro completamente puro. Ella es la estrella que he puesto en la oscuridad del firmamento, no sea que los que Me pertenecen pierdan la esperanza y perezcan en la tempestad que amenaza la supervivencia misma de todo lo que he hecho y de las obras de Mis santos. Los que huyen a Mi Madre Inmaculada y se aferran a su manto de protección emergerán de las penas de este tiempo y, después de la tempestad, se regocijarán en una paz que el mundo no puede dar.

> *De cierto, de cierto, les digo que se lamentarán y llorarán, mientras que la gente del mundo se alegrará; sin embargo, aunque estén tristes, su tristeza se convertirá en alegría.*
> JUAN 16:20

Oren cerca de Mi Corazón herido y permanezcan en el resplandor de Mi Rostro Eucarístico. Así serán hijos de la Hostia para la Hostia y la semilla de una nueva generación de adoradores en espíritu y en verdad. Solo permanezcan Conmigo. Velen delante de Mi Rostro y escuchen todo lo que Mi Corazón les dirá. Estoy aquí para ustedes. Permanezcan aquí para Mí, y consuelen Mi Corazón, que tantos de los Míos han abandonado.

Jueves 2 de junio de 2016

Conviérteme por completo, oh, mi amado Jesús, para que pueda vivir cada momento, hasta el momento mismo de mi muerte, incluso con mis ojos fijos en Tu adorable Rostro y con mi corazón oculto en Tu Corazón traspasado. Hazme, Te ruego, lo que me has llamado a ser.[1]

Déjame que Te ame y Te adore para que pueda ser para Tu Corazón afligido el amigo consolador a quien has esperado tanto. No me dejes solo, nunca me abandones, a fin de que yo nunca Te deje solo y nunca Te abandone.[2] *Pon mi vagabundo corazón ante Tu tabernáculo, ante aquel en el que eres menos adorado y más olvidado, para que pueda perseverar en una vigilia de adoración, de reparación y de amor ante Tu Rostro Eucarístico.*

¿Qué Te puedo dar que no me hayas dado?[3]

Dame, entonces, a mí superabundantemente, para que pueda devolverte a Ti superabundantemente.

Dame, Te ruego, una chispa de Tu propio fervor ardiente por la gloria del Padre, que me consuma por completo como un holocausto para la alabanza de Tu gloria.[4]

Dame, Te lo suplico, una parte de Tu amor esponsal por la Iglesia, Tu Esposa en el Cielo y en la Tierra.[5] *Como Tú, Contigo, en Ti, déjame dar mi vida por ella.*[6]

Dame, Te lo suplico, el amor filial de Tu propio Corazón por Tu Inmaculada Madre, para que la ame como Tú quieres que la ame, para que le sirva con una devoción verdadera, pura y constante.

Dame, Te lo suplico, la tierna compasión con la que quieres que yo cuide las almas, para que en mi cuidado por ellas puedan experimentar la solicitud de Tu Sagrado Corazón.

Hazme, si es posible, Tu sacerdote hoy más que nunca. Ratifica y confírmame en la gracia inefable de la participación real en el Misterio de la Cruz, donde Tú eres Sacerdote y Víctima. Quema más profundamente en mi alma el carácter indeleble de Tu sacerdocio y en ese mismo fuego, consume y destruye todo lo que atenúa, obstruye o impide su glorioso resplandor, para que la luz de Tu Sacrificio pueda brillar ante los hombres y su poder sanador salga de mí como salió de Ti, por Ti, oh Salvador misericordioso, me has hecho Tu sacerdote para siempre.

Mil, mil vidas serían muy poco tiempo para agradecerte, bendecirte, alabarte por un regalo tan inconmensurable. Dame, entonces, cuando me llames a Ti, una eternidad en la cual pueda alabarte más allá del velo

---

[1] 1 Cor 1:26–30; Efes 2:10; 1 Tes 5:23–24; Jer 31:18; Lam 5:21.

[2] Sal 26(27):9; Sal 37:22 (38:21); Sal 70(71), vv. 9 y 18; Sal 118(119):8; Sal 139:9 (140:8); Sir 51:14.

[3] 1 Cor 4:7; Rom 8:32; 2 Pe 1:3; 1 Cró 29:14.

[4] Efes 1, vv. 6, 12, y 14.

[5] Jn 3:29; 2 Cor 11:2; Efes 5:22–32; Apoc 19:7, 21:2, 21:9.

[6] Efes 5:25.

donde, por el momento, Tú estás oculto en la gloria del Padre y en el resplandor del Espíritu Santo.[1] *Amén.*

⊕

Así Te contemplaba en el santuario,
para ver Tu poder y Tu gloria.
SALMO 63:2

Silencio de la Sagrada Hostia, imprégname.
Ocultación de la Sagrada Hostia, envuélveme.
Humildad de la Sagrada Hostia, escúchame.
Pobreza de la Sagrada Hostia, sea toda para mí.
Pureza de la Sagrada Hostia, límpiame.
Resplandor de la Sagrada Hostia, ilumíname.
Rostro oculto en la Sagrada Hostia,
    revélate a mí.
Corazón en llamas en la Sagrada Hostia,
    hazme arder con Tu amor.

Oh Sagrada Hostia,
    Carne viva y Sangre
      del Cordero Inmolado,
        Yo Te adoro.
Oh Sagrada Hostia,
    Carne viva y Sangre
      del Cordero Inmolado,
        Te ofrezco al Padre.
Oh Sagrada Hostia,
    Carne y Sangre viviente
      del Cordero inmolado,
        Te suplico que me unas a Ti
          ahora y en la hora de mi muerte.
            Amén.

---

[1] Véase Heb 6:19–20, 9:24, 10:19–21; Fil 2:11; 1 Pe 4:14, 5:10; Jn 1:14, 17:24; 2 Cor 4:6; 2 Pe 1:17; Mat 17:2; Mar 9:1.

Apéndice I

Oraciones de *In Sinu Jesu*

⊕

La coronilla de la reparación
u, Ofrenda de la Preciosísima Sangre por los sacerdotes

Esta coronilla de reparación e intercesión está destinada a ser rezada en un Rosario ordinario de cinco decenios.

Inclínate (✠) en mi ayuda, oh Dios, oh Señor, date prisa
   en ayudarme.
Gloria al Padre, al Hijo y al Espíritu Santo.
Como era en un principio, ahora y siempre,
   por los siglos de los siglos. Amén.
Aleluya. (*Después de la septuagésima*: Alabado seas, oh Señor,
   Rey de la Gloria eterna.)

En las cuentas del Padre Nuestro:

> Padre Eterno, Te ofrezco
> la Sangre preciosa de Tu Hijo amado,
> Nuestro Señor Jesucristo,
> el Cordero sin mancha ni defecto,
> en reparación por mis pecados
> y por los pecados de todos Tus sacerdotes.

En las cuentas del Ave María:

> Por Tu preciosa Sangre, oh Jesús,
> purifica y santifica a Tus sacerdotes.

En lugar del Gloria al Padre:

Oh Padre, de Quien se nombra toda paternidad
   en el Cielo y en la Tierra,
Ten misericordia de todos Tus sacerdotes,
   y lávalos con la Sangre del Cordero.

(Ver 8 de marzo de 2010)

⊕

Oh Virgen María,
mi Madre del Perpetuo Socorro,
mis manos están en tus manos y
mi corazón está en tu Corazón,
y esto para siempre.

(5 de octubre de 2007)

⊕

Oh, mi Jesús,
me coloco en espíritu delante de Tu Rostro Eucarístico
para adorarte,
para hacer reparación,
para decirte todo lo que Tu Espíritu de amor
    hará que surja en mi corazón.
Vengo a verte.
Vengo a escucharte.
Vengo a recibir de Ti todo lo que Tu Corazón abierto
    desea decirme y darme hoy.
Te agradezco por haberte acercado a mí.
Alabo Tu misericordia
Confieso el poder redentor de Tu Preciosa Sangre.
Amén.

(10 de octubre de 2007)

⊕

Oh dulce Virgen María,
yo soy tu niño.
Mantén mis manos en tus manos
y mi corazón en tu Corazón
durante todo este día
e incluso durante la noche.
Así quiero vivir y morir.
Amén.

(10 de octubre de 2007)

Oh, Jesús
Quiero ir en espíritu al tabernáculo
   donde estás más abandonado
   y más olvidado del mundo.
Quiero ir a donde nadie Te adora,
   donde nadie se inclina ante Ti,
   donde solo tienes a Tus ángeles.
para adorarte y para hacerte compañía.
Y aun así, es un corazón humano el que Tú más deseas,
   y, sobre todo, el corazón de un sacerdote.
Te doy el mío
   en una ofrenda de adoración y reparación.

(10 de octubre de 2007)

Señor Jesús,
Hoy me presento ante Tu Rostro Eucarístico,
   colocándome en espíritu cerca de ese tabernáculo en el mundo,
   donde estás más abandonado,
   más ignorado y más olvidado.
Como Tú me lo has pedido,
   Te ofrezco mi corazón, el corazón de un sacerdote,
   para que acompañe a Tu Sagrado Corazón Eucarístico,
   y también para acompañarte en Tu sacerdocio
Te adoro con espíritu de reparación
   por todos los sacerdotes de la Iglesia,
   pero especialmente por los que nunca o casi nunca,
   se detienen en Tu presencia,
   para dejar sus cargas,
   y para recibir de Ti nuevas fuerzas, nuevas luces,
   nuevas capacidades ya sea para amar, como para perdonar
   y bendecir.
No quiero dejar este tabernáculo hoy.
Quiero, en todo momento, permanecer inmerso en la adoración
   que Tú esperas de Tus sacerdotes.

(11 de octubre de 2007)

Yo me uno a la Santísima Virgen María,
   Mediadora de todas las gracias
   y la primera adoradora de Tu Rostro Eucarístico.
Para que por su purísimo Corazón,
   puedan las oraciones que surgen de mi corazón
   alcanzar Tu Corazón abierto,
   oculto y tan a menudo, dejado solo
   en el gran Sacramento de Tu amor.
      Amén.

(11 de octubre de 2007)

Oh, mi amado Jesús,
Sufro porque no puedo permanecer cerca de Tu tabernáculo.
Me siento privado de Tu presencia real
   y sin embargo, me alegro
   porque esto me muestra bien cuánto me has unido
   al adorable Misterio de Tu Cuerpo y Sangre.
Tú quieres que yo sea un sacerdote adorador y reparador
   para Tu Corazón Eucarístico,
   un adorador de Tu Rostro que,
   a través de la Hostia,
   brillas para nosotros.
Permite esto se haga de acuerdo con todos los deseos de Tu Corazón.
   Amén.

(13 de octubre de 2007)

Oh, mi amado Jesús,
   la eficacia y la fecundidad.
   de este tiempo de adoración
   no viene de mí,
   sino de Ti.
Todo es obra Tuya.
Me coloco ante Ti como un
   vaso para ser llenado.

(10 de abril de 2008)

Oh, mi amado Jesús,
  Vengo ante Tu Rostro Eucarístico
  y me acerco a Tu Corazón abierto
  en este Sacramento de Tu Amor,
  para responder hoy a lo que me has pedido.
Con confianza en Tu bondad infinita,
  y sin temer nada aparte del pecado y el
  peligro de la separación de Ti,
  digo "sí" a todo lo que Tu Sagrado Corazón desea para mí.
Solo quiero para mí lo que Tú quieres para mí.
Deseo lo que deseas para mi vida,
  y nada más.

Haciendo uso del libre albedrío que me has dado,
  Te doy a Ti, mi Dios Soberano y Todopoderoso,
  la libertad de santificarme completamente en cuerpo, mente
    y espíritu.
Te permito, a partir de esta fiesta de Tu Sagrado Corazón,
  que me formes y me hieras en una representación viva de
    Ti mismo
  ante Tu Padre y en medio de Tu Iglesia.

Hiéreme, para que pueda ser otro Tú
  en el altar de Tu Sacrificio.
Hiéreme con ese amor que es indescriptible en términos terrenales
  para curar todas las heridas de mis pecados.
Penetra mi alma con Tu luz divina.
No permitas que vestigios de oscuridad permanezcan dentro de mí.

Renuevo mi total consagración
  al Corazón puro y sin pecado de Tu Madre Inmaculada,
  y espero de sus manos maternales
  todo lo que Tú quieras otorgarme.
Te agradezco por el incomparable trabajo de Tu Madre
  en mi alma y en las almas de todos Tus sacerdotes.
A través de ella, soy enteramente Tuyo.

Cumple todos los designios de Tu Sagrado Corazón en mi vida.
Gloria a Tu Corazón Eucarístico
  desde mi propio corazón
  y desde el corazón de cada sacerdote Tuyo.
Amén.

(30 de mayo de 2008)

⊕

¡Oh, mi amado y siempre misericordioso Jesús!
    Te adoro y Te ofrezco todo el amor y el deseo de mi corazón.
El deseo que Te ofrezco es el mismo que Tú me has dado:
    el deseo de santidad, es decir, de la unión Contigo.
Úneme a Ti:
    mi corazón a Tu Corazón,
    mi alma a Tu Alma,
    todo lo que soy a todo lo Tú eres.

(26 de junio de 2008)

⊕

Mi amado Jesús,
Te agradezco por haberme llamado a una vida de adoración.
Te agradezco que me quieras, indigno como soy,
    para permanecer ante Tu Rostro Eucarístico
    y acercarme a Tu Corazón abierto
    en el Sacramento de Tu amor.

Te doy gracias porque me has llamado para ofrecerte reparación.
    primero por mis propios pecados,
    demasiados para ser contados,
    y por todas esas ofensas
    por las que he afligido a Tu Corazón más amoroso
    y a las almas ofendidas queridas por Ti y
    compradas por Tu Sangre más preciosa.

También me llamas para hacer reparación
    por todos los pecados de mis hermanos sacerdotes,
    pobres pecadores como yo,
    a menudo atrapados en las trampas del Maligno,
    e insensibles a las delicias y la paz
    que deseas darles en Tu presencia.

Te agradezco que me hayas elegido para hacer reparación
    por la frialdad, la indiferencia, la irreverencia y el aislamiento
    que Tu recibes en el Sacramento de Tu amor.

A Tu presencia, permíteme ofrecerte mi presencia,
    a Tu Corazón traspasado, déjame ofrecerte mi corazón,
    a Tu amistad divina,

278

permíteme ofrecerte todos los anhelos de mi alma
por esa compañía Tuya,
que sobrepasa todo amor terrenal pasajero
y satisface las necesidades y los deseos más profundos
de mi corazón.

(3 de julio de 2008)

☩

Te ruego que me mantengas puro, transparente, humilde y libre,
para que pueda cumplir con integridad, desapego y alegría
la paternidad espiritual a la que me has llamado.
Pido además, la gracia de relacionarme con todos los que vendrán
a mí como un padre a un hijo, como un hermano a un hermano.
Te ruego que purifiques y fortifiques todos los lazos de amistad
en el fuego de Tu Corazón Eucarístico.

Yo entrego a Ti mi humanidad
con sus heridas, su quebrantamiento y sus cicatrices.
Te doy mi pasado en su totalidad.
Te ruego por la gracia de caminar en la novedad de la vida
que sé que Tú deseas para mí.

Y que todo esto puede suceder
de la manera más eficaz y fructífera,
me abandono en las manos más puras de Tu Madre, mi Madre,
todo lo que soy, todo lo que he sido, y todo lo que Tú,
en la infinita misericordia de Tu Corazón Eucarístico,
me gustaría ser para Ti,
para Tu Cuerpo místico, Tu Esposa, la Iglesia;
y para la gloria de Tu Padre. ¡Oh mi amado Jesús!
Amén.

(3 de julio de 2008)

IN SINU JESU

✠

Señor Jesucristo, Sacerdote y Víctima,
  Cordero sin mancha ni defecto,
  me presento ante Tu Rostro,
  cargado con los pecados y traiciones de mis hermanos sacerdotes
  y con la carga de mis propios pecados e infidelidades.
Permíteme representar a los sacerdotes que
  más necesitan de Tu misericordia.
Por ellos, permíteme permanecer ante Tu Rostro Eucarístico,
  cerca de Tu Corazón abierto.
A través del Doloroso e Inmaculado Corazón de Tu Madre,
Defensora y Mediadora de Todas las Gracias,
  derrama sobre todos los sacerdotes de Tu Iglesia
  ese torrente de misericordia que siempre fluye de Tu Corazón,
  para purificarlos y sanarlos,
  para santificarlos y restaurarlos
  y a la hora de su muerte,
  para hacerlos dignos de unirse a Ti delante del Padre
  en el lugar santo celestial más allá del velo.
Amén.

(10 de noviembre de 2008)

✠

Oh, mi amado Jesús, úneme a Ti,
  mi cuerpo a Tu Cuerpo,
  mi sangre a Tu Sangre,
  mi alma a Tu Alma,
  mi corazón a Tu Corazón,
  todo lo que soy a todo lo que Tú Eres
Para ser Contigo, oh Jesús, un
  sacerdote y una víctima
  ofrecidos a la gloria de Tu Padre, por
  amor a Tu Esposa, la Iglesia—
Para la santificación de Tus sacerdotes,
  la conversión de los pecadores,
  las intenciones del papa,
  y en dolorosa reparación
  por mis innumerables
  pecados contra Ti en Tu sacerdocio
  y en el Sacramento de Tu amor.
Amén.

(15 de abril de 2009)

⊕

Jesús mío, solo como Tú quieras,
   cuando quieras,
   y en la forma en que lo harás.
A Ti sea toda la gloria y la acción de gracias,
   Quien gobierna todas las cosas con poder y dulzura,
   y Quien llena la tierra con Tus múltiples misericordias.
Amén.

                             (8 de enero de 2010)

⊕

Haz en mí y a través de mí, oh, mi amado Jesús,
todo lo que más desees encontrar en mí y haz a través de mí,
para que, a pesar de mis miserias, mis debilidades
   e incluso mis pecados,
mi sacerdocio pueda ser un resplandor Tuyo,
y mi rostro refleje el amor misericordioso que siempre brilla
   en Tu Santo Rostro.
Por las almas que confían en Ti y se abandonan ellas mismas
   a Tu acción divina.

                           (26 de enero de 2010)

⊕

Mi Jesús, ¿Cómo puedo rechazarte alguna cosa?
Toda mi confianza está en Ti.
En Ti está toda mi esperanza.
Soy todo Tuyo,
   y Tu amistad es mi garantía
   de felicidad y de Tu gracia inagotable.
Te doy mi más sincero "sí."
Soy todo Tuyo, amado Jesús:
   un sacerdote en Tu propio Sacerdocio y
   una víctima Contigo en Tu oblación al Padre
   pura, santa y sin mancha. Amén.

                           (27 de enero de 2010)

Oh, mi amado Jesús,
entrego a Tu Sagrado Corazón
   todo lo que amo.

                          (9 de febrero de 2010)

✠

Mi amado Jesús,
me entrego al amor de Tu Corazón por mí
y me ofrezco a Ti
    como víctima de adoración y reparación.
por todos los que he herido y ofendido,
    para que puedan ser sanados y restaurados
    a Tu amistad dentro de Tu Iglesia,
y por todos Tus sacerdotes,
    especialmente por los que todavía están revolcándose en los pecados
    y ciegos a la dulce luz de Tu Rostro.
Mi Jesús, me entrego como víctima de amor
    a Ti, que Te entregaste como Víctima de amor por mí.
Deseo no tener ninguna voluntad de apárteme de Tu voluntad,
    la expresión perfecta del amor de Tu Corazón por mí
    y por todos Tus sacerdotes.
Me ofrezco a Ti también por todas las intenciones del papa.
Te pido que lo fortalezcas y lo consueles,
    y lo consagres al Inmaculado Corazón de Tu Madre.

(20 de marzo de 2010)

✠

Sí, Señor Jesús,
consiento perder todo excepto a Ti, porque al poseerte,
    no perderé nada,
y al amarte
    yo seré amado por Ti,
y en ese amor encontraré la felicidad perfecta
    y la gracia de amar a los demás
    como Tú me has amado.

(22 de septiembre de 2011)

✠

Hágase en mí según Tu palabra.
Señor Jesús, acepto Tu plan.
Doy mi libre y pleno consentimiento a Tu voluntad.
Estoy dispuesto a abandonar todo lo demás y dejar todo lo
    demás atrás.
Soy Tu siervo y
    por Tu infinita misericordia,
    el amigo de Tu Corazón. Amén.

(25 de septiembre de 2011)

IN SINU JESU

⊕

Oh, mi amado Señor Jesús, verdaderamente presente aquí,
    Te adoro con todo el amor de mi corazón.
Es por esto y por ninguna otra cosa
    que Tú me has traído aquí:
    para adorarte, para permanecer en Tu compañía,
    para buscar Tu Rostro y descansar sobre Tu Corazón.
Mantenme fiel al llamamiento que me has dado,
    y no dejes que nada me distraiga de Ti,
    Quién eres lo único necesario,
    y aparte de Ti no hay nadie ni nada en el Cielo o en la Tierra
    a quien pueda darle mi corazón.
Estar cerca de Ti es mi felicidad.
Mantenme en Tu presencia
    y nunca me apartes del resplandor
    de Tu Rostro Eucarístico. Amén.

                            (27 de enero de 2012)

⊕

Jesús, Jesús, Jesús,
    no dejes que nada me saque del resplandor
    de Tu Rostro Eucarístico;
más bien, deja que todas las cosas trabajen juntas
    para obligarme a buscar Tu Rostro y adorarte.

                            (27 de enero de 2012)

⊕

Oh, fortalece mi atención amorosa hacia Ti,
Tú que estas amorosamente atento a mi
en este Sacramento de Tu amor.

                            (28 de enero de 2012)

IN SINU JESU

Señor Jesús,
No me pides lo imposible,
   porque incluso cuando me pides lo que,
   a mis ojos, parece imposible,
   Tú ya lo estás haciendo posible por Tu gracia.
Para Ti y para los que Te aman, nada es imposible.
Puedo hacer todas las cosas en Ti
   quien me fortalece para hacerlas.

(29 de enero de 2012)

Señor Jesucristo,
   aunque no puedo, durante esta hora,
   acercarme físicamente a Ti en el Sacramento de Tu amor,
   me acercaré a Ti por deseo y por fe.
Transpórtame, Te lo suplico,
   elevando mi mente y mi corazón,
   a ese tabernáculo en el mundo donde a esta hora, Tú estás,
   más abandonado, totalmente olvidado y sin compañía humana.

Permite que incluso cuando estoy ocupado haciendo cosas ordinarias
   de una manera ordinaria,
   el resplandor de Tu Rostro Eucarístico penetre en mi alma
   de tal manera que, al ofrecerte adoración y reparación;
pueda obtener de Tu Sagrado Corazón
   el regreso de al menos un sacerdote al tabernáculo
   donde Tú más esperas por él. Amén.

(30 de enero de 2012)

⊕

Oh, mi amado Jesús,
Estoy feliz de estar en Tu presencia.
Tu salmista lo dijo: "Estar cerca de Dios es mi felicidad."
No hay palabras para describir lo que es tenerte a Ti:—
    Dios de Dios, Luz de la Luz, Dios verdadero de Dios verdadero—
    tan cerca.

Estás oculto, pero Te veo.
Estás en silencio, pero yo Te escucho.
Estás inmóvil, pero Te acercas para atraerme
    y retenerme contra Tu Corazón.
El que Te posee en el Sacramento de Tu amor,
    posee todo.

Porque Tú estás aquí, no me falta nada.
Porque Tú estás aquí, no tengo nada que temer.
Porque Tú estás aquí, no puedo estar solo.
Debido a que Tú estás aquí, el Cielo está aquí,
    y miríadas de ángeles Te adoran
    y Te ofrecen sus canciones de alabanza.
Debido a que estás aquí, no necesito buscarte en ningún otro lugar.
Debido a que estás aquí, mi fe Te posee,
    mi esperanza está anclada a Ti,
    mi amor Te abraza y no Te dejará ir.

                         (10 de marzo de 2012)

⊕

Dame, Señor Jesús,
    según el deseo de Tu Corazón.
Soy un recipiente vacío esperando que Tú me llenes.
Permaneceré ante Ti, silencioso y vacío,
    y preparado para ser llenado
    con lo que sea que Te agrade a Ti para que viertas en mí.
Lléname según Tu deseo,
    no solo para mí, sino también para los demás,
    por las almas que me enviarás,
    para que pueda darles algo puro,
    algo divino para beber.

                         (10 de marzo de 2012)

Úneme, Te lo suplico,
  a Tu humildad Eucarística,
  a Tu silencio, a Tu ocultación,
  y a Tu oración incesante al Padre.
Úneme a la oblación ininterrumpida
  de Ti mismo al Padre en
  el Sacramento de Tu amor.
No hay un momento en el que Tú no estés ofreciéndote a Ti mismo,
  ningún momento en el que Tu inmolación en la Cruz
  no esté representada al Padre
  desde el silencio de Tus tabernáculos.
Permite que nada, entonces, me separe de Ti,
  el Cordero de Dios por Cuya Sangre el mundo es redimido
  y las almas son lavadas del pecado,
  y el Corazón del Padre Se conmueve a la piedad
  por los pecadores más endurecidos
  y por los más pequeños de Sus criaturas.
Amén.

(18 de marzo de 2012)

IN SINU JESU

✠

Oh, mi amado Jesús,
Adoro Tu Rostro Eucarístico,
   Cuyo resplandor es mi luz inagotable
   en las sombras de este exilio terrenal.
Mientras estés conmigo, no temeré al mal.
Tú estás aquí, cerca de mí,
   y yo estoy aquí, cerca de Ti,
   para creer en Ti, para esperar en Ti,
   para amarte y para adorarte.

Aparte de Ti, no deseo nada en la Tierra,
   y sin Ti, ¿Qué es el Cielo?
Aquí en Tu presencia Eucarística está el Cielo en la Tierra.
Aquí está la alegría eterna de todos los ángeles y bendecidos.
Aquí está el cumplimiento del anhelo en la esperanza
   que arde como un fuego en las almas del purgatorio.
Aquí está el corazón de la Iglesia en la Tierra
   y la gloria de la Iglesia en el Cielo.
Aquí está el estupendo milagro de Tu amor por nosotros:
Tu presencia perdurable como el Cordero que fue sacrificado,
   y el triunfo de Tu Cruz y Resurrección.

¿Por qué, entonces, estás solo en este Santísimo Sacramento?
¿Por qué estás abandonado en Tus tabernáculos?
¿Por qué están vacías o raramente visitadas Tus iglesias?
¡Revélate de nuevo en el Sacramento de Tu amor!
Haz conocer Tu presencia aquí a los que dudan,
   a los ignorantes, a los indiferentes y a los de corazón frío.
Atrae a todos,—bautizados y no bautizados,—
   al resplandor de Tu Rostro Eucarístico,
   y no permitas que una sola alma escape al abrazo
   de Tu amistad Eucarística.
Así podrás satisfacer Tu propia sed
   por la fe y el amor de nuestras almas,
   y así podrás satisfacer el anhelo de Tu propio Corazón
   por el amor de los corazones que has creado
   para Ti y no para ningún otro. Amén.

(20 de abril de 2012)

¡Ven, Espíritu Santo!
¡Ven, Fuego viviente!
¡Ven, Unción de arriba!
¡Ven, Agua viva!
¡Ven, Aliento de Dios!

Márcame con una incisión de fuego
    para la obra a la cual he sido llamado.
Firma mi alma profunda e indeleblemente
    para la adoración del Rostro Eucarístico del Hijo
    y para el consuelo de Su Corazón Eucarístico.
Así quema la marca de esta vocación en mí
    que yo sufriré de cada traición
    y de cada infidelidad a ella.
Así séllame para esta vocación
    que solo Te encontraré a Ti en su cumplimiento
    y en su perfección en la adoración duradera del Cielo,
    donde Tú vives y reinas con el Padre y el Hijo.

Permite que la adoración del Cordero
    comience para mí aquí en la Tierra hoy,
y deja que se incremente y profundice en mi vida
    hasta que se vuelva incesante,
una fuente de alegría que fluye de una fuente inagotable,
    Tu propia presencia permanente en mi alma,
para saciar la sed de Cristo, el Esposo,
    y para hacer fructífero Su sacerdocio en la Iglesia.
Amén.

(27 de mayo de 2012)

Conviérteme completamente,
  Oh, mi amado Jesús,
    para que pueda vivir cada momento—
      hasta incluso en el momento de mi muerte—
    con mis ojos fijos en Tu adorable Rostro,
  y con mi corazón oculto en Tu Corazón traspasado.

Hazme, Te lo ruego, lo que me has llamado a ser.
  Permíteme amarte y adorarte
    que yo pueda ser para Tu afligido Corazón
      el amigo consolador por el que has esperado tanto
    tiempo. No me dejes solo, nunca me abandones,
  a fin de que yo nunca Te deje solo y nunca Te abandone.

Pon mi corazón vagabundo delante de Tu tabernáculo—
  delante de aquel donde estés menos adorado y más olvidado
    —para que pueda perseverar
      en una vigilia de adoración,
    de reparación y de amor
  delante de Tu Rostro Eucarístico.

¿Qué puedo darte que no me hayas dado?
  Dame, entonces, a mí sobreabundantemente,
    para que yo pueda devolverte sobreabundantemente.
      Dame, Te suplico, una chispa
    de Tu fervor ardiente por la gloria del Padre;
  permíteme que me consuma enteramente como un
holocausto para la alabanza de Su gloria.

Dame, Te lo suplico,
  una parte de Tu amor esponsal por la Iglesia,
    Tu Esposa en el Cielo y en la Tierra.
  Como Tú, Contigo, y en Ti, déjame dar mi vida por ella.

Dame, Te lo suplico,
  Tu propio amor filial de Tu Corazón por Tu Inmaculada Madre,
    Que yo pueda amarla como Tú quieres que la ame
  que yo pueda servirle con una devoción
que es verdadera, pura y constante.

IN SINU JESU

Dame, Te lo suplico,
  la tierna compasión
    con la que quieres que cuide las almas,
    para que en mi cuidado por ellas
puedan experimentar la solicitud de Tu Sagrado Corazón.

Hazme, si es posible,
  más Tu sacerdote hoy de lo que he sido antes.
    Ratifícame y confírmame en la gracia inefable
    de la participación real en el Misterio de la Cruz,
donde Tú eres Sacerdote y Víctima.

Quema más profundamente en mi alma
  el carácter indeleble de Tu sacerdocio,
    y en ese mismo fuego, consume y destruye
      todo lo que oscurece, obstruye o impide su glorioso
        resplandor, para que la luz de Tu Sacrificio brille ante
      los hombres y Tu poder sanador salga de mí
    como salió de Ti, porque Tú
  oh, Salvador misericordioso,
me has hecho Tu sacerdote para siempre.

Mil, mil vidas serían muy poco tiempo
  para agradecerte, para bendecirte, para alabarte
    por un regalo tan inconmensurable.
      Dame, entonces, cuando me llames a Ti,
        una eternidad en la cual Te alabe más allá del velo
      donde, por el momento, Tú estás escondido
    en la gloria del Padre
  y en el resplandor del Espíritu Santo.
Amén.

(2 de junio de 2016)

Apéndice II

Palabras sobre estas palabras: Extractos de *In Sinu Jesu*

Yo te hablaré, hablaré a tu corazón, para que puedas escuchar Mi voz para la alegría de tu corazón. Escucharás Mi voz, especialmente cuando vengas ante Mi Rostro, cuando adores Mi Rostro Eucarístico y te acerques a Mi Corazón abierto. Hablaré a tu corazón como lo hice al corazón de Mi amado discípulo Juan, el amigo de Mi Corazón, el sacerdote de Mi Corazón abierto. *(8 de octubre de 2007)*

Si te estoy hablando de esta manera ahora, es porque necesitas escuchar Mi voz. Durante demasiado tiempo has estado lejos de Mí sin poder hacerme compañía, sin poder escuchar todo lo que deseaba decirte. Pero ahora, ha llegado el momento. Ahora y en adelante, Yo te estoy hablando y te hablaré, para que muchos puedan ser devueltos a Mí y en Mí, encuentren sanación y paz. *(11 de octubre de 2007)*

Aquí, en Mi presencia, te llenaré, no solo para ti mismo, sino también para todos los que se te darán, para que transmitas Mis mensajes de amor y de misericordia. Lo que quiero sobre todo es que Mis sacerdotes sean santos, y por eso les ofrezco Mi presencia en la Eucaristía. Sí, este es el gran secreto de la santidad sacerdotal. Debes decirles esto, debes repetir lo que te estoy diciendo, para que las almas puedan ser consoladas y estimuladas a buscar la santidad y la paz. *(29 de octubre de 2007)*

Quiero que les digas a los sacerdotes los deseos de Mi Corazón. Te daré muchas oportunidades para hacer esto. Hazles saber estas cosas que Yo te he dado a conocer. Las gracias almacenadas en Mi Corazón para los sacerdotes son inagotables, pero muy pocos se abren para recibirlas. Tú, Mi amigo, Mi sacerdote elegido, permanece en Mi presencia y abre tu alma a todo lo que deseo darte. Abre el oído de tu corazón a todo lo que tengo que decirte. Escúchame. Escribe lo que oyes. Pronto te dejaré compartir con los demás las cosas que te he hablado en silencio. (*17 de enero de 2008*)

Mi querido amigo, sacerdote de Mi Corazón, quiero que revises las palabras que te he hablado. Te pido que las mantengan frescas en tu mente y que las almacenes en tu corazón, porque se acerca el día y llegará pronto, y te pediré que compartas con tus hermanos las cosas que te habré dado a conocer. (*15 de mayo de 2008*)

Desde el principio,—desde aquella noche en el Cenáculo cuando entregué los misterios de Mi Cuerpo y Mi Sangre—Mi Rostro y Mi Corazón han estado presentes en la Santísima Eucaristía. Pero esta es una verdadera revelación en el sentido de que ahora deseo retirar el velo y para hacer esto te usaré. No hay nada nuevo en lo que te estoy diciendo, pero hay mucho que se ha olvidado, desechado o incluso rechazado por la dureza del corazón. Te usaré para retirar el velo de lo que *es*, dondequiera que Yo estoy sacramentalmente presente, Mi Rostro brilla con todo el resplandor de Mi divinidad y de Mi Corazón traspasado, que está eternamente abierto, siendo una fuente de misericordia sanadora y de vida inagotable para las almas. (*26 de junio de 2008*)

Tengo mucho que decirte. ¿Por qué vacilas? ¿Por qué no tomas tu lapicero y escribes las palabras de Mi Corazón al tuyo? Soy fiel a ti. No te abandonaré, ni Me retractaré de ninguna de las promesas que te he hecho. (*24 de agosto de 2008*)

No te detengas de transcribir Mis palabras. Te hablo para consolarte e iluminarte, para mostrarte cuánto te amo y deseo que estés en todo momento cerca de Mi Corazón abierto, pero también te hablo por tus hermanos sacerdotes y por aquellas almas que orarán por ellos y se ofrecerán ellas mismas, para que los sacerdotes sean santificados en verdad. (*29 de noviembre de 2008*)

El propósito de cualquier palabra que Yo te hable es unirte a Mí en el silencio del amor. Es por eso por lo que los amigos y los amantes se hablan unos a otros, para expresar lo que tienen en sus corazones. Una vez que se han expresado estas cosas, es suficiente que permanezcan unidos el uno al otro en el silencio que es la expresión más perfecta de su amor. Hay momentos en que las palabras son útiles y necesarias para tu debilidad humana y por la necesidad de que te tranquilices en Mi amor por ti, pero al final, el silencio es la expresión más pura de Mi amor por ti y de tu amor por Mí. Poco a poco te llevaré al silencio del amor unitivo. No dejaré de hablarte por completo porque necesitas Mis palabras y también porque serán útiles a otras almas, pero Yo te enseñaré a que imites a Juan, Mi discípulo amado, descansando tu cabeza, tan llena de pensamientos y preocupaciones y temores y palabras, sobre Mi más Sacratísimo Corazón. (*21 de marzo de 2009*)

Mira los cambios que he hecho en ti y conoce en estas cosas la verdad de nuestras conversaciones, porque Mi deseo es y sigue siendo, hablarte a tu corazón, incluso como un hombre habla con su amigo. Cuando surjan dudas, desestímalas. Que sepas que te hablo en un idioma extraído de tu propia experiencia y de los recursos de tu propia imaginación y mente. Sin embargo, el mensaje es Mío. Soy Yo quien Se está comunicando contigo de esta manera para sostenerte en Mi amistad divina y para llevarte al santuario de Mi Corazón, allí para adorar y glorificar Conmigo, al Padre que es la fuente de todos los dones del Cielo. No cedas al miedo, a la duda y a un escrutinio puramente humano de algo que es Mío y que te comunico libremente por amor. (*7 de julio de 2009*)

Deseo que Mis palabras y las de Mi Madre lleguen a un gran número de almas sacerdotales para llevarles consuelo, coraje y luz. Yo te he hablado no solo para consolarte y darte la seguridad de Mi amor misericordioso y amistad, pero también para que a través de Mis palabras a ti, otros sacerdotes puedan llegar a conocer Mi ardiente amor por ellos y Mi deseo de acogerlos en el abrazo de Mi amistad divina. Ofrece hoy la Misa al Espíritu Santo por esta intención. Mis palabras a ti continuarán porque deseo instruirte, sostenerte y unirte a Mí a través de ellas. No te pongas ansioso al escuchar el sonido de Mi voz en tu corazón. Reconocerás Mis palabras y esto sucederá sin ansiedad o estrés de tu parte. Esté en paz. Recibirás las palabras que quiero que escuches y las que te doy para el consuelo y la edificación de tus hermanos sacerdotes y de los hijos que te estoy dando. Una de las señales de que estas palabras se originan en Mi tierno amor por ti y no en tus propios pensamientos, es que, cuando las releas y las medites, podrás experimentar la paz y la alegría de Mi presencia. (*18 de enero de 2010*)

Sí, mucho de lo que te estoy diciendo necesita llegar a otras almas. Ve con esto, con prudencia y en obediencia a tu padre, el obispo. Él leerá y comprenderá que esta pequeña luz no debe ser escondida debajo de una canasta. Debe protegerse y pasarse con cuidado de mano en mano para que más almas puedan regocijarse en Mi calidez y en la luz de Mi Rostro. (*13 de marzo de 2010*)

Cuando te retiro esta gracia de la conversación Conmigo por un tiempo, es para que no lo confundas con el producto de tus propias imaginaciones y también para que no te acostumbres a Mis palabras y así, poco a poco, no las tomes en serio y no las atesores. Te hablo así para que puedas compartir Mis palabras cuando se presente la ocasión de hacerlo. Comparte Mis palabras humildemente sin pensar en ti. (*15 de abril de 2010*)

Cuando tengo algo que decirte, nada puede interferir con la palabra que te dé, aparte de tu propia falta de preparación o de la negativa a escuchar Mi voz interior. Esta es la voz que está dentro de ti, pero eso viene de Mí. Es la expresión del deseo de Mi Corazón y de las cosas que compartiré contigo, de Corazón a corazón, como un hombre habla con su amigo. Permanece abierto, entonces, al sonido de Mi voz y no dejes que nada te engañe para que pienses que te he abandonado o que nuestras conversaciones han llegado a su fin. Tengo tanto que decirte que el resto de tu vida terrenal no será suficiente para escucharlo todo, pero tú escucharás; sin embargo, todo lo que Yo quiera que escuches y todo el resto llegará a ser claro para ti en el Paraíso. (*16 de mayo de 2010*)

Mi Corazón te habla para que puedas hablar Mis palabras a los corazones de muchos otros, los que te enviaré a ti y a los que Yo envío para que les prediques. Siempre y cuando permanezcas fiel a la vigilia delante de Mi Rostro Eucarístico, Yo te daré Mis palabras y Me encargaré de que ellas permanezcan en el tesoro de tu alma, para ser sacadas y ofrecidas a otras almas en el día y la hora previstos por Mi Providencia. (*29 de mayo de 2010*)

Te hablo de esta manera no solo por ti, amado amigo de Mi Corazón, sino también para los que recibirán estas palabras, las meditarán y traerán de ellas la inspiración para amarme más generosamente, más fructíferamente y más alegremente. Te hablo por el bien de Mis sacerdotes. Tú serás sorprendido por la acogida dada a Mis palabras. Muchas almas de los sacerdotes serán vivificados y consolados por ellas. Muchos sacerdotes serán conmovidos a pasar tiempo en el resplandor de Mi Rostro Eucarístico y a permanecer cerca de Mi Corazón traspasado. Este es Mi deseo para ellos. Quiero atraer a todos Mis sacerdotes al resplandor de Mi Rostro y luego al santuario de Mi Corazón abierto. (*26 de agosto de 2010*)

Si perseveras en estar cerca de Mí, permaneciendo en la luz de Mi Rostro Eucarístico, y cerca de Mi Corazón Eucarístico, no permitiré que seas engañado en las palabras que escuchas de Mí ni te permitiré desviar a otros. Solo tienes que preferir Mi compañía a cualquier otra compañía, el amor de Mi Corazón al amor de todos los demás corazones y el sonido de Mi voz en el silencio de tu alma a cualquier otra voz. (*1 de septiembre de 2011*)

Si las palabras que te doy son para tu instrucción, para tu consuelo y para la conversión de tu corazón en amor, pero no son solo para ti. Otros los leerán y ellos también serán conmovidos al arrepentimiento. Ellos serán consolados y comenzarán a buscar Mi Rostro y acercarse a Mi Corazón en el Sacramento de Mi amor. (*23 de septiembre de 2011*)

Te hablo porque necesitas la seguridad de Mi amistad y la orientación que solo Yo puedo darte de esta manera. Puede que no recuerdes todo esto que te digo, pero Mis palabras son de efecto duradero, incluso si las olvidas o ya no las lees. Ninguna palabra Mía es vana. Cada palabra que pronuncio es fructífera en el alma que no les ofrece resistencia. Tú no te has resistido a Mis palabras, todo lo contrario, las has recibido de acuerdo con tu habilidad y así las estoy haciendo fructificar en tu alma, en tu predicación y en tu vida a medida que se desarrolla. (*6 de noviembre de 2011*)

La visión te ha sido mostrada, la has escrito. Ahora es la hora de darlo a conocer. Se moverán corazones y por medio de la bondad de una multitud de pequeños, proporcionaré lo que se necesita para que Mi trabajo avance. (*21 de noviembre de 2011*)

Vive el mensaje que te he dado y hazlo conocer, porque por medio de él tocaré los corazones de muchos de Mis sacerdotes y los traeré de vuelta a Mí. Yo espero a cada uno en el Sacramento de Mi amor. (*30 de enero de 2012*)

Da a conocer estas palabras. Tocarán muchos corazones y las haré fructificar en las almas de los que las leerán con sencillez y con fe. No hay nada nuevo en las palabras que te hablo, su novedad está en la forma en que expreso los deseos de Mi Corazón y Mi amor perdurable por Mis sacerdotes, a ti y a través de ti, por el bien de muchos. Entonces sé simple, transmite lo que te digo durante estos tiempos de adoración y confía en Mí para dar crecimiento a la semilla, dispersada en el extranjero. (*31 de enero de 2012*)

Ven a Mí en adoración y enderezaré tu camino delante de ti. Eliminaré los obstáculos que se avecinan en la distancia y atenderé todas las necesidades a medida que surjan. Escúchame y escribe Mis palabras, te estoy hablando como lo he hecho en el pasado y lo seguiré haciendo, porque eres el amigo de Mi Corazón y te he elegido para este trabajo que es Mío. (*6 de marzo de 2012*)

Te estoy hablando ahora como ya te he hablado en el pasado y como continuaré hablándote por tu propio bien y por el bien de los que leerán Mis palabras. Escucha atentamente Mis inspiraciones y las sugerencias que hago a través de tu ángel guardián, a través de Mi Inmaculada Madre y a través de nuestros amigos, los santos a quienes he encargado apoyarte, guiarte y caminar contigo en esta vida. (*29 de abril de 2012*)

Te estoy hablando ahora como lo he hecho en el pasado, desde lo más profundo del amor de Mi Corazón por ti. Cree en Mi amor por ti y te protegeré de los errores de tu propia imaginación y de los engaños del Maligno. Hay quienes no creerán que te he hablado o que todavía te estoy hablando. No permitas que esto te moleste. Lo que te digo se reconocerá como proveniente de Mí por los frutos que produce en tu vida. No te detengas en las aprehensiones y temores de extraviarte. Confía en Mí y en la guía del Espíritu Santo, que mora dentro de ti y descansa sobre ti. Mientras no escuches en Mis palabras nada que varíe de la enseñanza de Mi Iglesia, puedes avanzar en paz. (*22 de junio de 2012*)

Las palabras que te he dado no te las doy solo para ti, sino también para los sacerdotes que te enviaré. Comparte con ellos este deseo de Mi Corazón para los sacerdotes que harán vigilia de cerca en Mis altares y permanecerán en Mi presencia, incluso si esto significa abandonar cosas que son en sí mismas, inocentes, buenas y gratificantes. (*28 de marzo de 2013*)

Mi voz es siempre de consuelo y de amor, produciendo paz en el alma, incluso cuando Mis palabras son cortantes, incluso cuando traspasan el corazón como el bisturí del cirujano. Entonces confía en Mis palabras para ti y cierra el oído de tu imaginación y corazón a todo lo demás. (*28 de noviembre de 2014*)

No dudes de que te he dado estas palabras, te he preparado durante toda una vida para recibirlas y transmitirlas. (*2 de diciembre de 2014*)

Índice de personas y temas

Los temas que surgen en la mayoría de las páginas del libro—como la reparación, la amistad, la Santísima Eucaristía y el Santo Rostro—no se incluyen en este índice. Sin embargo, se incluyen aspectos particulares de ellos, por ejemplo, la adoración nocturna.

como Virgen Esposa, 36–37
consagración a, 26n1, 68, 70, 83,
    101, 206, 222, 237, 261, 277
en Fátima, 10, 12, 258n1
Inmaculada Concepción, 97,
    127n1, 132, 260
Inmaculado Corazón de, 10, 16,
    18, 20–22, 35, 44, 62, 68, 75, 80–
    81, 83, 92–93, 97, 99, 113, 125, 131,
    153, 167, 188, 206–7, 231, 258,
    261, 280, 282
intimidad con, 4, 9, 17, 23, 26, 29,
    36–37, 39, 60, 131
en Knock, 35–39, 161, 183, 198
manto de protección, 22, 43, 46,
    67, 77, 79, 98, 113, 257, 261, 270
Presentación de, 211, 262
siete dolores de, 188–89 *ver tam-
    bién* Rosario
Margarita María Alacoque, Santa,
86
Marmion, Abad, *ver* Columba
Marmion
Marta, Santa, 84
Martin de Tours, San, 204
mártires, 8n1, 153, 196
Mectilde de Hackeborn, 215n3
Mectilde, Madre 180, 195–98, 217,
    239, 247, 264
medicina, 5, 15, 29, 268
médico, 5, 15, 120n4, 168, 196, 208,
    210, 250
mediocridad, *ver* tibieza
Melquisedec, 123
Menéndez, Hna. María Josefa, 108
Mercier, Cardenal, 110
milagros, 15, 55, 82, 87, 97, 99, 104n3,
    151, 164, 237, 264
Misa como un verdadero y propio
    Sacrificio, xii, 7, 45, 46, 80, 83–84,
    94, 96, 119, 176, 188, 249, 263, 267
misterios, 1n1, 9, 16, 19, 23, 29, 45–
    46, 52, 74, 83, 86, 89–90, 94, 96,
    106, 109, 127, 137, 148, 160, 169, 180,

189, 214–15, 217n1, 230, 244n1, 245,
    253, 258, 268, 292
muerte, 8, 21, 34, 37n3, 93, 100, 110,
    115, 121n2, 138, 146, 160, 163–64,
    166, 168, 173, 175–76, 180–81, 188,
    190, 208–9, 228, 231, 255, 259–60,
    262, 265, 267–68, 270, 272, 280,
    289
Mysterium Fidei (Pablo VI), 239n1
Mystici Corporis (Pío XII), 11n1,
    246n1

Nazaret, 114
niño, niños, infantil, 11, 35n1, 54, 67,
    74, 98, 104, 131, 177–78, 194, 199,
    204, 209, 211, 234, 243, 247, 258,
    261, 274
noche, oraciones durante la, *ver*
    adoración, nocturna
novedad de la vida 75, 114–15, 279;
    ver también pureza

obediencia, 13, 22, 44, 46n1, 47, 60,
    73, 75, 90, 99n4, 114, 148, 150, 158–
    59, 167, 176, 178, 181, 213, 245, 252,
    293
obispos, 5, 11n1, 26, 36, 58, 85, 110n1,
    115, 139, 158, 161, 165, 174, 239, 260,
    293
obstáculos, 1, 56, 78, 92, 107, 143,
    208–9, 231, 251n2, 256, 296
oculto, 8, 10, 31–33, 53, 65, 74, 76, 78,
    115–16, 126, 133, 140, 160, 166, 178,
    186, 190–93, 197, 215n3, 228, 231,
    236–37, 248, 253, 255, 257, 262, 265,
    268, 271–72, 276, 285, 289; et
    passim
Oficio Divino, 2, 47, 84, 90, 180n2,
    218, 259, 260; *ver también* Laudes
opus Dei, 83n1, 244n1
oraciones de, 55n1, 124n3, 132, 154–
    55, 163, 215n3, 258, 273
oraciones de la mañana, *ver* Laudes
oración de la tarde, *ver* Vísperas

153, 163, 201, 243

reconciliación Sacramento de, 178, 180; *ver* penitencia

Regla (San Benito), *ver* Santa Regla

Reid, Alcuin, 223 n2

reino de Dios, el, xii, 24, 34, 45, 67, 85, 91, 108, 135, 145, 154, 204, 254

relicarios, 7

religiosas (vida, casas, congregaciones), ix, 56, 108 n1, 145, 157–58

renovación, *ver* Iglesia, renovación de sacerdocio, renovación de

resistencia, 91, 100, 122, 150, 171, 205–6, 267, 271, 290, 295

reverencia, 19, 46, 72, 180, 188–89; *ver también* irreverencia

Rey de Amor, 11, 81 n1, 119, 198 n3, 203–4, 243, 248

Romano el Melodista, San, 124 n3

Rosario, 9–10, 16, 19–20, 22, 26, 29, 32, 35, 44, 61–62, 64, 83, 99, 198, 258, 268, 273

rubricas, 90

Ruotolo, Don Dolindo, 104

Sábado de Nuestra Señora, 84

Sacerdocio, 2, 6, 8–9, 13–14, 16, 20, 23–25, 28, 31–32, 34, 38, 44–45, 50–51, 53–54, 58, 61–62, 64, 70, 73, 76–79, 83, 86, 94–95, 97, 101–2, 111, 115–16, 118, 120, 121 n2, 123, 126–27, 129, 134, 143–44, 150–54, 158–59, 162–65, 167, 174 n1, 176, 180, 182, 199–202, 205–6, 208–9, 211–12, 216, 238, 243, 246, 262–63, 267, 271, 275, 280–81, 288, 290

y bendición, xi–xii, 6–7, 71

carácter indeleble, 54, 62, 94, 115, 163, 173–174, 176, 206, 221, 271, 290

institución de, ministerio, 37, 196, 206, 226,

renovación de, 25, 34, 36, 51, 131, 143, 150–51, 182, 216

visibilidad de, 53, 250, 263; *ver también* Cristo, Sacerdocio de

sacerdote adorador, 2, 4, 8, 12, 14–16, 20, 25, 28, 32, 34, 38, 40, 44, 47, 49, 56, 65, 69–70, 73, 80–82, 84, 86–87, 90 n1, 91, 97, 100, 116, 122, 126, 133, 136, 140–41, 150, 152, 160, 163, 177, 185, 192–94, 198, 212, 216–18, 222, 225, 227–28, 236, 239, 242, 245–48, 259, 270, 276

sacerdotes, manos de los, *ver* manos sacerdotales

Sacra Tridentina (Pius X), 65 n1

Sacramentum (Benedicto XVI), 174 n1, 223 n2

sacrificio de alabanza, 83, 88, 180, 182, 209, 215, 259 n2, 271, 289; *ver* Oficio Divino; liturgia del Sacrificio de la Misa, *ver* Misa

Sacrificium Laudis (Pablo VI), 251

sacrilegio, 94, 107, 127, 263; *ver también* irreverencia

Sagrado Corazón de Jesús, 1 n2, 8, 11, 16–18, 21, 24, 28, 30, 33, 44–45, 51, 53, 55, 61, 63, 66, 68–71, 74, 76, 88–89, 92–93, 99, 108 n1, 111–12, 120–21, 124, 135, 141, 147, 149, 155, 160, 162, 164, 167, 172–73, 181, 200, 202, 205, 208, 218, 221, 224–26, 230, 236–37, 240, 242, 249 n1, 256, 271, 275, 277, 281, 284, 290, et passim

Fiesta de, 1 n2, 68, 111 n1, 121 n2, 277

Letanía de, 147 n1, 172 n1

salmos, salterio, xii, 218, 258–59, *ver también* Oficio Divino

Salve Regina, 19 n2

Sangre y Agua, 9, 16, 38, 51–52, 63, 70, 75, 133

Santa Comunión, 5 n4, 22, 65, 109, 117, 235 n1

Santa Regla, La (San Benito), 79, 83–84, 93, 100–1, 140, 168, 180, 183,

Índice de días y fechas

Este índice incluye los días, fechas, fiestas y estaciones que se mencionan en los títulos en negrita a través del libro. Para las menciones dentro del cuerpo del texto, ver el Índice de personas y temas *arriba.*

Días

Lunes, 4, 13, 15, 18, 84–85, 91, 100, 110, 112, 122, 139, 148–49, 154, 158, 162, 178, 181, 183, 185, 196, 202, 211, 224, 229, 236, 244, 247

Martes, 19, 23, 35, 98, 103, 114, 118, 122–23, 132, 139, 143, 149, 151, 159, 171–72, 177, 182–83, 186, 190, 213–14, 226, 231, 234, 258

Miércoles, 1, 6, 13, 20, 37, 68, 93, 106, 112, 116, 119, 125, 143, 153, 164, 186, 198, 200, 208, 218, 227, 230, 258

Jueves, 2, 7, 20–21, 25–27, 29–30, 32, 34, 39, 42, 44, 47, 49, 51, 58–62, 64–66, 70–72, 74, 77, 79–83, 86, 94, 99, 100–1, 106, 120, 127, 130, 134, 144, 164, 171, 173, 184, 188, 191, 200, 204, 230, 234, 237, 239, 241, 243, 245, 251, 253, 262, 264–70

Viernes, 3, 10, 15, 34, 39, 48, 53, 68, 83, 102, 106–8, 128, 135, 142, 154, 156, 160, 167, 172, 179, 182, 193, 220, 229, 235, 240–41, 250, 256

Sábados, 4, 12, 16, 41, 54, 84, 88, 103, 109, 111, 129, 132, 135, 146–47, 157, 160, 172, 175, 184, 199, 202–3, 207, 210, 222, 232, 238–39, 247, 249, 260

Domingos, 12, 17, 42, 55, 84, 87, 96, 110, 129, 132, 138, 142, 147, 149, 163, 167–68, 175, 177, 179, 181, 195, 201, 205, 217, 224, 234, 236, 238, 242, 244n1, 252

Fechas

AÑO	FECHA	PÁGINA
2007	Miércoles 3 de octubre	1
	Jueves 4 de octubre	2
	Viernes 5 de octubre	3
	Sábado 6 de octubre	4
	Lunes 8 de octubre	4
	Miércoles 10 de octubre	6
	Jueves 11 de octubre	7
	Viernes 12 de octubre	10
	Sábado 13 de octubre	12
	Domingo 28 de octubre	12
	Lunes 29 de octubre	13

IN SINU JESU

Fiestas y temporadas

A continuación se enumeran únicamente las fiestas, los tiempos litúrgicos o los días especiales que se mencionan expresamente en los títulos de la publicación. (Para referencias internas u oblicuas, véase la sección Índice de personas y temas.) *Como algunas de las fechas corresponden al calendario romano revisado y otras al calendario romano tradicional, no se ha intentado imponer uniformidad donde no existe en el manuscrito.*